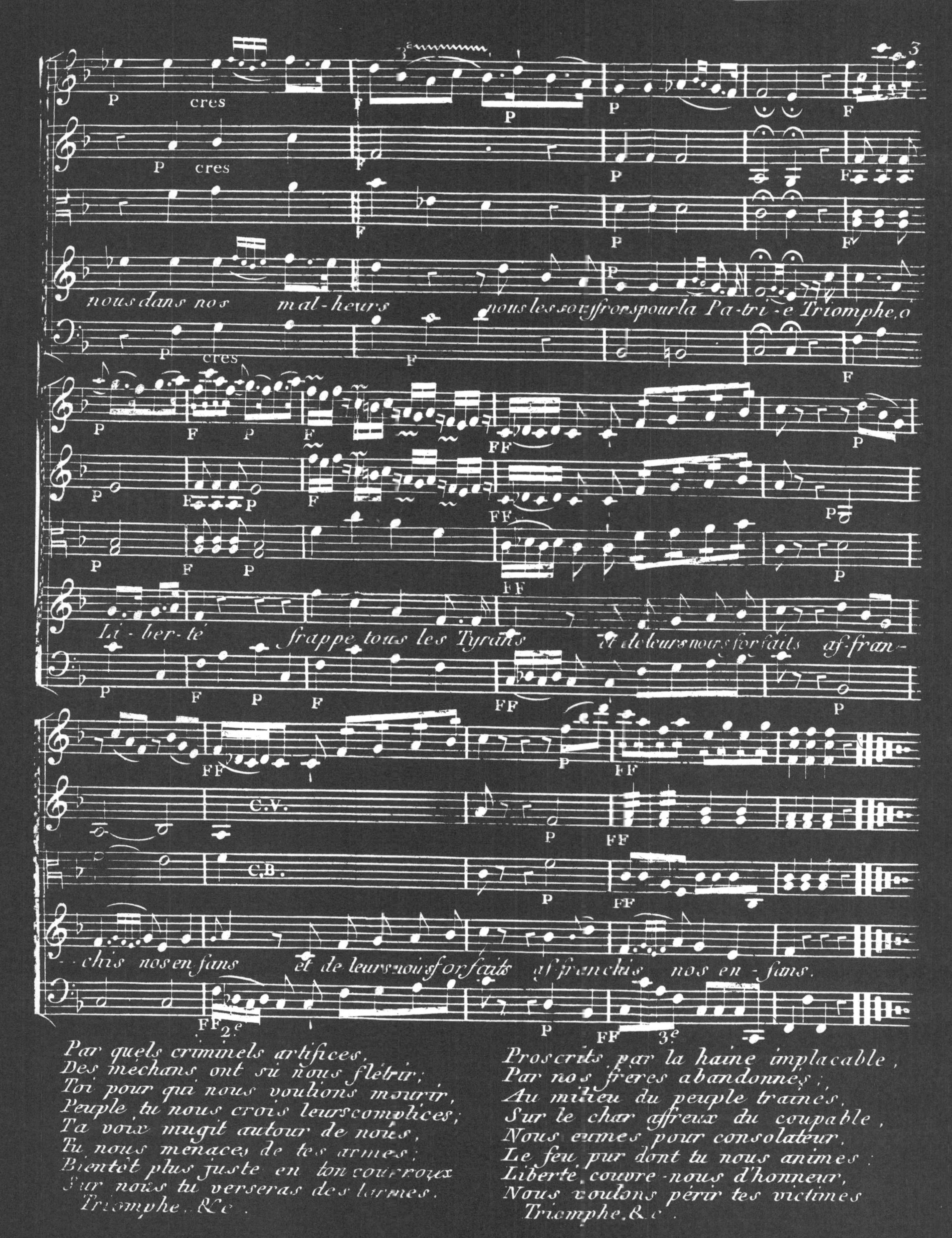
3
nous dans nos mal-heurs nous les souffrons pour la Pa-tri-e Triomphe, o
Li-ber-té frappe tous les Tyrans et de leurs noirs forfaits af-fran-
-chis nos enfans et de leurs noirs forfaits affranchis nos en-fans.
C.V.
C.B.
2.e
3.e
Par quels criminels artifices,
Des méchans ont sû nous flétrir;
Toi pour qui nous voulions mourir,
Peuple tu nous crois leurs complices;
Ta voix mugit autour de nous,
Tu nous menaces de tes armes;
Bientôt plus juste en ton courroux
Sur nous tu verseras des larmes.
Triomphe. &c.
Proscrits par la haine implacable,
Par nos frères abandonnés;
Au milieu du peuple traînés,
Sur le char affreux du coupable,
Nous eumes pour consolateur,
Le feu pur dont tu nous animes:
Liberté couvre-nous d'honneur,
Nous voulons périr tes victimes
Triomphe. &c.

THE REVOLUTION *in song*

Laverine H. Webb

ROBERT BRÉCY

THE REVOLUTION *in song*

Foreword by Michel VOVELLE

FRANCIS VAN DE VELDE
CHRISTIAN PIROT

This publication was made possible by the Fondation Paribas in collaboration with the Fondation Sacem.

In tribute to the masters through whose works
I came to know and love the history
of the French Revolution :
Philippe Buonarroti, Alexandre de Tocqueville,
Jules Michelet, Jean Jaurès, Alphonse Aulard,
Albert Mathiez, Georges Lefebvre, Maurice Dommanget,
Ernest Labrousse, Jacques Godechot, Albert Soboul...

R.B.

The original French text of this translated work, entitled « La Révolution en chantant », was published in France in 1988.

English language translation : Valerie Rasines

Book design by Line Sionneau
and Gérard Quilvin
Jacket design : L'Y'S.

Composition : Compo-Fox
Photogravure : Arts Graphiques du Centre
Printed in Spain by H. Fournier, S.A. – Vitoria

ISBN 2-86299-024-8
ISBN 2-86808-035-9

When the most beautiful songs are revolutionary...

Songs are above all an historical record, a form of reporting, an instant photograph that vividly captures and immortalizes a drama, an event, an emotion... or even a revolution. Who would hesitate to go back in time and accompany the Sans-culottes, the Canuts from Lyon, the Poilus from the Revolution, to the front lines or to the barricades, with a refrain from « Ça ira », « Madelon » or « Vous n'aurez pas l'Alsace » ? At times, the song daubs on some rouge, the color of cherries or of the red ink of posters, to symbolize the blood of the martyrs, the partisans, the prisoners, those who resisted.

It is an understatement to say that 1789 inspired many revolutionary songs — more than 2,500, from « La Carmagnole » to the « Réveil du peuple », from « Le Salut de l'empire » to « Le Chant du départ » and « La Marseillaise ». The converse is also true. Throughout the entire eighteenth century there were songs that triggered a « revolution » as is evident in these now-forgotten works : « La plainte des papetiers », « Les tourments du laboureur », « Le pauvre laboureur », « Le soldat mécontent », « Les petignats », « L'émeute des deux sols ». As early as 1730, these songs spoke of misery and social injustice, one might as well say of revolt.

We must always listen to songs, even innocent ones. They are a people's quick glimpse of their posterity, sometimes a link between everyday history and history on a grander scale, and are the most spontaneous messages a nation can direct to its leaders...

Jean-Loup TOURNIER
President of the Fondation SACEM
Managing Director of SACEM-SDRM
President of Jeunesses Musicales de France

bove all, Robert Brecy's undertaking on the eve of the Bicentennial to relate the history of the French Revolution through the voices of the people who lived during those climactic years is an attempt to reclaim the heritage of the Revolution not just for the French but for all those who love freedom. The history of the French Revolution escapes us, a consequence of our memory's erosion and of passing time. Also it has been very poorly served. The Revolution is said to have contributed nothing to France's culture, is said to have been able only to destroy — a vandal force, in a word — and to have been incapable of creating anything not vulgar and disorderly.

As part of what must rightly be called a cultural revolution, the songs of the Revolution testify to the creative force of an historic moment. One finds in them an entire current of popular sentiment, arising in part from a long heritage renewed at its very roots, and in part from a self-imposed teaching process which strove to introduce to the people new values on which to build a new world.

A particularly rich vehicle, songs perpetuate a tradition forged under the Ancien Régime by a common practice, which was sometimes naive, somewhat raffish, but even then mostly subversive. Songwriters, cultural intermediaries who had coined a language accepted by all, spread this practice throughout Paris, from the Pont Neuf to the Palais Royal, from street corners to cabarets.

This heritage was built from the time of Mazarin to the reign of Louis XV : traditional melodies are recycled and expand the repertoire with the latest refrains. The repertoire is anything but lifeless. Just as the Revolution's upheaval caused the people's tremandous urge to speak out, it also caused an explosive change in all means of communication — the press, both in Paris and the provinces ; pamphleteering or posting of handbills ; and political discourse at inns and taverns, at popular social clubs and in regional assemblies. Scores of anonymous and somewhat less anonymous individuals would find in the Revolution a reason to express themselves, each in his own words, at times in need of polish, often in the ordinary language at the

common people, moreover intended for the common people, an immense audience doing its apprenticeship in the ways of politics and discovering new forms of social commitment.
For this public, far less « illiterate » than often supposed and representing a specific culture, songs were an extraordinary means of communication. It is easy to understand why movements, both revolutionary and counter-revolutionary, made efforts to influence public opinion. But the audience is far from being passive, manipulated or subject to manipulation. One day they can be receptive to a paternalistic sovereign, whom the next day they will vilify. Now Jacobins through and through, later, they will be swayed by the events of Thermidor and denounce the « tyrant » Robespierre.

This great debate, an enormous clash between those who opposed and those who supported the Revolution, involved for the first time all segments of society. One cannot speak of Parisian supremacy when one gauges the extent to which the provinces fostered in fostering new talent, when one tracks the spread of songs throughout the entire French territory, from city to town to barracks of army volunteers. Something unprecedented occurred at this moment of exceptional opportunity. It gained momentum between 1789 and 1794, and then again at the end of the century, when the Brumaire coup d'état trampled and suppressed popular expression.

Nevertheless, the songs did not die... Until 1815, hurdy-gurdies on street corners played *l'Hymne à l'Être suprême* composed in 1794. Also, the most militant refrains were hummed or sung during the entire nineteenth century. Not until the 1880's, in the context of the workers movement, did *La Marseillaise* and later *L'Internationale* replace *La Carmagnole* and *Ça ira.* Has this history been forgotten ? A century later, noted music historians such as Constant Pierre compiled a treasury of popular songs of the Revolution as hymns of great inspiration born of the revolutionary movement. They did this research as scholars and as patriotic French Republicans eager to redeem this long-neglected heritage.

Today we can appreciate the work of Robert Brécy, who – with great skill and out of a desire to reclaim this history – acquaints us anew with the repertoire of songs from the French Revolution. The undertaking was worthwhile.

Michel VOVELLE

Director of l'Institut d'Histoire de la
Révolution Française à l'Université de Paris I.

President of la Commission de Recherche
Historique pour le Bicentenaire de la Révolution.

To celebrate the Bicentennial of the French Revolution, Fondation Paribas published this book rich in the sounds — and sights — of 1789 and the decade that ensued. In these pages are expressed all the emotions, individual as well as collective, of the men, women and children of that heroic time.

Acclaimed both by French literary critics and by art and music scholars, « The Révolution in song » won the Académie Charles Gros Grand Prix award for best music literature of 1988. Aware that the appeal of such thorough research would transcend the borders of France, Fondation Paribas offers this English translation.

Fondation Paribas was created in early 1984 by Paribas. As one of the world's leading merchant banking groups, Paribas has since its founding in 1872 contributed to the development of the most dynamic segments of industry. Today, it continues to do so, at the forefront of new technology. Paribas established the Fondation so that it could make the same type of commitment to social programs, science and the arts. Sponsored scientific projects include research in some of the most challenging aereas of medicine : the circulatory system, the immune system, the nervous system, the heart.

A significant number of Fondation Paribas grants to the arts are made in the field of publishing, the first dating back to a collaboration with the Fonds Mercator. Since its creation in 1965 at the initiative of Paribas Belgique, the Fonds Mercator has earned a distinguished reputation for producing art books of the finest quality and scholarship.

Still setting itself ambitious goals, Fondation Paribas has inaugurated a new collection of art books entitled « Musées et Monuments de France » which will add three to four titles every year. Already in print are volumes on the Château de Versailles, the Musée de la Renaissance at Ecouen, the Musée Picasso in Antibes and the Musée d'Art Moderne at the Georges Pompidou Center in Paris.

A DIARY IN SONG OF THE REVOLUTION

The political and satiric song is a very old tradition in France at every level of society. Song has been an important form of expression at the most decisive periods of French history : the Crusades, the Hundred Years' War, the Wars of Religion, the Richelieu Government, the youth of King Louis XIV (the Fronde and the Mazarinades). During the long reign of the Sun King, songs were circulated semi-clandestinely in handwritten or in printed form throughout France and sometimes abroad. This practice continued during the Régence, the reign of Louis XV, and the early years under Louis XVI. As evidenced by the Chansonnier historique du XVIIIe siècle (The Collection of historical songs from the 18th century), *popularly called the « Recueil Clairambault-Maurepas » (Clairambault-Maurepas collection), the number of songs in circulation was enormous. In fact, songs, critical and irreverent, were so much a part of French tradition that France was said to be a country ruled by a monarchy tempered with songs.*

During the entire course of the French Revolution from 1789 to the end of the century, we witness a remarkable flourishing of songs of a more popular kind. During this decade, political, social, and military events unsettled the nation. The people actively took part in or passionately observed the events of the day and used songs to recount or comment upon the great and mundane episodes of the Revolution. Songs expressed their feelings, and became a vehicle for information as well as for propaganda. Song complemented political discourse, newspapers, lampoons, pamphlets, and the almanacs distributed by hawkers all the way from Paris to distant villages.

At the end of the 19th century, the musicologist and historian Constant Pierre collected and partly annotated some 3,000 songs or hymns that made up a kind of diary in song of the French Revolution. And even then, he limited his research to the main libraries and archives in Paris. Had he extended his search to the provinces, his collection would have been significantly larger.

In examining this enormous body of work, we notice that it follows a curve parallel to that of revolutionary events. The production of songs rises while the Revolution is in its ascendancy, then wanes after the reaction of Thermidor and the fall of Robespierre. Thus we can count 116 political songs of all kinds in 1789, 261 in 1790, 308 in 1791, 325 in 1792, 590 in 1793, 701 in 1794 — the peak of Year II. After Thermidor, the decline is almost uninterrupted : 137 in 1795, 136 in 1796, 147 in 1797, 77 in 1798, 90 in 1799 and 25 in 1800. Some of the songs from the later years were really propaganda in support of Bonaparte.

Hymns and Songs in Service of the Revolution

Songwriters and politicians were well aware that patriotic songs could teach. Thomas Rousseau, a rather prolific songwriter during the first years of the Revolution, said : « The people sing much more than they read. I think that the best and most fruitful way to instruct them is to present their lesson in an attractive, pleasant form ». Generals and representatives of the people insisted that songs with the power to inspire, like La Marseillaise, *be sent to the armies. In a decree of 7 May 1794, the revolutionary Convention called upon « all talents worthy of serving humanity » to write hymns and civic songs. A few days later, the Comité de Salut Public urged poets to « celebrate the main events of the Revolution by composing hymns » on these subjects. Musicians competed in writing civic songs for national holidays in order to recall to Republicans the fondest feelings and memories of the Revolution ».*

We may not be able to write a complete history of the Revolution merely by collecting the hymns and songs of the period. Still, it is true that they illustrate and memorialize many events. Some songs are inseparable from the revolutionary epoch. J.-B. Leclerc, a delegate to the Convention from the Maine-et-Loire province and later a member of the Council of Five Hundred, stated in Year VI, under the Directoire, in his Essai sur la propagation de la musique en France (Essay on the propagation of music in France) : *« Thus in our country* L'Hymne des Marseillais *and the melody* Ça ira (It will pass) *will live from age to age, whatever the fate of music and of revolutions. There will be no noteworthy occasion at which these two songs will not be played, and in a thousand years they will still recall the memorable epoch of our enfranchisement ».*

So, it is not surprising that the assemblies and notably the Convention commissioned hymns and other works by talented poets and composers for republican holidays and anniversaries.

Among the poets, mention should be made of Marie-Joseph Chénier, Lebrun, Varon, Désorgues made instantly famous by his Hymne à l'Être suprême (Hymn to the Supreme Being) *and François de Neufchâteau who would later play an important role in politics. All of the great composers of the last decade of the 18th century are included : first, François-Joseph Gossec who contributed to the founding of the National Conservatory of Music and who created more than 35 vocal and instrumental works. In alphabetical order, others are : Boïeldieu, Cambini, Catel, Cherubini, Dalayrac, Devienne, Giroust, Grétry, les Jadin, Lesueur, Martini, Méhul, Navoigille and Pleyel.*

Certain hymns required choirs, soloists and orchestra. Most were performed only at the festivals they were written for. Others found a place in different circumstances. For example, Hymne à l'Être suprême *written by Désorgues and Gossec for the 20 Prairial Year II, was later performed at the victories of Fleurus and Ostende, as well as at the 14th of July and the 10th of August celebrations, etc. Similarly,* Peuple éveille-toi (People awaken !) *by Gossec, first heard at the transfer to the Panthéon of Voltaire's remains, was later heard at the proclamation of the Constitution (18 September 1791) and on July 14, 1795 as well.*

Songs and Parodies

Let us concentrate on the more prevalent forms of songs of the period. In order to gain quick and widespread popularity for their songs, amateur and even professional songwriters rarely wrote new, original music. They preferred to copy already familiar melodies thus facilitating the recognition and widespread circulation of their parodies. Stirring lyrics were often written to traditional, sometimes over a century-old, folk melodies, such as Charmante Gabrielle (Charming Gabrielle), À la façon de Barbari (In Barbari's manner), Complainte du Juif errant (The wandering Jew's complaint), Nous étions trois filles (We were three girls), La Faridondaine (The Faridondaine). *Music from the 18th century lyric repertory also used words that inspired a nation. Writers of theater music and charming romances like Philidor, Monsigny, Grétry, or Dalayrac found their music rewritten to new patriotic words ! One of the most famous revolutionary songs,* Veillons au salut de l'Empire (Let us watch over the Empire's health), *was written to the melody of* Vous qui d'amoureuse aventure (You amorous adventurer), an aria from Renault d'Ast, *a comic opera by Dalayrac. Often, melodies of revolutionary songs served in turn as reference and support for other words, without any satirical implications. Thus* Le Salut de l'Empire *became the base melody for 35 different songs written between 1792 and 1799. Original music such as* La Marseillaise *and* La Carmagnole, *were also parodied and appeared in innumerable versions after 1792. By the end of the century,* Le Chant du départ (The song of departure), *composed by Méhul in 1794, was reused 40 times.*

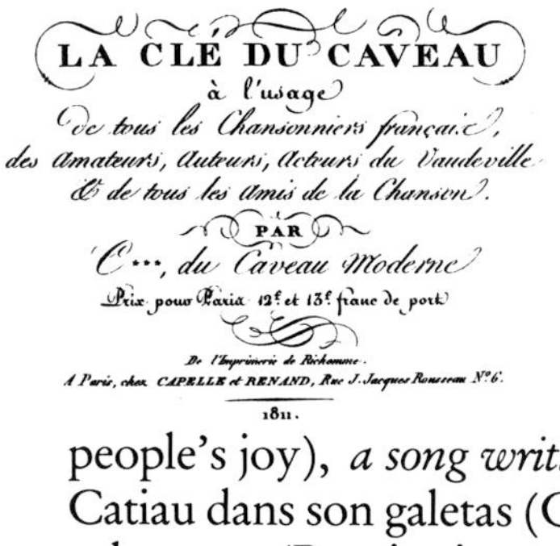
LA CLÉ DU CAVEAU
à l'usage
de tous les Chansonniers français,
des Amateurs, Auteurs, Acteurs du Vaudeville
& de tous les Amis de la Chanson.
PAR
C***, du Caveau Moderne
Prix pour Paris 12f. et 13f. franc de port
De l'Imprimerie de Richomme.
A Paris, chez CAPELLE et RENAND, Rue J. Jacques Rousseau No. 6.
1811.

The title of a new work only needed to carry the notation that it must be sung « sur l'air de... » (to the melody of) an already popular song in order for street singers, hawkers and buyers to perform it. Frequently, however, reference was made not to the original song but to a parody of the original song. For instance : when we read, « to the melody of Enfin v'là donc qu'est bâclé », *it should be noted that this is the first line of* Joie du peuple républicain (The republican people's joy), *a song written in 1792 on the original melody of a popular song by Piron and Vadé entitled* Catiau dans son galetas (Catiau in his garret) *which dates back to the 1750's and begins* « Reçois dans ton galetas... » (Receive in your garret...). *It is then, and only then, that this music can be traced back to listing No. 505 of the* Clé du Caveau, *the invaluable collection of melodies first published in 1811 by Capelle who later established the* Caveau moderne. *I will try to reproduce the music or give its listing in the* Clé du Caveau *for songs cited in this book. I will also maintain the reference to the melodies of the period even if I have not been able to identify them. Perhaps others will have better luck or more insight than I.*

1. *Marie-Joseph Chénier (1764-1811)*
2. *Luigi Cherubini (1760-1842)*
3. *Nicolas Marie Dalayrac (1753-1809)*
4. *André Modeste Grétry (1741-1813)*
5. *Étienne Nicolas Méhul (1763-1817)*
6. *François Joseph Gossec (1734-1829)*

It is easy to understand why songwriters preferred popular melodies, or « ponts-neufs » as they are sometimes called, referring to the bridge in Paris where writers and sellers of songs met. As good professionals, they knew how to popularize their efforts to make them more widely accessible and profitable. For the same reason, often when an author or publisher commissioned original music, the song was published in the new melody but also had a reference to a known song which fit the words as well ! The Chant patriotique pour l'inauguration des bustes de Marat et Lepelletier (Patriotic song for the inauguration of the busts of Marat and Lepelletier), *words by Coupigny and music by Gossec, was first performed on October 27, 1793 to its original melody, but could also be sung to the melody,* Aussitôt que la lumière (As quickly as the light), *a mid-seventeenth century song by Master Adam, the poet-carpenter of Nevers. This was a familiar tune that everyone could hum, and was used for over 70 revolutionary songs.*

The Songwriters

In the first years of the Revolution, writers of political and satiric songs no longer feared the police as they had under the Ancien Régime. Still, almost half of the new songs were published anonymously. Even so, we can document the existence of almost 600 known songwriters during this period. Some wrote several dozen songs, others only one or two. These musical artists came from all levels of society, from highly diverse regions and professions, mention of which sometimes followed the writer's name. Among them were poets and less literate lyricists whose works were of lesser merit. Nevertheless, their songs are invaluable clues to understanding revolutionary thought and provide us with eyewitness reports of history.

This book will quote the most famous and prolific of the writers, while also mentioning works of less famous authors.

First, let us examine the case of professional songwriters and Parisian street singers, worthy successors of Tabarin or of Gaultier-Garguille. The most famous of these is Ladré, the author of Ça ira, *who called himself « Chansonnier des Sans-culottes » (the Songwriter of the Sans-culottes). In 1791, Ladré published and sold* Recueil de chansons nationales et autres (Collection of national and other songs), *« chosen, composed, and sung by Ladré the elder, accompanied by his son ». He wrote more than 50 songs, some of which were great successes. Ladré spoke the language of the street. He was in tune with the people and adapted himself to their tastes. Ladré knew how to change with public opinion, supporting in turn La Fayette, then Robespierre, then criticizing the latter sharply after Thermidor.*

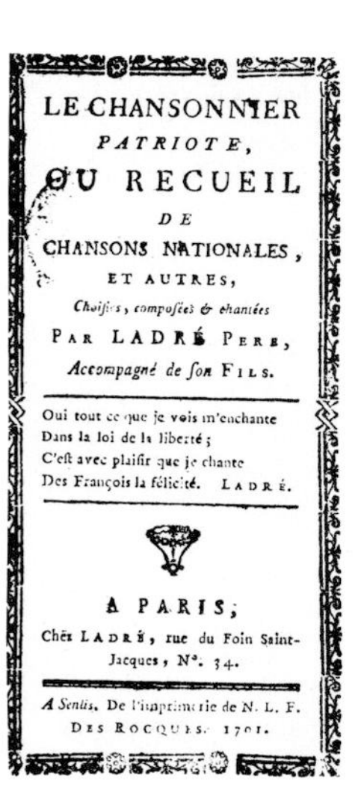

LE CHANSONNIER
PATRIOTE,
OU RECUEIL
DE
CHANSONS NATIONALES,
ET AUTRES,
Choisies, composées & chantées
PAR LADRÉ PERE,
Accompagné de son FILS.

Oui tout ce que je vois m'enchante
Dans la loi de la liberté ;
C'est avec plaisir que je chante
Des François la félicité. LADRÉ.

A PARIS ;
Chez LADRÉ, rue du Foin Saint-Jacques, N°. 34.

A Senlis, De l'imprimerie de N. L. F. DES ROCQUES. 1791.

Another star of the streets, Leveau, called Beauchant (meaning fine song), at first billed himself as « Singer of the King's and Royal Family's little pleasures ». Beauchant later dubbed himself the « Singer of the Sans-culottes' little pleasures », and his collaborator Baptiste the « Diverting One », on the title page of Recueil des chansons patriotiques (Collection of patriotic songs), *a book published in serial installments and dedicated to true Republicans. On the bottom of the cover we read : « Citizens Beauchant and The Diverting One have the honor to inform true Republicans that they may be found at the Tuileries every day, either on the terrace of the Feuillants or in the gardens, from 5 o'clock in the afternoon until nightfall, in order to help teach the melodies of their songs ». Before, lessons were held on the Quai de Grève on the coal scow « Le Chasseur » (Hunter). Let us note that Leveau and Baptiste performed songs written by others as well as themselves. C. Pierre listed 15 songs by Leveau and said of him, « Knowing well how much the public liked it, he versified almost exclusively on the events of the day — the mobilization of volunteers, the annexing of Savoie, the murders of Lepelletier and Marat, the beheading of Louis XVI and of Father Duchène, the capture of Rome, the death of Hoche... ».*

RECUEIL
DE CHANSONS
PATRIOTIQUES,
Dédiées aux vrais Républicains,
Par les Citoyens LEVEAU, dit BEAUCHANT & BAPTISTE, dit le divertissant,
chanteurs des Menus-plaisirs des Sans-Culotes.

LA NATION
LA LOI

Les citoyens BEAUCHANT & LE DIVERTISSANT ont l'honneur de prévenir les vrais Républicains qu'ils se trouveront tous les jours aux Thuileries, soit sur la terrasse des Feuillans, ou dans le jardin, depuis 5 heures du soir jusqu'à la nuit pour la facilité d'apprendre les airs de leurs chansons.

The songs of Poirier, « French singer from the Panthéon district », ran from a new Ça ira *to honor General Bonaparte after 18 Brumaire to a song about the « infâme Marie-Antoinette... » (infamous Marie-Antoinette...) using the same melody.*

Among Beauchant's and Baptiste's colleagues, let us also mention Jean Lair, who published Recueil de chansons (Collection of songs), *« selected and sung by Jean Lair, Liberty's Singer » ; Bellerose and his cousin, called Bienaimé (Beloved), who worked on the Pont-au-Change. Many singers moved from one quarter of Paris to another, always choosing the most crowded spots — the Pont-Neuf, the Pont-au-Change, the Palais-Royal, the place Saint-Germain-l'Auxerrois, the Tuileries Gardens and the Champs Elysées...*

Louis Sébastien Mercier, a caustic writer and future Convention member, scarcely approved of these singers. He mentioned them in his Nouveau Tableau de Paris (New portrait of Paris 1790) : *« The quai singers still continue to demand contributions from Parisian purses. The people, always foolishly*

LE CHANSONNIER DES RUES.

Air : *Eh ! gai , gai , gai , mon officier.*

Eh ! zon , zon , zon , mon violon ,
Prélude à ta manière !
Eh ! zon , zon , zon , mon violon ,
Annonce ma chanson.

Le dieu de la lumière ,
Paraît à l'horison ;
Commence ta carrière ,
Et donne-nous du son.
Eh ! zon , etc.

Vois-tu les ménagères ,
Courir chez le boucher ?
Ouvriers , couturières ,
Il faut tout raccrocher.
Eh ! zon , etc.

Courons la capitale ,
Et chantons des airs gais ;
Commençons par la halle ,
Finissons par les quais.
Eh ! zon , etc.

Allons , mes amis de la pointe Eustache , v'la du nouveau ; vous en aurez pour un sou tout votr'saoul : grimpons sus not'chaise , pour être à not'aise. (*A son chien.*) Psit , psit ; ici ! Haut-là , couche-là , Médor ; dors.

Air : *Pour une fois , ce n'est pas la peine.*

Vigilantes citoyennes ,
Laborieux citoyens ,
Bons humains , bonnes humaines ,
Qui fait'vivr'les Parisiens !
Tous les jours de la semaine ,
Pour fournir à vos besoins ,
Travaillez fort , prenez d'la peine ;
C'est là le fonds qui manque le moins.

Sur cette machine ronde ,
Où le mal seul est certain ,
Quand Dieu mit , à tout le monde ,
Juste au bout du bras la main ;
Il dit : toute la semaine , etc.

Postillon , va , cours la poste ;
Commis , reste à ton bureau ;
Spadassin , pare et riposte ;
Forgeron , prend ton marteau.
Tous les jours , etc.

Marche en avant , militaire ,
Tue , ou bien fais-toi tuer ;
Sur les mers , brave corsaire ,
Tâche de t'évertuer.
Tous les jours , etc.

Laboureurs , à vos charrues ,
Mettez-vous avant le jour ;
Et moi , *Chansonnier des rues* ,
Chantons la guerre et l'amour.
Tous les jours , etc.

Air : *Eh ! gai , gai , gai , mon Officier.*

Eh ! zon , zon , zon , mon violon ,
Voilà midi qui sonne !

Eh ! zon , zon , zon , mon violon ,
Allons vite au Perron.

Citoyens , vu l'habitude que j'ai de me rafraîchir , j'vais vous quitter ; mais si vous voulez v'nir ce soir à l'arcade Jean , je vous chanterez des cantiques nouveaux sur *Marc* , *Roch* et *Luc* , et , plus : *les Plaisirs de Cloud* , pastorale , Psit , psit , Médor ! allons , partons.

J. Etienne Desertaux.

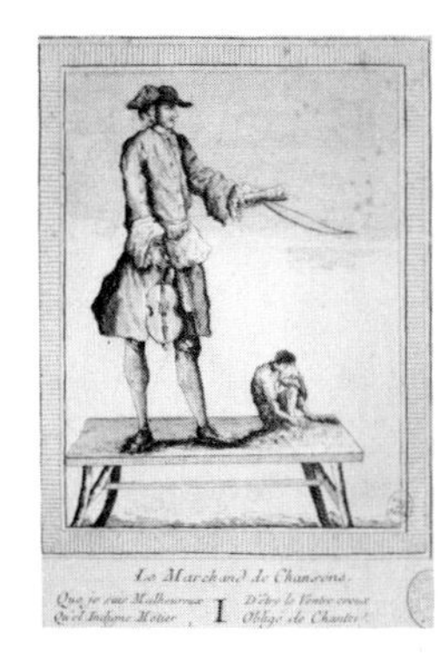

idolatrous and enthusiastic, have only to hear a shrill and raucous voice squawk the lament of Favras (the Marquis de Favras was hanged for counter-revolutionary plotting in February 1790) or the cherished names of Bailly and La Fayette before they begin digging into their pockets and forfeit 2 sous for an insipid song containing utterly trivial and ridiculous praises of the two most important people in Paris ».

We find a more favorable opinion in the Chronique de Paris (The Parisian Chronicle) *of February 17, 1792, « Yesterday evening I passed along the Pont-au-Change. I saw a man on a stage, surrounded by a crowd of spectators of every age and sex. Every night for free, Bellerose entertains the people, plays the violin and sings well-known airs and patriotic couplets pleasantly enough ».*

There were also, especially after Thermidor, songwriters and singers who attacked the Jacobins and the Directoire. The best known, according to Le Journal des Hommes libres (The Freeman's newspaper) *of 11 August 1797, was Ange Pitou, « Le chantre de la contre-révolution » (the counter-revolutionary bard). Another paper described Pitou as a « kind of street troubadour who writes verses, sings them in public places and accompanies them rather ordinarily with some preambles or commentaries in prose ». After the 18 Fructidor, Year V, his songs were the reason for his deportation.*

Performing during the same period, but at the other end of the political spectrum, we find male and female singers, such as Sophie Lapierre, who participated in Babeuf's conspiracy by publicly performing musical skits based on Le Manifeste des Égaux.

In addition to the street singers, the Revolution inspired other songwriters we will examine in this book. Among the most prolific authors was Thomas Rousseau, a War Office clerk who wrote 100 works ; Piis, an excellent songwriter who called himself Chevalier de Piis while he was secretary to the Count d'Artois. In addition to his theatrical works, Piis wrote 50 humorous songs. P.-J.-B. Nougaret, who wrote almost 40 songs, should not be confused with Félix Nogaret, who wrote 20 topical works for the composer Giroust. Delrieu also wrote many hymns for Giroust, the most popular being Hymne des Versaillais.

LE CHANSONNIER
DE LA MONTAGNE,
OU
RECUEIL DE CHANSONS,
VAUDEVILLES,
POTS-POURRIS ET HYMNES
PATRIOTIQUES;
PAR DIFFÉRENS AUTEURS.

A PARIS,
Chez FAVRE, Libraire, maison Égalité,
galeries de bois, N°. 220.

*L'an deuxième de la République française
une et indivisible.*

We note in alphabetical order some writers well regarded at the time : Auguste Dossion, an actor at the Théâtre du Vaudeville ; Brunet, Justice of the Peace in Dole ; Beffroy de Reigny, called Cousin Jacques, whose songs appeared in such dramatic works as Nicodème dans la lune (Nicodemus on the moon), *or* La Révolution pacifique (The peaceful Revolution), *which opened in 1790 at the Théâtre Français, and ran for 373 performances ; Buard Junior, from the Bon Conseil district ; Pierre Colau, who won fame in the Bonne Nouvelle district ; Coupigny of the Naval Office ; Dorat-Cubières, former riding master of the Countess d'Artois and, later a municipal officer in Paris ; Déduit, who called himself a Patriot-Singer until 1793 ; J.-B. Gouriet, a printer's son who became a publisher and bookstore owner ; Léger, actor and ballad writer from 1792 to 1799 at the Théâtre du Vaudeville (through improvised songs he updated the audience on the war news) ; Germain Lenormand, Secretary of the Society of Friends of the Constitution and principal of Rouen's public schools, and publisher of the collection* Chants d'allégresse (Joyful songs), *twenty of which were his own songs ; likewise C. Mercier, from Compiègne, who opened a bookstore in Paris during the Revolution and published* Le Temple de la Liberté (The temple of liberty) *in 1794, which included 15 of his own works ; Pierre-Louis Moline, lawyer and playwright, wrote hymns when he became secretary-clerk of the Convention ; Mollin, a printer in Bordeaux, published a dozen of his own songs there ; Perrin, who called himself « Captain of the '89 Patriots » and the « Bard of Republic » also wrote 12 songs, ranging from a parody of* Ça ira *in 1792 to* Hymne pour l'anniversaire du 14 juillet (Hymn for the anniversary of 14th of July) *in 1799 ; Person, school inspector and zealous member from the Chalier district (formerly Thermes de Julien), wrote 15 songs in 1793 and 1794, of which one, dedicated to « l'infâme Robespierre » (the infamous Robespierre) shows that the author could be conveniently slippery ; Pierre Plancher, alias Aristide Valcour, actor, playwright, and founder of the Théâtre des Délassements in 1785, continued his activities during the Revolution and wrote 20 songs after his first, the* Chanson des Sans-culottes (Sans-culottes song), *won great acclaim when he sang it on 7 July 1793 at the Jacobin Society and proposed « that the swelling mass of people be armed, that a million guns be handed out ».*

In addition to the names Piis, Auguste, and Léger, other writer-actors should be mentioned : Barré, Desfontaines and Radet, co-founders with Piis of the Théâtre du Vaudeville — one of the chief venues for patriotic songs. These talented devotees of song, like their predecessors at the Caveau, founded in 1733 by Piron, Collé and Gallet, would meet every now and then to dine and sing their latest works. Generally their meetings were more epicurean than political. Under the Directoire, after Vendémiaire Year V, members of the Dîners du Vaudeville published a monthly journal of the songs brought to the previous month's dinner. These dinners stopped in Year X, but the songwriters reorganized in 1806 as the Caveau moderne, *a singing society of which one of the leaders was the Chevalier de Piis, by then Secretary General of the Prefecture of Police.*

Among the satiric authors, mention must be made of François Marchant, born in Cambrai in 1761. Marchant intended to become a priest but the Revolution inspired him to become a political writer instead. From 1791 to 1792 he won passing fame with Sabbats Jacobites (Jacobite Sabbaths) *and above all with* La Constitution en Vaudevilles (The Constitution in ballads). *Resolutely anti-Jacobin, he did not have long to worry. Shortly after returning to his hometown, he died in late 1793. Women writers, extremely uncommon at the time, are represented by : Citizen Dubois, « Wife and mother of our nation's defenders » who sang for Marat ; and the Widow Ferrand who had 30 songs to her credit which in 1793 she published in a collection,* Triomphe de la Liberté et de l'Égalité (Triumph of Liberty and Equality).

Pour voir de bons refrains éclore,
Buvons encore.

Circulation of the Songs

The thousands of songs from the revolutionary period were circulated in the form of handbills and pamphlets of a few pages. Many newspapers also published songs written by contributors or sent in by readers.

There were also larger and more expensive collections and almanacs with self-explanatory titles such as : Le Chansonnier républicain (Republican songwriter), Le Chansonnier patriote (Patriotic songwriter), Le Chansonnier de la montagne (Mountain songwriter), L'Anthologie patriotique (Patriotic anthology), La Lyre républicaine (Republican lyre), L'Almanach des honnêtes gens (Honest folk's almanac), L'Almanach du père Duchêne (Father Duchêne's almanac). *Note, however, there was also* L'Almanach des émigrants (The émigré's almanac), *published in 1792 at Coblenz by the « Prince's Printer », and* L'Almanach des prisons (Prison almanac), *published in Paris in 1794.*

The Republican publishers of these collections were well aware of the role songs played in spreading their ideas. Thus Deperne, a publisher in Lille, wrote in 1793 in the preface to his Nouveau chansonnier patriote (New patriotic songbook), *reprinted many times : « The ballad is to French people what the sermon is to others ; there is no event or notable fact that has not been put into couplets. Therefore, to give posterity new proof of this endearing madness afflicting the French, we have gathered in this collection the best works of this kind ». He adds, not without a bit of chauvinism : « It would be quite astonishing if wearing the cap and bells of Momus we were able to teach our neighbors the most rational precepts...[1] »*

Few publishers went beyond listing the melodies being used. Exceptions to this rule were Frère and Imbault in Paris, who published many songs and printed the music. Faced with the bankruptcy of many music publishers, several musicians came together on the initiative of Sarrete, music master for the National Guard, to safeguard their music rights. In 1794, they persuaded the Comité de Salut Public to create a music store that printed works « for use on national holidays » and sold them, usually in monthly installments.

After the store was set up on the premises of the National Conservatory of Music created in 1795, it was named the Magasin du Conservatoire (Conservatory store). *It produced beautifully printed editions of hymns,*

« Sur le plan du vieux Caveau
Fondons un Caveau *nouveau :*
Là qu'une ivresse unanime
Un jour par mois nous anime.
Chantons le verre à la main,
Et nous danserons demain ».
Antoine DE PIIS,
La Grande Ronde du Petit Vaudeville

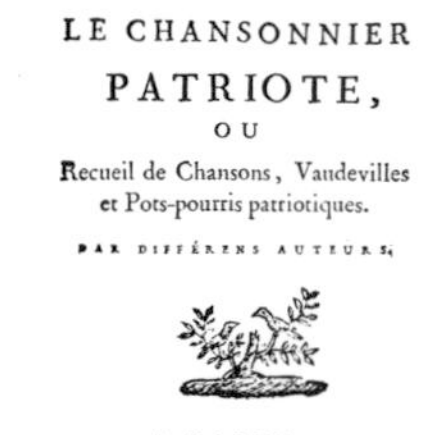

LE CHANSONNIER
PATRIOTE,
OU
Recueil de Chansons, Vaudevilles et Pots-pourris patriotiques.
PAR DIFFÉRENS AUTEURS.
A PARIS,
Chez GARNÉRY, Libraire, rue Serpente, N°. 17.
L'AN PREMIER DE LA RÉPUBLIQUE FRANÇAISE.

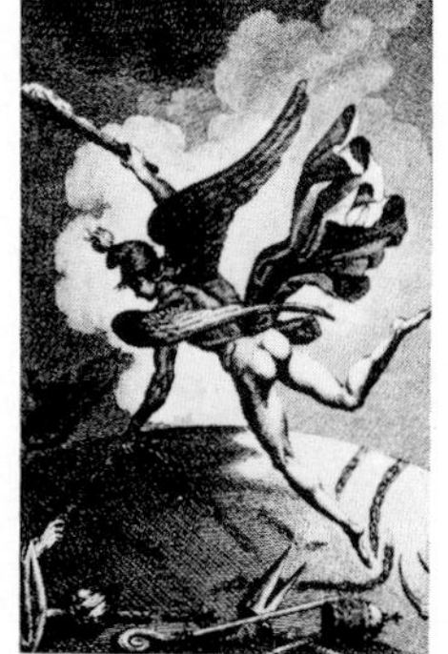

Brisant l'encensoir et le septre je rends L'HOMME À LA LIBERTÉ.

ANTHOLOGIE
PATRIOTIQUE,
OU
[illegible]IX d'Hymnes, Chansons, Romances, Vaudevilles & Rondes civiques ; extrait des Recueils & Journaux qui ont paru depuis la Révolution : on y a joint une gravure en taille-douce, & un Calendrier comparatif pour l'an III sextile de la République Française, vol. in-18 de 250 pages ; broché 2 liv., & 2 liv. 10 s. (*franc de port*) dans les Départemens.

Français, vous savez vaincre, & chanter vos victoires.

À PARIS,
Chez POUGIN, Imprimeur-Libraire, rue des Pères F. G. N° 9 ; RONDONNEAU, Libraire, au Dépôt des Loix, place de la Réunion, ci-devant Carouzel ; PICHARD & GUILLEMARD, Libraires, quai de Voltaire ; PETIT, Libraire, rue du Bac, n° 465 ; NÉE-LA-ROCHELLE, Libraire, rue du Hurepoix, près le pont Michel, n° 13 ; & chez tous les Marchands de Nouveautés.
N° I. an III. de la Rép. Fr. une & indiv.

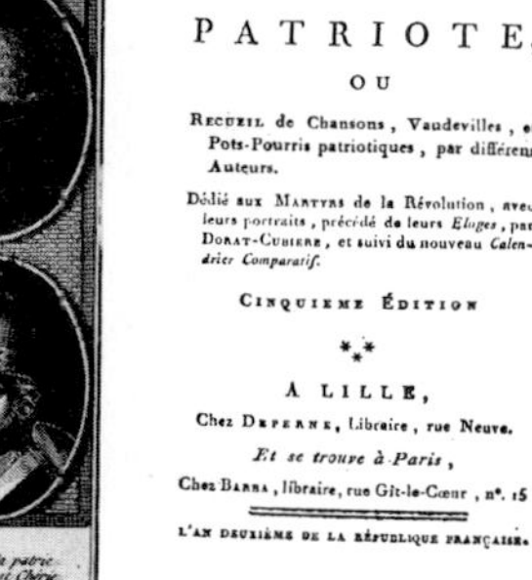

NOUVEAU CHANSONNIER
PATRIOTE,
OU
RECUEIL de Chansons, Vaudevilles, et Pots-Pourris patriotiques, par différens Auteurs.
Dédié aux MARTYRS de la Révolution, avec leurs portraits, précédé de leurs *Eloges*, par DORAT-CUBIERE, et suivi du nouveau *Calendrier Comparatif.*
CINQUIEME ÉDITION
À LILLE,
Chez DEPERNE, Libraire, rue Neuve.
Et se trouve à Paris,
Chez BARBA, libraire, rue Gît-le-Cœur, n°. 15
L'AN DEUXIÈME DE LA RÉPUBLIQUE FRANÇAISE.

[1] MOMUS, god of irony in Greek mythology, was considered by the songwriters to be their patron.

Scene from daily life in revolutionary Paris : spectators and singers on the Pont-au-Change.

songs and instrumental music. But such elaborate collections were rare. Most songs heard in the streets were rather crudely printed on poor quality paper

Whatever their means of circulation, patriotic songs were extraordinarily popular, and not just in the streets and cafés. C. Pierre writes : « At almost every assembly or meeting of any kind, one heard some patriotic, satiric or civic refrain. For a time, theaters were literally overrun and used as annexes of the public streets. Spectators voiced their preference of political couplets by starting the singing themselves, or demanded that the couplets they wanted to hear be performed immediately. This often provoked lively incidents... In several districts, new refrains or couplets in vogue were being sung. The Bon Conseil and Contrat Social prevailed in this respect, but it was in the Tuileries section that the most new variations were heard... As odd as it may seem today, the Convention hall itself was not spared from the songwriting invasion. Delegations of the people came to congratulate the Convention on its work, or to pledge allegiance to its decrees, to submit proposals or to denounce abuses, and also to present its songs to the Convention » (C. Pierre).

The Convention members certainly did not underestimate the role played by the revolutionary song. One of them, Dubouchet, explained : « Nothing is better than hymns and patriotic songs for electrifying republican souls. I witnessed the prodigious effect they produced during my assignment in the provinces. We always ended meetings of elected groups and delegates of the people by singing hymns. They never failed to increase the enthusiasm of the members and spectators ».

However, the Convention finally defended itself against the repeated intrusions of these singers who interrupted its work, demanding the insertion of their songs in the minutes of meetings or in the Bulletin des lois (Law bulletin). *Danton protested against these incongruous performances : « I recognize the civic spirit of these petitioners, but I request that henceforth at the bench we only hear arguments in prose ! » Reason carried the day and Danton's proposal was adopted.*

This did not put an end to the popular craze for these songs or their performance in public places. We see after Thermidor that the rivalry between partisans of La Marseillaise *and reactionaries favoring* Le Réveil du peuple (People's awakening) *caused several incidents and brawls in theaters. The Directoire was forced to intervene in January 1796. It decreed that directors of theaters should have « melodies dear to Republicans, like* La Marseillaise, Ça ira, Veillons au salut de l'Empire *and* Le Chant du départ *» played before the curtain is raised, and forbade « the singing of the blood-curdling melody of* Le Réveil du peuple *». The decree provided for the arrest of all those who incited people to revolt and disturbed the peace during the performances.*

Three years later, towards the end of the Directoire, on January 31, 1799, the Central Administration of the Seine issued a new decree making theatrical performances subject to police surveillance, establishing a veritable political censorship that the Consulate period would soon reinforce.

We will now try to bring back to life a few of the innumerable songs that, from 1789 to 1799, formed something of a popular counterpoint to the revolutionary movement. These songs are priceless historical documents, a delight to read and to listen to.

Robert Brécy

LA JOIE PUBLIQUE.

Ronde, *Air.* Dansons la Capucine...

Chantons à perdre haleine
L'heureux évenement,
Qui gayement nous ramène
Notre bon Parlement. & bon, bon

L'honneur et l'innocence
Contre leurs oppresseurs,
Demeuroient sans défense
Mais ils ont leurs vengeurs. & flon...

Après un long Carême
L'appetit est meilleur.
Faisons donc notre Thême
Chante mon Procureur. & flon...

Notre Femme sois sage,
Ou grace au Parlement
Je te fais mettre en cage,
Et ça dans le moment. & flon...

Vous mon Tuteur avide
Voyons, comptons nous deux.
Où le Juge décide
Si vous êtes un gueux. & flon...

Les Normands par le Coche
Rapportent leurs Dossiers.
Alerte la Basoche,
Et vous aussi Greffiers. & flon...

Vous Marchandes de Modes;
Plisseuses de Rabats,
Regarnissez vos Cordes,
Riez aux Avocats. & flon, flon...

Tout, dit la Chansonnette
Fini par des Chansons.
La preuve en est complette
Chantons donc et dansons. & flon...

Chapter 1

FROM 1787 TO 1789 : REFORM OR REVOLUTION ?

When young King Louis XVI succeeded his grandfather Louis XV to the throne of France, he was well received by the people. Not so his wife Marie-Antoinette, who was considered a frivolous spendthrift. Her image was further tarnished by the « Diamond Necklace Affair », in which the Queen found herself compromised along with Cardinal de Rohan and other conspirators.

The scandal became public when Rohan was arrested. He was imprisoned in the Bastille, where he fell ill. Tried by Parliament, he was acquitted, which was seen as an affront to the royal court. In 1786 this sordid affair inspired an anonymous song on an old church melody « O filii et filiae ». Here are the first couplets :

ALLELUYA
SUR
L'AFFAIRE DU COLLIER

LE brave médecin Portal
Nous a rendu le Cardinal,
Il l'a bourré de quinquina,
Alleluya !

Voici venir le temps pascal :
Que dira-t-on du Cardinal ?
Apprendra-t-on s'il chantera ?
Alleluya !

Notre Saint-Père l'a rougi,
Le roi de France l'a noirci,
Le Parlement le blanchira,
Alleluya !

But more important matters soon shook the monarchy. After 1781 the French kingdom suffered a long period of economic and political crises aggravated by the King's reluctance to take much needed measures.

Defeat of the Petition to the Nobles and Parliament

The financial deficit, by now chronic, had only grown larger. Necker, the Genevan banker who replaced the Physiocrat Turgot at the Ministry of Finance, published the *Compte rendu au Roi (Report to the King)* on the expenditures and revenues of the kingdom. The report clearly showed that the Court's overspending was responsible for the budget deficit. Rather than agree to a moderate reduction in their excessive spending, the King's entourage and the Queen herself pressured the monarch to dismiss Necker. His successors Calonne and later Loménie de Brienne, Archbishop of Toulouse, struggled against the same selfish inertia, while the burden of the public debt became heavier and heavier.

The *Plan d'amélioration des finances (Plan to improve the finances)* presented by Calonne in 1786 proposed structural reforms, which even though limited, were rejected by the nobility. The *Assemblée des notables (Assembly of Notables)*, composed of the kingdom's dignitaries, was convened on February 22, 1787. These dignitaries were unwilling to accept any limitation of their privileges. They coldly received the moderate reforms suggested by the Comptroller General of Finance. A ballad, attributed to Champcenêt, ridiculed these opportunists, about whom the people had no illusions. These satiric couplets gained great popularity and were sung even more widely after Calonne's dismissal on April 8.

POT-POURRI
SUR
L'ASSEMBLÉE DES NOTABLES

LE ROI.

(Air : « Malbrough ». Clé du Caveau, n° 662)

SÉNATEURS vénérables,
Écoutez, écoutez bien, notables,
Les projets admirables
De mon cher contrôleur.
Cet homme plein d'honneur
A votre bien à cœur,
Le mien bien davantage.
Rendez, rendez-lui votre hommage ;
Mon peuple, qu'il soulage,
Bénira son destin :
De son vaste dessein
Il vous dira la fin.

LE CONTRÔLEUR GÉNÉRAL.

L'État est à la gêne.
Que mon cœur, que mon cœur a de peine !
Pour alléger la chaîne
On vous imposera.
Je sais que l'on criera,
Peu m'importe cela !

(Air : « Mon petit cœur ». Caveau n° 393)

J'ai dissipé les trésors de la France !
D'Artois, Lebrun et d'autres sont contents ;
Qui mieux que moi gouverne la finance ?
Sully, Colbert étaient des ignorants.
Pour vous tirer de l'affreuse misère,
Chacun de vous payera son contingent ;
Voilà, messieurs, voilà tout le mystère :
Disputez-vous, mais il faut de l'argent.

UN PARLEMENTAIRE.

(Air : « La Faridondaine ». Caveau n° 681)

Quoi ! sans l'aveu du Parlement
Vouloir qu'un impôt passe ?
Nous ôter l'enregistrement,
C'est une étrange audace.
Le Roi nous bornerait-il donc,
La faridondaine, la faridondon,
À juger les procès d'autrui... biribi,
À la façon de Barbari, mon ami ?

LE CLERGÉ.

(Air : « Il était une fille ». Caveau n° 219)

Des projets de Calonne
Frémissez du récit !
Ah ! que nous fait le déficit !
Il nous la gardait bonne.
Il nous fait enrager ;
Il veut nous égorger.

L'ARCHEVÊQUE DE PARIS.

Mes chers confrères, mes amis,
Croyez-moi, suivez mes avis :
Si le contrôleur nous dépouille,
Souffrons-le pour l'amour de Dieu,
Et, sans vouloir lui chanter pouille,
Tirons notre épingle du jeu.

UN MAIRE.

(Air : « Jardinier ne vois-tu pas ». Caveau n° 725)

Si le peuple est dépouillé
Par le gentil Calonne,
N'en sois point émerveillé :
Il a doublement pillé
Le trône, le trône, le trône.

UN MAGISTRAT.

(Air : « Avec les jeux dans le village ». Cav. n° 53)

Avec un peu d'économie
Tâchez de sortir d'embarras.
Doit-on payer votre folie,
Quand on ne la partage pas ?
Cessez par d'injustes largesses
De vous attirer nos mépris,
Et donnez moins à vos maîtresses,
Aux princes, même aux favoris.

UN MEMBRE DE LA NOBLESSE.

(Air : « Ce mouchoir, belle Raymonde ». C. n° 74)

Votre espoir en vain se fonde
Sur ce bizarre secret,
En mille erreurs il abonde,
Et ce merveilleux projet
Exige qu'on le refonde.

LE CONTRÔLEUR GÉNÉRAL.

Non pas, monsieur, s'il vous plaît,
Il faut charger tout le monde,
C'est mon très grand intérêt.

LE COMTE D'ARTOIS.

(Air : « Quand la mer Rouge apparut ». C. n° 355)

Messieurs, cessez vos débats,
Car le Roi mon frère
Ne se départira pas
De ce qu'il veut faire.
Il faut trouver de l'argent ;
Peu m'importe à moi comment,
Pourvu qu'on en donne
A ami Calonne.

LE CHŒUR DES NOTABLES.

(Air : « Quel désespoir ». Caveau n° 494)

Quel désespoir !
On nous veut mettre à la besace.
Quel désespoir !
Nous ne pouvons y faire face.
Tout cède au suprême pouvoir.

UN CONSEILLER D'ÉTAT.

(Air : « Ah ! Monseigneur ». Caveau n° 16)

Ah ! monseigneur, ah ! monseigneur,
Tout est contre vous en rumeur ;
Nobles, Tiers-État et Clergé,
Font un bacchanal enragé.
Que peuvent contre un tel sabbat
Les pauvres conseillers d'État ?

LE CONTRÔLEUR GÉNÉRAL.

(Air des « Olivettes ».)

Eh lon là, laissez plaisanter
Les Français que l'on impose ;
Eh lon là, laissez-les chanter,
C'est le seul bien qu'on ne peut leur ôter.

LE CHŒUR DES NOTABLES (À LA REINE).

(Air : « Malbrough ». Caveau n° 662)

Madame et souveraine,
Qui voyez, qui voyez notre peine,
Tirez-nous de la gêne ;
À Calonne aujourd'hui
Retirez votre appui :
Nos maux viennent de lui.

LA REINE.

(Air : « La danse n'est pas ce que j'aime ». C. n° 305)

Calonne n'est pas ce que j'aime,
Mais c'est l'or qu'il n'épargne pas.
Quand je suis dans quelque embarras,
Alors je m'adresse à lui-même.
Ma favorite en fait de même.
Et puis nous en rions tout bas, tout bas.

L'AUTEUR AU PUBLIC.

Que je vous plains...
Il ne sautera pas.

LE PEUPLE.

Quelle remise !
On demande un nouvel impôt.
Au lieu de la poule promise,
Hélas ! nous n'aurons plus de pot,
Ni de chemise.

L'AUTEUR AU PUBLIC.

(Air du « Mariage de Figaro ». Caveau n° 98)

Or, messieurs, cette assemblée
Qu'on tient en ces tristes jours,
À la France désolée
Ne pouvant porter secours,
Bientôt sera consolée,
Et sans de bonnes raisons
Finira par des chansons.

Nº 662

Fin

Nº 393

Nº 681

Nº 219

Nº 725

Nº 53

Nº 74

Nº 355

Nº 494

Nº 16

Nº 20

Nº 305

Nº 98

Another piece, not so well known, is quoted in the diary of the Parisian bookseller S.P. Hardy : « I spotted a handwritten copy of a song in twenty-four couplets about the Assemblée des notables which, although in rather poor verse, does a decent job of showing the public's opinion of the greed motivating most of the members of that Assemblée, particularly the clergy and the nobility. The song also showed that the people expected very little to come of the deliberations of the nobility, since most of the talk was directed against the common people, who have always seen themselves sacrificed in similar circumstances ».

Here are the first four couplets of the song, which began by attacking the clergy, and the next-to-last couplet, which expressed trust in the King's wisdom.

COMPLAINTE
SUR
L'ASSEMBLÉE DES NOTABLES

(Air : « Cantique de Saint Roch ». caveau n° 736)

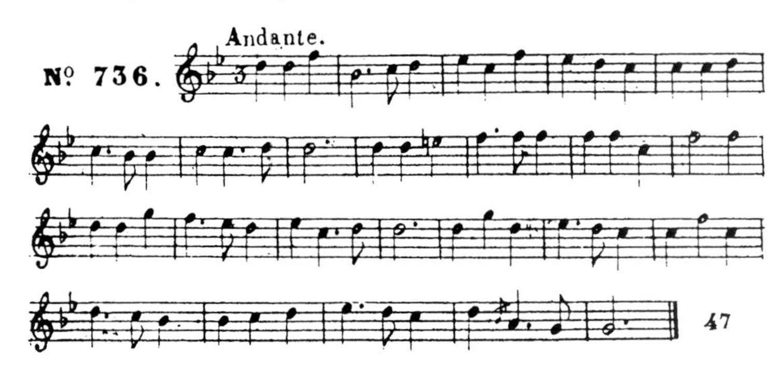

TANDIS qu'on a les coudes sur la table,
Que tous ici nous sommes gens de bien,
Parlons un peu de ce cercle notable,
Qui parle tant et pourtant ne fait rien ;
Tissu d'intrigues,
Dévotes brigues,
Tristes débats,
Jamais francs résultats.

Au camp mitré bientôt l'alarme sonne,
Vengeons, dit-il, nos plus chers intérêts ;
Unissons-nous pour écraser Calonne,
Et renversons ses insensés projets.
Qu'un roi soit père !
Doit-il le faire
À nos dépens,
Aidant les pauvres gens ?

Nous rappelant à d'antiques annales,
On veut donner nos biens aux indigents :
Nous connaissons ces vieilles décrétales ;
Mais c'est à nous d'interpréter leur sens :
Or tout évêque,
Tout archevêque
Donne du pain
Au moins à sa catin.

Si le Roi veut garder à son service
Un contrôleur honnête et bienfaisant,
Que deviendra la gent à bénéfice ?
Pour le clergé, vive le protestant ;
Quoi qu'on en dise,
Les gens d'Église
Au grand jamais
Ne seront bons sujets.

(...)

O mon bon Roi ! mon bienfaisant monarque !
D'abus honteux tu veux nous dégager :
Prends l'aviron et conduis seul ta barque,
Tous les méchants veulent la submerger.
Qui te condamne ?
C'est la soutane ;
Lis dans ton cœur
Et fais notre bonheur !

It was not only in Paris and Versailles that the middle class and the liberal nobles showed their skepticism and discontent. Witness a song written in Lyon. Revérony, the author, told of the grievances of the peasants of Lyon as well as of the hardships of the silk-weavers[1]. As a sample, we quote just the first couplet written in the peasant dialect of Lyon :

Ah ! bon Dieu ! que nutron rai
A gran ouvre ceta fait !
Faudret qu'il û bien grand'eymo,
Un parfon-n-et fiar espri
Per accordau lo sistémo
De ceta tropa d'ecri.

Here is the complete song in a more comprehensible adaptation :

Réveille Matin de Campagne
Taille payée
Colecteur
L'ABEILLE ou mouche a miel
LA VACHE
LE COCHON
LA POULE
Attributs du Paysan et des Animaux

LES MALHEURS DU TEMPS

(Air du « Cantique de l'enfant prodigue ».)

Ah! Bon Dieu, que no-tre Roi a d'ou-vra-ge cet-te fois. Fau-dret
qu'il est ben grand a-mour, un pro-fond et fier n'es-prit Pour ac-
cor-der le sys-te-me De cet-te fou-le d'é-crit.

TOUT le monde veut le bien,
Mais le faire est le malin
Car chacun craint la tochi
Et voudrait que son voisin
Seulet paye la briochi,
Et que soi ne paye rien.

Si l'on peut bien réparti
Les liards qu'il nous faut bailler,
Je ferai notre fenaille ;
Je bêcherai en chantant,
Et mangerons la poulaille
Cinquante deux fois par an !

Si je pouvais raconter
À notre Roi bien-aimé !
Mais je ne sais pas écrire,
Mais je n'ai guère d'esprit !
Là que pourrais-je lui dire ?
Le gros mingeon le petit.

Comment pourrais-je payer
Les liards qu'il nous faut bailler ?
Les ouvriers sont sans ressources ;
N'y a plus d'ouvrage dans Lyon,
Notre blé reste en réserve,
Notre vin dans le cavon !

Le traité avec l'Anglais
Nous éreinte cette fois !
Nous ont farcis de cotonnade,
De drap qui ne valont rin.
De notre étoffe si bonne
On dit que n'achetons rin.

Le gros mouchu de Paris
Qui du Roi est le mami,
Que l'on dit tant que nous aime,
Faudra qu'il fasse attention
Qu'il faut rebailler de l'âme
Au commerce de Lyon.

Quand les pauvres navets[2]
N'ont pas de liards au gousset,
Ils ne paient pas leur folliette[3]
Ils n'ont plus de quoi manger.
Nous perdrons notre recette,
Les gros perdent leurs loyers.

De notre Dieu la bonté
Voudra bien nous assister.
Y fera, pour la grande œuvre
Qui se prépare aujourd'hui,
Que n'y ait plus de pauvre.
Je vous le souhaite à tortui (tous) !

[1] Jacques-Antoine Revéroni de Saint-Cyr, military engineer, born in Lyon in 1767, wrote several plays, comedies and operas. Captain at the beginning of the Revolution, he was assigned in 1792 to the cabinet of the War Minister Narbonne.

[2] Navets was the nickname given to the silk-weavers of Lyon who used a special needle (navette) to weave their cloth.

[3] Folliette or fillette : in Lyon, a half-carafe or half-bottle of wine.

Loménie de Brienne, who succeeded Calonne in May 1787, faced the same hostility. To his proposed financial measures, the Assemblée responded that only the États généraux could impose taxes and members of the Assemblée took their leave May 25.

Brienne would now have to submit his tax edicts directly to the parliaments, or provincial assemblies. The Paris parliament made some concessions but also formulated several objections. It recommended the issue be referred back to the États généraux and disavowed a special session of parliament. As could be expected, on August 14 the King exiled the Parisian magistrates to Troyes. Other parliaments supported them, the people grew agitated and finally Brienne backed down. Parliament was recalled to Paris in September.

Hardy, the bookseller, noted on September 28 that the return of Parliament[1] was greeted by demonstrations of public joy in the Palais-Royal quarter and that the following couplets were being sung and handwritten copies distributed :

[1] The print on page 20, « La joie publique » (The public joy), illustrates this event.

COUPLETS

(Air : « Ah ! le bel oiseau, maman ». Caveau n° 13)

Elle est enfin de retour
Cette auguste compagnie ;
Français, chantons tour à tour,
Chantons tous malgré l'envie :
Vive notre Parlement !
Adieu la mélancolie,
Vive notre Parlement
Et son Premier Président.

Il fallait, grands sénateurs,
Toute votre résistance
Pour prévenir nos malheurs,
Tout allait en décadence ;
Vive notre Parlement !
Ah ! qu'il tient bien la balance !
Vive notre Parlement,
Et son Premier Président.

Brienne then attempted to negotiate a loan of 120 million francs from the provincial assemblies. He endeavored to expedite the negotiation by having the King present the edict in a new royal session of Parliament on November 18. The plan failed. The King exiled the Duc d'Orléans and two other advisors who objected. The Paris parliament came to their defense, asking that individual freedom be respected. Later, Parliament dissolved the meeting of the États généraux.

Parliamentary resistance extended to the provinces where the middle class, with the support of popular factions, began to play an increasingly important role. Small uprisings broke out in several villages. Grenoble had its « Tile Day » — so named because in protest tiles had been thrown at soldiers. Both the regional nobility and the middle class agreed to convoke the États du Dauphiné on July 21 at the Château de Vizille, home of the prosperous merchant Claude Périer. Elected representatives of the clergy, nobility, and commons were treated on equal footing. Votes were cast by head-count and not by class, a new practice which set a precedent for the future.

Things then began to evolve rather quickly : Brienne withdrew once more and promised a meeting of the États généraux for May 1st 1789. He presented his resignation to the King who reluctantly reinstated Necker on August 26. Necker, counting on previous popular support, once again called a meeting of the Assemblée des notables at the beginning of December. For a moment hopes ran high, but they were soon dashed.

Meeting of the three estates at Dauphiné in 1788 (late painting by Alexandre Debelle, Grenoble, 1805-1877). Musée de la Révolution Française, Vizille.

« Vive le Roi, vive le Parlement et M. Necker ». (Long live the King, long live Parliament and long live Necker) September 1788.

This disappointment was echoed in the song *Considération des notables de la Halle sur les affaires du temps (The dignitaries of la Halle confer on the affairs of the day),* composed in the Billingsgate style favored by the songwriter Vadé. The song also used the melody of one of Vadé's songs, « Catiau dans son galetas » (Catiau in his garret), or « Reçois dans ton galetas », Caveau listing no. 505.

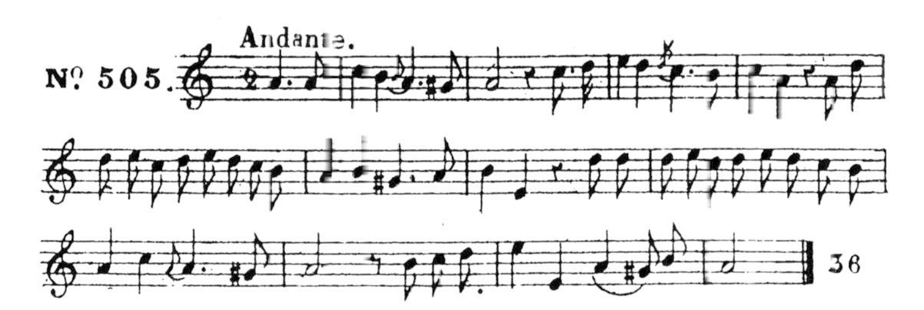

MADAME ENGUEULE.

LES notables ont fini !
Comm'i zont fait leux capables !
Leux sacré brouillamini
Nous rendait ben plus misérables :
Mais leur complot est foutu,
Ils s'en r'tournent la pelle au cul. (bis)

JEAN LEFORT.

Ils n'voulont pas du Tiers-État
Parce qu'il est l'soutien du trône.
Leux fallait de l'aristocrat
Et que l'Roi leur mît la couronne :
Mais leur complot est foutu,
Ils s'en r'tournent la pelle au cul. (bis)

MADAME SAUMON.

Les grands n'voulont rien payer
Parce qu'i z'ont ruiné la France.
Faut ben suer, ben travailler
Pour engraisser leux Excellences
Pour eux j'faisons v'nir le pain
Et pour nous i font v'nir la faim (bis)

JEAN MANNEQUIN.

Nos seigneux les calotins
Aux curés laissont l'service ;
Et c'n'est que cheux leux catins
Que ces biaux prélats font l'office.
J'n'osons trouver tout ça mauvais,
De peur d'être damnés à jamais. (bis)

FANCHON CHOPINE

C'te noblesse et c'clergé,
Ça n'fait qu'un, ça tire ensemble ;
Mais c'est si ben arrangé
Que ça fait deux quand bon leux semble ;
Ça leux double les moyens ;
On sait qu'deux corps ont quatre mains. (bis)
(...)

LES NOTABLES *en chorus*

Après qu'j'ons vu tant gruger
Les Brienne et les Calonne,
Un brave et sage étranger
Souquient l'État comme eune colonne.
Necker change le mal en bien,
Et pour tant d'peine i ne prend rien. (bis)

Actually, the errors of this new Assemblée des notables seemed of secondary importance to the people. What mattered to them was the preparation of the États généraux convened by the King. This upcoming assembly of the three estates seemed at the beginning of 1789 to represent a promise of liberty and equality, a possible end to despotism and the beginning of a golden century for France. This hope was captured in an anonymous ironic song written to the melody *O filii et filiae* (mentioned on page 21). Here are the most revealing verses :

HYMNE
EN L'HONNEUR
DE LA RÉSURRECTION
DES ÉTATS-GÉNÉRAUX.

1789

HYMNE EN L'HONNEUR
DE LA
RÉSURRECTION DES ÉTATS GÉNÉRAUX

Ô FILS et filles, tour à tour
Réjouissez-vous dans ce jour !
À vos cris le Ciel n'est plus sourd.
Alleluia.

(...)

Parmi le trouble et la fureur,
Effet d'un Ministre oppresseur,
Necker parut comme un sauveur.
Alleluia.

Lorsque la nouvelle éclata,
Chacun la crut, la débita,
Hors le Tiers-État qui douta.
Alleluia.

C'est moi, dit-il, n'ayez point peur ;
Touchez mes mains, touchez mon cœur :
Je renais pour votre bonheur.
Alleluia.

Le Tiers-État doutait encor ;
Mais en palpant, sans nul effort,
Il s'écria : quel heureux sort !
Alleluia.

Heureux ceux qui sans avoir vu
Auront enfin constamment cru !
Le ciel bénira leur vertu.
Alleluia.

À son aspect tout refleurit,
L'État retrouve son crédit,
L'espoir renaît, la crainte fuit.
Alleluia.

Ô détestables envieux,
Malgré vos cris injurieux,
Necker saura vous rendre heureux !
Alleluia.

Par nos soins chaque *élection*
Va restaurer la *Nation*
Qu'on tenait sous l'oppression.
Alleluia.

Viens, précieuse Liberté,
Sous les lois de l'Égalité
Rendre l'homme à l'humanité.
Alleluia.

À ta voix les fers vont tomber,
Tous les Despotes succomber,
Et l'Univers te bénira.
Alleluia.

Dans les trois Ordres confondus,
Ayant pour guide les vertus,
Français réformons les abus.
Alleluia.

(...)

Le *Siècle d'or ressuscité*,
À Louis sera présenté
Comme l'ouvrage de sa bonté.
Alleluia.

Vive la Danse
et le Pas de trois.

Opening of the États généraux, May 5th, 1789.

The États Généraux

The electoral system initiated in January 1789 for naming delegates to the États généraux left uncertain whether votes would be counted by class, according to tradition, or by head-count, as the commons desired. The latter method was the only way for the commons to be equal in power to the deputies of the other two estates.

This point was argued throughout the provincial assemblies. These groups were charged with the awesome task of preparing the grievance reports asking why their deputies were banned from the États généraux. These laborious preparations were undertaken in times of crisis and extreme poverty among the masses. As the work slowly proceeded, agrarian revolts broke out in several provinces. In early 1789, Sieyès, one of the the strategic leaders of the commons, proclaimed the group's importance in his pamphlet *Qu'est-ce que le Tiers-État? (What are the commons?)* which was very quickly and very widely distributed. Sieyès answered his own question : « Everything. What have they been until now? Nothing. What do they ask? To become something ».

Of the 1,165 deputies, 291 represented the clergy, 270 the nobility and 578 the commons. The selection method for the deputies of this last estate ensured the inclusion of various middle class representatives — lawyers, financiers, merchants, writers, landowners, several industrial manufacturers, but no artisans or laborers and only one farmer, Father Gérard, a laborer of the Rennes seneschalship.

One song, *Le Tiers-État (The commons)*, spoke of the hopes of the commons and their trust in Necker and in the King. These verses were sung on May 18 .

LE TIERS-ÉTAT

(Air : « Vous de qui l'amoureuse ivresse »)

SI le clergé, si la noblesse,
Mes chers amis,
Ont pour nous si grande rudesse,
Tant de mépris,
Laissons-les tous s'en faire accroire,
Prendre l'État,
En attendant nous allons boire
Au Tiers-État.

Devant la divine justice,
Pas plus que nous,
A quoi leur servent l'artifice
Et le courroux,
Auraient-ils perdu la mémoire
Que leur éclat
Provient de même que leur gloire
Du Tiers-État ?

Nous devons tout à la puissance,
Respect, égards,
D'où l'homme a-t-il pris naissance ?
C'est du hasard.
Le premier qui se rendit maître
Fut un soldat.
Il fut Roi... d'où tenait-il l'être ?
Du Tiers-État.
(...)

Vous qui nous traitez de racaille
Si poliment,
Comme nous, vous payerez la taille
Très « noblement ».
Vive le sauveur de la France,
Necker, vivat !
D'où ce héros tient-il naissance ?
Du Tiers-État.

De Henry notre bon monarque
A le grand cœur ;
Il veut, il fait, il nous le marque,
Notre bonheur.
Aimons-le, toujours avec zèle
Servons l'État ;
Qu'à Louis soit toujours fidèle
Le Tiers-État.

Another song in the Billingsgate style struck a different note, one of persisting distrust of the « mighty » and other dignitaries. The *Motion des harangères de la Halle (The orators' motion in the market place)* was sung to the tune of « Reçois dans ton galetas ».

MOTION,
DES HARENGERES,
DE LA HALLE.

Air : Reçois dans ton Galetas.

Ces grands E-tats gé-ne-raux, front il du brou-et d'andouil-le ces Mes-sieux s'ront-il si sots que d's'en r'tourner chez eux bre-douille quand par mi-ra-cle un bon Roi veut fair l'bien de si bonne foi veut fair l'bien de si bonne foi.

2.
Si c'étoit nous qu'étions là
On diroit c'est d'la canaille
Mais des beaux Messieux com'ça
Aulieu d's'entendre sa s'chamaille
Ça bout du thé aux Anglais
Com'ils vont s'foute des français.

3.
C'n'est pas dans les pu p'tites gens
Qu'est la plus grande canaille
C'est dans ces chiens d'Parlemens
Dans c'te Noblesse et c'te mitraille
C'n'est pas leux Roi si loyal
Qu'ils aiment c'est l'coffr'fort Royal.

4.
Com'ils faisont leux fendants
Ces Gentil-hommes antiques
Dont les Ayeux y a vingt-ans
Etoient des Seigneurs en boutiques
Grace a l'argent les voicis
Pu fiers que les Momorency.

5.
Ils se croyont les égaux
D'l'éminence et d'l'altesse
Ils n'voyont pas les nigauds
Que la grandeur croit d'leux p'titesse
Pour les Singer com' Raton
Vont tirer du feu les marons.

6.
Ça méprise l'tiers-Etat
C'est l'enfant qui bat sa Mere
Mais lasse enfin du sabat
La Maman se met en colere
Elle empoigne l'cher enfant
Et vous lui fout l'fouet jusqu'au sang.

7.
Aulieu d'payer ses Tyrans
N'voulont qu'pêcher en eau trouble
Et plus nos malheurs sont grands
Pu leur avidité redouble
Quand le feu prend aux Maisons
Ça fait la fortune aux larrons.

8.
L'parti l'meilleur, est l'plus court
Il est tems q'tous ça finisse
Pour quelques Gredins d'la Cour
Faut-il que la France périsse
Le peuple avec l'Roi d'accord
Ne peut manquer d'être le plus fort.

9.
Si les Grands, troublent encor
Que le Diable les confonde
Et puisqu'ils aimont tant l'Or
Que dans leux gueule on en fonde
Voila les sincéres vœux
Qu'les Harangeres font pour eux.
Fin.

L'ASSEMBLÉE DES ÉTATS-GÉNÉRAUX CONVOQUÉE
à Versailles le 27 Avril 1789, et Remise le 4 Mai

CHANSON
Nouvelle sur ce sujet.

Air : Vous qui de l'amoureuse ivresse.

Venés Députés de la France
Venés en joye
Accourés tous en diligence
De par le Roi
L'Etat en trois partis s'assemble
Dans ce grand jour
Ils nous feront voir tout ensemble
Du coeur l'amour. bis

Que vive à jamais Louis Seize
Notre soutien
Et que notre esprit soit bien aise
Pour notre bien
Les Bourbons prennent en main la cause
De l'indigent
Il ne nous faut pas autre chose
Pour le présent. bis.

Et le Duc D'Orléans aimable
Est un Papa
L'on connoit son coeur charitable
Sur tout cela
Bénite soit cette assemblée
A tout jamais
Qui dans Versailles est convoquée
A nos souhaits. bis.

Le Clergé, comme la Noblesse
De tous pays
Vient en ces lieux, tout s'interesse
Jusqu'a Paris
Que le Ciel devienne propice
A leurs projets
Que toute la France il bénisse
Et ses Sujets. bis

Suite

Célébrons ce jour de memoire
Soyons joyeux
Qu'un Te Deum rempli de gloire
Soit en tous lieux
Chanté d'une belle éloquence
A haute voix
S'écriant par toute la france
Vive le Roi. bis.

Que chacun soit sans nulle crainte
Dans ce moment
Croyons que le peuple san feinte
Sera content
Bénissant les augustes têtes
Des Magistrats
Vers les cieux, voila les requetes
Des Tiers-Etats. bis.

Grand Neker, ta rare prudence
Est notre appui
L'on voit en toi la prévoyance
Du grand Sulli
Sous un Roi qui vaut Henri Quatre
Tous a l'envi
François chantons sans rien rabatre
Vive Louis. bis.

Ainsi François, d'un coeur sincère
Pleins de gaité
Loues le Ciel, et notre Père
Sa Majesté
Comme son Auguste Famille
En tous cantons
De plus en plus la vertu brille
Chez les Bourbons. bis

Fin.

Le Roi ayant égard à l'état présent de ses Sujets, vient d'ordonner une Convocation des trois États des différentes Provinces du Royaume tenue à Versailles le 27 Avril 1789, suivant le réglement du 24 Janvier dernier de la même année, afin que ces dignes Députés étans doués d'un vrai zèle françois, et esprit d'humanité, proposent, remontrent, avisent, et consentent, tout ce qui peut concerner les besoins de l'état, la réforme des abus, l'établissement d'un ordre fixe et durable dans l'administration, la prospérité du Royaume, et le bien de chaque Sujet, régle constante dans l'ordre public, relativement aux différents impots pour le soulagement du peuple, assurant Sa Majesté, d'écouter favorablement les différents avis qui lui seront donnés, pour l'interêt et le bonheur a venir, qu'il espere donner à tous les bons et fideles Sujets, des différentes Provinces de son Royaume, pour que chacun soit content, sous le Regne d'un aussi Auguste Prince, AMEN.

A Paris chez Bonvalet, Enclos de S.t Jean de Latran Cour du Noyer, chez M.r Hémar. *Avec Permission.*

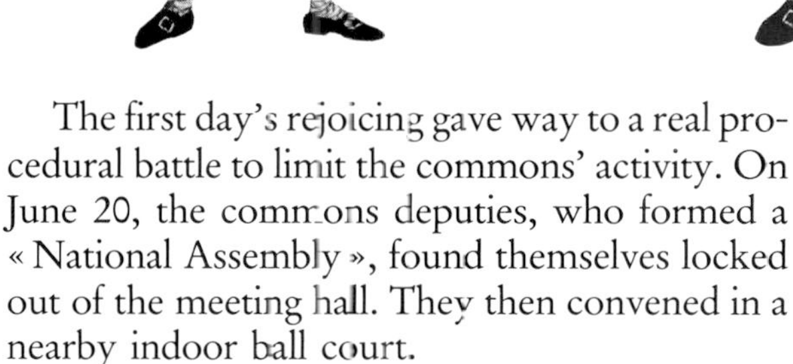

The opening of the États généraux took place on May 5 at Versailles. The night before there was a solemn march of the three estates. The mass of dark suits worn by the commons outnumbered and sharply contrasted with the jeweled finery of the nobles and clergy.

The first day's rejoicing gave way to a real procedural battle to limit the commons' activity. On June 20, the commons deputies, who formed a « National Assembly », found themselves locked out of the meeting hall. They then convened in a nearby indoor ball court.

Oath taken at the Jeu de Paume. Drawing by Louis David.

It was there, under Bailly's leadership, that they adopted Mounier's proposal never to separate « until the Constitution be established and founded on solid ground ». This famous episode was dramatically recounted by Thomas Rousseau to the melody of « Mon petit cœur à chaque instant soupire » (My little heart sighs every moment) (Caveau listing No. 393, mentioned on page 23).

LE SERMENT
DU
JEU DE PAUME

Ô LIBERTÉ, combien est magnanime
Ce fier mortel qui, plein de ton ardeur,
Prend son essor, et dans son vol sublime
Soudain s'élève et plane à ta hauteur !
Tel qu'un hercule, en s'offrant à ma vue,
Aux nations vient-il donner des loix ?
Partout son bras, armé de sa massue,
Abat l'orgueil des tyrans et des rois ! (...)

Tous, pénétrés de ta céleste flamme,
Tous, repoussant de coupables effrois,
Jurent ensemble au despotisme infâme
Ou de périr, ou de venger nos droits.
Dans le délire où ce serment le jette,
Le spectateur, en pleurant, le redit ;
Les bras en l'air, le peuple le répète,
Il le répète, et le ciel applaudit !

Législateurs qui vous couvrez de gloire
Par le serment qu'ici vous prononcez,
Sur les tyrans vous gagnez la victoire,
Usez-en bien, ils sont tous terrassés !
Le despotisme, en sa rage exécrable,
Se flatte en vain d'un empire éternel ;
Votre serment, ce serment redoutable,
Est pour le monstre un arrêt sans appel ! (...)

On June 23, the King's attempt at intimidation failed. When the Marquis de Dreux-Brézé called upon the commons deputies to disperse, Bailly responded, « The nation assembled need not follow orders ». And Mirabeau added, « We are

1

LA RÉUNION
DES
TROIS ORDRES.

COUPLETS

DÉDIÉS A LA NATION,

PAR M. DÉDUIT.

Air : *Avec les Jeux dans le Village.*

O JOUR fortuné dans l'hiſtoire !
Les trois Ordres ſont réunis !
O Français ! jouis de ta gloire,
Lorſque tes vœux ſont accomplis.
Maintenant (*bis*) qu'une douce ivreſſe
Vienne s'emparer de nos cœurs,

A

2

Un Roi qu'anime la tendreſſe
Ne vaut-il pas cent Rois vainqueurs? (*bis*)

A Monſieur NECKER.

NECKER, homme ſenſible & ſage,
Ne dois-tu pas être content?
Notre bonheur eſt ton ouvrage,
Couronne de gloire t'attend.
Reçois-la (*bis*) des mains de la France,
Dont tu deviens libérateur :
Pour prix de ſa reconnaiſſance,
Sois à jamais ſon protecteur. (*bis*)

A S. A. S. Mgr. LE DUC D'ORLÉANS.

Citoyen que chacun admire !
Prince adoré par tes bienfaits,
Quel noble ſentiment t'inſpire !
Comme tu nous rends ſatisfaits !
D'Orléans (*bis*) inſtruits notre Maître

3

De nos tranſports, de notre amour :
LOUIS ne cherche qu'à connaître
La vérité dans ſon grand jour. (*bis*)

A Noſſeigneurs les Députés.

Sénateurs de l'antique Rome
Pourſuivez vos nobles travaux :
Chacun de vous eſt un grand homme.
Par vous, vont ceſſer tous les maux,
Que l'amour (*bis*) de votre Patrie
Dans ce ſiècle vous fait honneur ;
Par vous trame d'or eſt ourdie
Sous un Roi régénérateur. (*bis*)

Aux Soldats.

Honneur aux braves Militaires,
A leurs ſentimens généreux ;
Ils ſavent que nous ſommes frères,
Que LOUIS veut nous rendre heureux.

4

Célébrons (*bis*) leur ame héroïque ;
Digne de l'admiration ;
Nommons-les d'une voix unique
Les Soldats de la Nation.

Vive le ROI ! le DUC D'ORLÉANS !
M. NECKER, & la Réunion !

Chez GOUJON, Marchand de Muſique, grande Cour du Palais Royal, à côté du Graveur.

here by the people's will... We will leave our positions only at bayonet point ».

The royal court relented. The opposition by the clergy and nobles gradually abated, making it possible for the King to invite all three estates to rejoin the Assemblée. The Assemblée, in turn, formed a Constitutional Committee whose first report was presented by Mounier on July 9. This marked the birth of the *Assemblée Nationale Constituante.* Two days later, La Fayette, inspired by the example of the American Revolution, proposed that the future Constitution be prefaced by a Declaration of the Rights of Man.

The middle class and the liberals who wanted to reform the régime thus felt they had made significant gains. The question remained, however, whether they would be able to overcome the resistance of the privileged few without causing greater unrest among the people.

The Taking of the Bastille

Meanwhile city and country folk still suffered from economic uncertainty (food shortages, expensive bread, unemployment) compounded by a new fear, that of an aristocratic conspiracy. In Paris, at the end of June, dissension and unrest spread through the French Guards and they quickly slipped from their position of favor at the Court. Some 20,000 troops, made up primarily of foreign regiments, moved into Paris. The Assemblée nationale called for their dispersal, while the Court leaned toward removal by force. On July 11, the King provoked the people's anger by brusquely firing Necker, by forming a new

1

government led by the reactionary Baron de Breteuil and naming Maréchal de Broglie, also a reactionary, head of the War Department.

The threat of violence loomed large in Paris. On the 12th, the people held public forums in known gathering places. Demonstrations were held on the Champ-de-Mars and at the Tuileries near the foreign troop encampments. Prince Lambesc ordered the Royal German Dragoons to charge the crowd, provoking the French Guards to retaliate. Camille Desmoulins harangued the crowd at the Palais Royal.

The mood of unrest escalated quickly. Soon it was too late for the King and even for the Parisian electors who had created the new middle-class militia to regain control. The spontaneous riots of the 12th spread rapidly. By the next day, Parisians pillaged armories as they sought to arm themselves. On the 14th, the frenzied crowd, with the tacit complicity of the troops, seized 32,000 guns at the Invalides, then hastened to the Bastille.

1. Parisians visit foreign regiments encamped at the Champ-de-Mars, July 12, 1789.
2. Confrontation between the Royal German army and a detachment of French Guards.
3. Camille Desmoulins at the Palais-Royal.

2

3

The next events are well known : Governor de Launay and his small garrison could not hold back the mass of demonstrators. At first, he tried to gain time by negotiating, then he ordered his troops to fire, provoking a bloody battle. The attackers, mostly artisans and shopkeepers from the Faubourg Saint-Antoine, suffered 100 casualties. Despite the heavy losses, in a few hours the mob secured the old Bastille fortress so hated by the people. The governor and some defenders were put to death.

Among the dozen contemporary songs recounting the taking of the Bastille, we will mention only one curious anonymous work. It presented the events of July 14th in a ballad of five short tableaux[1].

Note that in the third verse the author mentioned Governor de Launay and the provost of

[1] These couplets appeared in a collection published by the Parisian Frère in 1790.

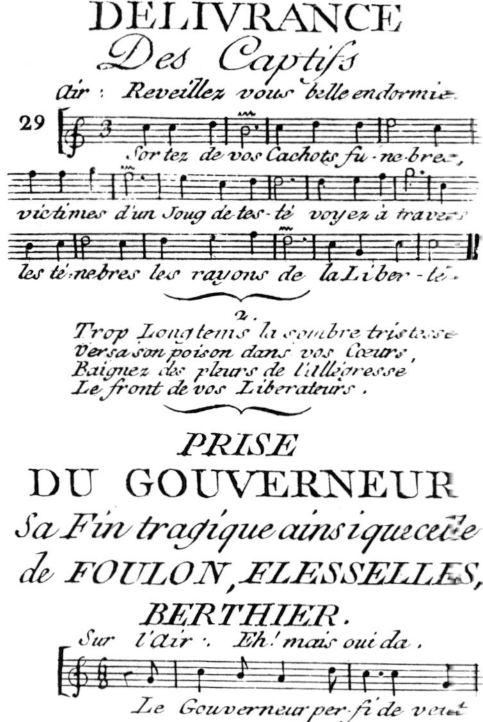
DELIVRANCE
Des Captifs
Air : Reveillez vous belle endormie.
29
Sortez de vos Cachots fu-ne-bres,
victimes d'un Joug detes-té voyez à travers
les té-nebres les rayons de la Liber-té.
2.
Trop Longtems la sombre tristesse
Versa son poison dans vos Coeurs,
Baignez des pleurs de l'Allégresse
Le front de vos Liberateurs.
PRISE
DU GOUVERNEUR
Sa Fin tragique ainsi que celle
de FOULON, FLESSELLES,
BERTHIER.
Sur l'Air : Eh! mais oui da.
Le Gouverneur per-fi-de veut

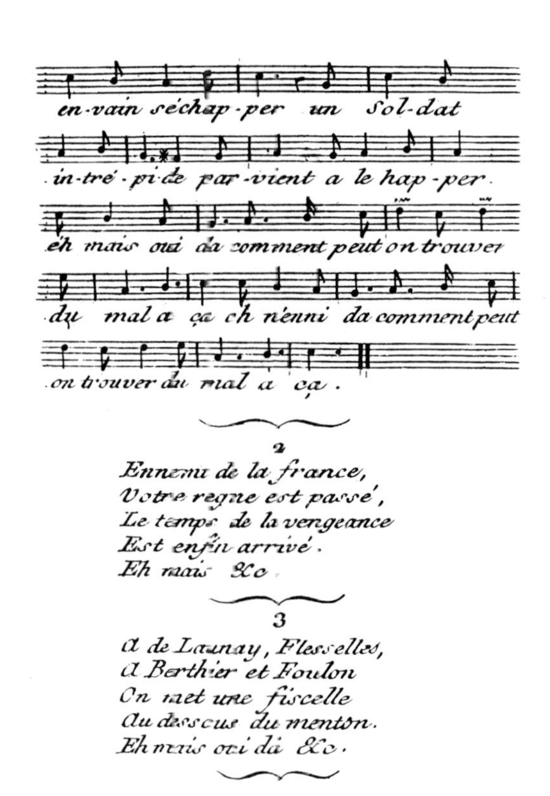
en-vain séchap-per un Sol-dat
in-tré-pi-de par-vient a le hap-per.
eh mais oui da comment peut on trouver
du mal a ça eh nenni da comment peut
on trouver du mal a ça.
2
Ennemi de la france,
Votre regne est passé,
Le temps de la vengeance
Est enfin arrivé.
Eh mais &c.
3
A de Launay, Flesselles,
A Berthier et Foulon
On met une fiscelle
Au dessous du menton.
Eh mais oui da &c.

SIÉGE ET PRISE
De la Bastille.
Air : des Trembleurs.
30
Envain ce fort de-tes-ta ble, dont la
masse epouven-table fit tête au bras formidable
du plus fameux des Hen-ris veut en-corb-a-
ver la foudre qui va le réduire en poudre
prêt de se dis- sou-dre me-na-ce
de ses dé- -bris.
2.
Le Citoyen intrépide,
Malgré la Grêle homicide,
Que fait pleuvoir un perfide,
Force cet affreux sejour ;
Tout se disperse tout plie,
Planté d'une main hardie,
l'Etendart de la patrie
Flotte deja sur la tour

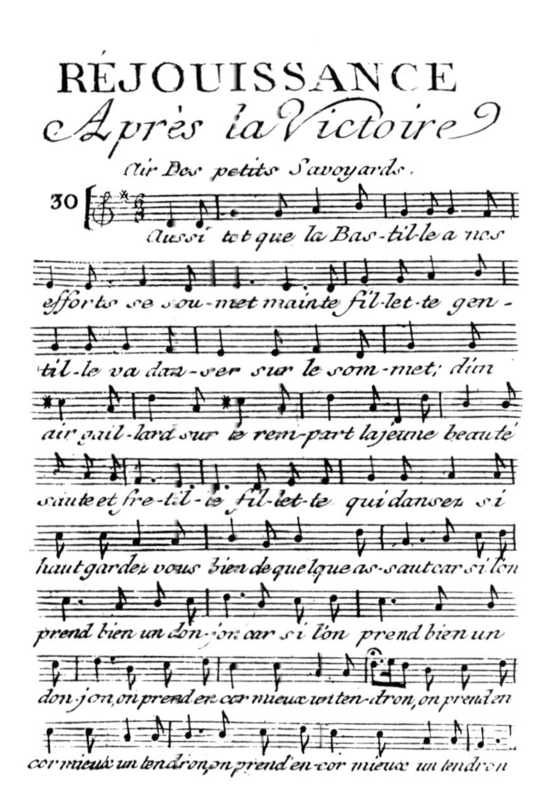
RÉJOUISSANCE
Après la Victoire
Air Des petits Savoyards.
30
Aussi tot que la Bas-til-le a nos
efforts se sou-met mainte fil-let-te gen-
til-le va dan-ser sur le som-met; d'un
air gail-lard sur le rem-part la jeune beauté
saute et fre-til-le fil-let-te qui danser si
haut gardez vous bien de quelque as-saut car si l'on
prend bien un don-jon car si l'on prend bien un
don-jon, on prend en-cor mieux un ten-dron, on prend en
cor mieux un tendron, on prend en-cor mieux un tendron

the guilds, de Flesselles, who were killed on the 14th, the Administrative Officer of Paris, Bertier de Sauvigny and his father-in-law, Foulon de Doué, who were found guilty of speculation and hanged in the Place de Grève on July 22. Like the aforementioned, the heads of de Sauvigny and de Doué were paraded on spikes.

The taking of the Bastille was a revolutionary episode of no decisive importance in itself. However, it did have far-reaching repercussions.

CHANSON
DES BOURGEOIS DE PARIS..
Air de Calpigi

En-fans, le ciel bénit vos ar-mes ils sont pas-sés ces jours d'al-lar-mes, de tant de sang, de tant d'hor-reurs, trop fu-nes-tes a-vant cou-reurs, trop fu-nes-te avant cou-reurs. al-lez jou-ir de vo-tre gloi-re, jusque les fil-les de mémoi-re vont cé-lé-brer par tout pa-ys, les vaillant bourgeois de pa-ris. les vail-lant bour-geois de pa-ris.

2
Que vous l'avez échappé belle !
Combien la crise étoit cruelle ?
de dans vingt mille scélérats ;
dehors, encor plus de soldats ; ——— bis)
la trahison sourde et sécrète,
Jointe aux horreurs de la disette ;
que de fléaux armés, unis
Contre les Bourgeois de Paris. ——— bis)

3
Dans ce terrible et brusque orage,
que de bon sens, que de courage,
Soudain chez vous ont éclatté,
Sans projet ni plan concerté ! ——— bis)
Que d'ordre, au fort de la détresse :
Croit-on, qu'à Rome ou dans la Grèce,
en pareil cas, on s'y fut pris,
mieux que les Bourgeois de Paris. ——— bis)

4
Aussi votre accord admirable
en un seul jour (chose incoyable)
De vos perfides assassins,
a fait avorter les desseins. ——— bis)
Oh! comme ils sont loin de leur compte!
Punis, chassés, couverts de honte,
Comme ils se disent, tout surpris :
Quels bourgeois, que ceux de Paris ! ——— bis)

5
D'emblée emporter la Bastille,
Ne fut pour vous qu'une vétille ;
en vain de vos ardens Guerriers
elle ensanglante les Lauriers. ——— bis)
Conquis par leur Patriotisme,
Ce fier apui du Despotisme,
Gémit sous ses vastes débris,
Jouet des Bourgeois de Paris. ——— bis)

6
D'un bon Roi qu'il aime, et révère,
Sujet fidel, ami sincère,
Prêt, jeune et vieux, petit et grand.
A verser pour lui tout son sang ; — bis)
fier ennemi de tous les traîtres,
qui trompent le meilleur des Maîtres ;
Las d'être en butte à leur mépris ;
Tel est le bourgeois de paris. ——— bis)

7
O jour charmant, jour ineffable,
Jour, dont l'histoire ni la fable
Ne nous fournit rien d'approchant,
Jour à jamais tendre et touchant ! — bis)
Où sur de votre amour extrême,
Sans garde que cette amour même,
Louis à vos yeux attendris,
S'est montré Bourgeois de Paris. ——— bis)

8
Ah! qu'il l'arbore et qu'il la garde
Votre heureuse et noble Cocarde !
Que franchement et sans retour
Il s'abandone à votre amour ! ——— bis)
La france entière, à votre exemple
Dans son coeur lui dressant un Temple,
Dira sans fin: Vive Louis,
Et les Père et Bourgeois de Paris ——— bis)

July 14th would come to symbolize the end of the Ancien Régime. To the French and later to democracy-loving people the world over, it would symbolize the Revolution itself.

Consequences of the Taking of the Bastille

After the taking of the Bastille, the Parisian middle class seized control of the city. They appointed Bailly mayor and gave La Fayette the command of the National Guards. La Fayette designed the new national emblem by adding bands of blue and red, the colors of Paris, to a band of white, the King's color. From this moment on, the tricolored flag, blue-white-red, became the symbol of the French Revolution.

The King's troops were neither numerous nor trustworthy enough for the monarch to subdue the Paris revolution. The King had no other choice but to yield. On the 15th, he announced to the Assemblée that the troops encircling Paris would retreat. On the 16th, he recalled Necker, and on the 17th, at the Hôtel de Ville in Paris, he accepted the cockade given to him by Bailly. This act symbolized the recognition and legitimacy of the Paris Commune.

The prolific writer Thomas Rousseau hailed the forming of the National Guards by curiously or even ironically choosing to sing his verses to the bucolic melody « Il pleut, il pleut bergère » (It's raining, it's raining shepherdess) (Cav. No. 633).

FORMATION DE LA GARDE NATIONALE PARISIENNE
LE 15 JUILLET 1789

FRÈRES, courons aux armes !
L'empire est en danger,
Dans ces moments d'alarmes,
Courons le dégager :
Tous bouillants d'énergie,
Tous fiers de nos succès,
Prouvons à la patrie
Que nous sommes Français.

Lancés dans la carrière
De nos chefs belliqueux,
D'une noble poussière
Couvrons-nous à leurs yeux.
L'amant de la victoire,
De courage enflammé
Pour voler à la gloire,
Naît soldat tout armé.
(...)
Espérance chérie,
De l'Empire français,
Déjà de la patrie
Vous comblez les souhaits.
Qu'honorant de Turenne
Et l'habit et l'état,
Chacun de vous devienne
Fabert ou Catinat.

The killing of Bertier and Foulon on July 22 sparked protests from many social circles as well as from the Assemblée. The fears that agitated the people were also echoed by the middle class, as exemplified by the moderate Deputy Barnave who asked : « Was the spilled blood so pure ? ».

Elsewhere, the aristocracy, with no intention of capitulating, prepared its counteroffensive. The comte d'Artois, the King's brother, and part of the Court left France, heralding the first wave of emigration.

A peasant uprising.

The « Municipal Revolution »

Concurrent to the Paris revolution, other revolts broke out in the countryside in response to Necker's dismissal. The urban and rural disorders were as diverse as their causes : the price of bread, food shortages, refusal to pay tolls or duties on provisions, lack of subsidies, as well as the desire to seize local power. These « Municipal Revolutions » were often peaceful, but sometimes the new committees ran into resistance from the dignitaries of the former municipalities.

Agrarian revolts broke out in several regions. Farmers attacked châteaux or abbeys, destroyed archives and land records. They demanded delivery of grain and the suspension of landowner rights. Urban militias were often dispatched to the countryside to reestablish order after these spontaneous riots.

July 20th marked the beginning of a sociological phenomenon called the « Grande Peur » (the great fear). Almost everywhere in France, fear of an aristocratic plot supported by an invasion of foreigners and pirates, beggars and vagrants, set off a chain-reaction of fear in the countryside and towns. The most outlandish rumors spread, provoking real panic. These fears, which persisted until early August, had a positive effect on the future of the Revolution : the Municipal Guards recruited more and more men and were better equipped. The bourgeoisie would know how to take advantage of the peasants' revolt to challenge certain rights — not property rights (these were far too precious to them) — but other privileges and prerogatives of the nobility and clergy. Thus, the middle class paved the way for the Miracle of August 4th.

The night of August 4th, 1789 at the Assemblée Nationale.

The Night of August 4th

Georges Lefebvre, the great historian of the French Revolution, explained why certain privileged people embraced with enthusiasm the suppression of their time-honored advantages : « The people's Revolution... required a solution. The Assemblée, saved by the Revolution, could only approve it. But order had to be reestablished. The people waited calmly for the reforms which their representatives deemed suitable. In the cities, one might expect that the middle class would keep the Assemblée under control. The farmers would have it otherwise : they destroyed the feudal system without a thought for the Assemblée. What to do ? By appealing to the army and to martial law, the Assemblée would break with the people, putting itself at the mercy of the King and the aristocracy. The other solution was to placate the rebels : but how would the priests and liberal nobles, whose support had ensured the victory of the commons, react ? »

One hundred deputies met during the night of August 3rd and 4th to find the right actions to persuade their colleagues « by a kind of magic ». The Duc d'Aiguillon undertook to get the consent of the other nobles.

« Yet, on the night of August 4th, the vicomte de Noailles preempted the Duke's decisions. The Duke had no choice but to support the Viscount. The Assemblée enthusiastically adopted equal taxation, and the redemption of landowner rights except for the indenturing of servants which was eliminated without compensation. Other proposals followed with similar success : equality of sentencing, universal admission to public service, abolition of venality, conversion of tithing into redeemable annuities, freedom of worship, banning of the holding of multiple offices and suppression of special rights, such as the annates, a year of revenue paid to the Pope at the time of a bishop's investiture. The provinces and villages were the last to give up their privileges. Nevertheless, the 'magic' event had succeeded ».

A song by Thomas Rousseau gives an idealized view of this historic night :

L'ABOLITION DES PRIVILÈGES
DANS LA NUIT DU 4 AU 5 AOÛT 1789

(Air : « Avec les jeux dans le village », notée p. 23)

OUI, je l'ai vu ce grand miracle
Ici s'opérer à mes yeux :
Qu'il est bien digne spectacle
De frapper les regards des dieux !
Ô nuit d'immortelle mémoire,
Nuit que consacre notre amour,
Tu dois aux fastes de l'histoire
L'emporter sur le plus beau jour. *(bis)*

Dans cet auguste aréopage
Soudain se lèvent les vertus ;
À l'instant le combat s'engage
Contre les antiques abus :
Pour avoir part à la victoire,
Développant tous ses moyens,
Chacun n'aspire qu'à la gloire
Des plus grands héros citoyens ! *(bis)*
(...)
Que votre accord inébranlable
Offre, législateurs unis,
Une barrière insurmontable
Aux efforts de nos ennemis :
Contre eux, d'une ardeur peu commune,
Que chaque orateur transporté
Lance du haut de la tribune
Les foudres de la vérité. *(bis)*
(...)

NUIT DU 4 AU 5 AOÛT 1789
OU LE DÉLIRE PATRIOTIQUE.

When it came time to draft the implementation of these changes, the debate became more bitter and lasted from August 5 to 11. The decree began, of course, by affirming a fundamental principle : « The Assemblée nationale completely abolishes the feudal system », but then it stated serious restrictions. It made the redeeming of landowner rights an unattainable utopia for many peasant farmers. However, to measure the progress achieved, we must recall the condition of the peasants under the Ancien Régime. Even excluding periods of famine, the French peasantry had an unenviable, often miserable existence. A folk song, *Le pauvre laboureur (The poor laborer)*, contradicted the bucolic images of the charming pastorals so dear to Queen Marie-Antoinette.

LE PAUVRE LABOUREUR

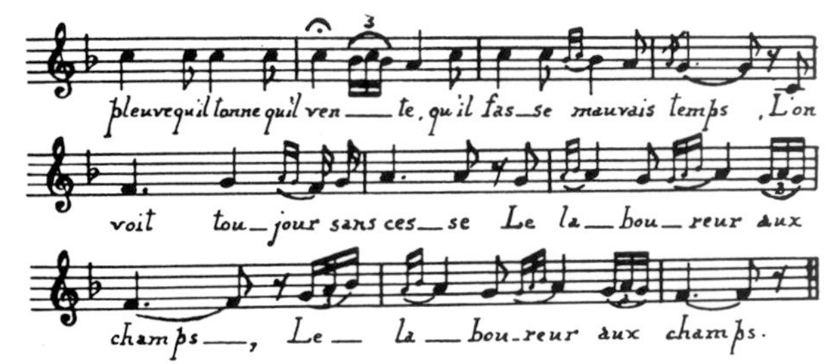

LE pauvre laboureur,
il a bien du malheur.
Du jour de sa naissance,
l'est déjà malheureux.
Qu'il pleuv', qu'il tonn', qu'il vente,
qu'il fasse mauvais temps,
l'on voit toujours sans cesse
le laboureur aux champs.

Le pauvre laboureur,
il n'est qu'un artisan ;
il est vêtu de toile
comme un moulin à vent.
Il met des arselettes [guêtres] :
c'est l'état d'son métier
pour empêcher la terre
d'entrer dans ses souliers.

Le pauvre laboureur
l'a des petits enfants,
les mène à la charrue
n'ont pas encore quinze ans ;
il a perdu sa femme
à l'âge de trente ans,
ell' l'a laissé tout seul
avecque ses enfants.

Le pauvre laboureur
l'est toujours le premier ;
quant on se met à table,
l'est toujours le dernier.
Il n'est ni roi, ni prince,
ni ducque, ni seigneur
Qui ne viv' de la peine
du pauvre laboureur.

Vive le Roi, Vive la Nation
J'SAVOIS BEN QU'J'AURIONS NOT TOUR

LE BON MAY OU LA VRAIE FÊTE DES BONNES GENS.
Abolition de la Féodalité
Sur l'Air, De la Fête des Bonnes gens.
La Joie et la Concorde,
Valent mieux que de vains noms,
Qu'en ce Jour la Discorde,
Fuye au Bruit de nos Chansons;
Chers Amis d'un même Pere,
Nous sommes tous les enfans,
En Famille Il faut donc faire,
La Fête des Bonnes gens,
Oublions la Noblesse,
Et toute distinction,
Que chacun de l'Ivresse,
Suive ici l'impulsion,
Liberté dans chaque Tête,
Remets le goût du vieux tems,
Et viens embellir la Fête,
La Fête des Bonnes gens,

Le bon May ou la vraie Fête des bonnes gens. (The good month of May or the true celebration of honest folk). Citizens dance around a « May tree » to celebrate freedom, equality and the abolition of feudalism. Their couplets are sung on a well-known tune (Caveau No. 315).

DROITS DE L'HOMME
et du Citoyen.
ARTICLE I.ER
Les hommes naissent et demeurent libres et egaux en droits. Les distinctions sociales ne peuvent être fondées que sur lutilité comune.
ART II.
Le but de toute association politique est la conservation des droits naturels et imprescriptibles de l'homme. Ces droits sont, la liberté, la propriété, la sureté et la resistance à l'oppression.
ART. III.
Le principe de toute souveraineté reside essentiellement dans la nation. Nul corps, nul individu ne peut exercer l'autorité qui n'en émane expressément
ART. IV.
La liberté consiste à pouvoir faire tout ce qui ne nuit pas à autrui: ainsi l'exercice des droits naturels de chaque homme n'a de bornes que celles qui assurēt aux autres membres de la société la jouissance de ces memes droits. Ces bornes ne peuvēt être déterminées que par la loi.
ART. V.
La loi n'a le droit de défendre que les actions nuisibles a la société, tout ce qui n'est pas défendu par la loi ne peut être empèché, et nul ne peut être cont.t a faire ce qu'elle
ART. VI.
La loi est l'expression de la volonté générale, tous les citoyens ont droit de concourir personnellement, ou par leurs représentants, a sa formation. Elle doit être la meme pour tous, soit qu'elle protege, soit qu'elle punisse. Tous les citoyens étant égaux à ses yeux, sont également admissibles à toutes dignités, places et emplois publics, selon leur capacite, et sans autre distinction que celle de leurs vertus et de leurs talent.
ART. VII.
Nul homme ne peut être accusé, arrèté ni detenu, que dans les cas déterminés par la loi et selon les formes qu'elle a prescrites. Ceux qui sollicitent, expedient, executent ou font executer des ordres arbitraires doivent être punis: mais tous citoyens appelé ou saisi en vertu de la loi doit obéir à l'instant: il se rend coupable par la résistance.
ART. VIII.
La loi ne doit établir que des peines strictement évidemment nécessaires, et nul ne peut etre puni qu'en vertu d'une loi établie et promulguée antérieurement au délit, et légalement appliquée.
ART. IX.
Tout homme étant présumé innocent jusqu'à ce qu'il ait été déclaré coupable, s'il est jugé indispensable de l'arreter, toute rigueur qui ne seroit pas nécessaire pour s'assurer de sa persoñe doit être sévèrement réprimée par la loi.
ART. X.
Nul ne doit être inquiété pour ses opinions, même réligieuses, pourvu que leur manifestation ne trouble pas l'ordre public établi par la loi.
ART. XI.
La libre communication des pensées et des opinions est un des droits les plus precieux de l'hom̄e: tout citoyen peut donc parler, écrire, imprimer librement sauf à répondre de l'abus de cette liberté dans les cas determiné par la loi.
ART. XII.
La garantie des droits de l'homme et du citoyen nécessite une force publique: cette force est donc instituée pour l'avantage de tous, et non pour l'utilité particuliere de ceux auxquels elle est confiée.
ART. XIII.
Pour l'entretien de la force publiq.e et pour les dépenses d'administration, une contribution commune est indispens.le elle doit être également répartie entre tous les citoyēs, en raison de leurs facultés.
ART. XIV.
Tous les citoyens ont le droit de constater, par eux memes ou par leurs représentants, la nécessite de la contribution publique, de la consentir libremēt, d'en suivre l'emploi et d'en déterminer la quotité, l'assiette, le recouvrem.t et la durée.
ART. XV.
La société à le droit de demander compte à tout agent public de son administration.
ART. XVI.
Toute société dans laquelle la garantie des droits n'est pas assurée ni la séparation des pouvoirs déterminée, n'a point de constitution.
ART. XVII.
La propriété étant un droit inviolable et sacre, nul ne peut en être privé, si ce n'est lorsque la nécessité publique, légalement constatée, l'exige evidemm.t et sous la condition d'une juste et préalable indemnité.
La vérité de ces princip.s baze de la Constitution Françoise, la fera adopter du monde entier et la vertu ramenant les bonnes mœurs, le siecle d'or renaîtra pour toujours.
totum impleat donec orbem
Cultis virtutibus demum etas aurea vigebit in secula

The Declaration of the Rights of Man

Fired by its momentum, the Assemblée debated the Declaration of Rights from August 20 to 26. Proclaiming the freedom and equality of men and the nation's sovereignty, this Declaration marked the end of the Ancien Régime.

Again it was Thomas Rousseau who sang its praise :

DÉCLARATION
DES DROITS DE L'HOMME ET DU CITOYEN
LES 20, 21, 22, 25 ET 26 AOÛT, 1789

(Air : « Philis demande son portrait ». Caveau nº 449)

GÉNÉREUX et braves François,
En vantant son courage,
Chantez les immortels bienfoits
De votre aréopage !
Il s'élance à pas de géant
Dans sa vaste carrière,
Et rend à l'homme, en débutant,
Sa dignité première.
(...)
Oui, tous les hommes sont égaux,
Et leurs droits sont les mêmes ;
On ne distingue les héros
Qu'à leurs vertus suprêmes ;
Mais la loi qui vous pèse tous
Dans sa juste balance,
Mortels, ne doit mettre entre vous
Aucune différence.

Vivre libre est le premier bien
Aux champs comme à la ville ;
Partout on doit du citoyen
Respecter l'humble asile.
Qu'un vil tyran ose tenter
D'en faire sa victime,
Il peut s'armer et résister
À quiconque l'opprime.
(...)
Aujourd'hui libre de tes fers,
Quel pays, riche France,
Pourroit sur toi, dans l'univers,
Avoir la préférence !
Ailleurs on chercheroit en vain
Le sort le plus prospère ;
Le bonheur n'est que dans ton sein
Ou n'est pas sur la terre.

« Men are born and remain free and equal in rights ». This first sentence of the Declaration of the Rights of Man and Citizen may seem obvious today, yet at the time it was proclaimed it sent shock waves through France. The people were eager to see the revolutionary principles ratified on August 26 come to life.

In less academic but much more spontaneous language than that of Thomas Rousseau, a National Guardsman described the benefits of the Declaration of Rights for all citizens, seeing in it « the guarantee of happiness for the French ».

LA CONSTITUTION
FRANÇAISE,
ET LES DROITS DE L'HOMME,
CHANSON PATRIOTIQUE.

A PARIS,
Chez GARNERY, Libraire, rue Serpente, nº 17.
L'AN PREMIER DE LA LIBERTÉ.

CHANSONNIER
NATIONAL
OU
RECUEIL
DE CHANSONS CHOISIES
ET PATRIOTIQUES,
Sur la Constitution Françaife & les Droits de l'Homme.

A PARIS,
Chez VALLEYRE, rue de la vieille Boucleries, à l'Arbre de Jessé.
1790.

LA CONSTITUTION FRANÇAISE
ET LES DROITS DE L'HOMME,
CHANSON PATRIOTIQUE
PAR M.S... GARDE NATIONAL DU DISTRICT
SAINT-GERVAIS

(Air : « Vive Henri IV ». Caveau nº 622)

RENDONS hommage
À nos Représentants,
À leur courage
Ainsi qu'à leurs talents :
Leur grand ouvrage
Vivra dans tous les temps.

L'homme est né libre ;
Tous sont égaux en droits,
Tous peuvent suivre
Leurs penchants et leurs choix,
Mais doivent vivre
Sous l'empire des lois.
(...)
Le vrai mérite
Ne viendra plus du sang,
Et l'inconduite
Exclut seule du rang ;
Il faut l'élite
Des mœurs et du talent.

De la noblesse
Les titres s'achetaient.
Vertus, sagesse,
Jamais n'en obtenaient ;
Mais la bassesse,
En rampant, les avait

Ô bon Monarque !
Comme l'on te trompait !
Sage remarque
Jamais ne t'approchait,
Et sous ta marque
Tout le mal se faisait.
(...)
De la Patrie
Chacun est le soldat,
Et de sa vie
Pour soutenir l'État,
Avec furie
Va courir au combat.

Le militaire
N'a plus le cœur d'airain,
De l'arbitraire
Il n'est plus le soutien,
Et comme un frère
Il voit le citoyen.
(...)
Tant d'avantage,
Et tant d'heureux succès,
Sont le présage
Que les futurs Décrets
Seront le gage
Du bonheur des Français.

This song by a simple soldier may be awkward, but it seems to have reflected a prevalent sentiment since another printer republished it in 1790.

At the café du Caveau, delegates speak out against the royal veto.

The Days of October 5 and 6

For his part Louis XVI declared : « Never will I permit the plundering of *my* clergy and *my* nobility ! » The King refused to ratify the decrees voted by the Assemblée from August 5 to 11. And despite the urgings of his entourage, he also refused to go to Metz.

Inside the patriotic party, certain « monarchistic » members felt that the Revolution had already gone too far. They wanted the King to exercise a power of absolute veto. They were, however, defeated by the large majority of those who wanted progress. The triumvirate Barnave, Duport, and Alexandre Lameth represented this point of view. Charles Lameth also voiced this position.

In Paris, unemployment and the price of food continued to rise. Newspapers and brochures echoed the dissatisfaction of the people. Marat, who had just founded *L'Ami du peuple (The people's friend),* denounced in it the recantations of men idolized until then, men such as Necker, Bailly, and La Fayette.

Faced by this new unrest, the King decided to resort to force. He issued a new call for troops. The Flanders Regiment arrived in Versailles on September 23.

The National Guards, though organized by La Fayette, rioted at Versailles after an incident on October 1st. The incident occurred during a banquet given by the King's personal guards to honor the Flanders Regiment. When the Royal Family appeared, the guests not only applauded but also trampled the tricolored cockade underfoot and wore the black Austrian cockade instead.

Thomas Rousseau denounced this « crime » in the first couplets of his song.

JOURNÉES FAMEUSES DES 5 ET 6 OCTOBRE

(Air : « De M. de Catinat ». Caveau n° 22)

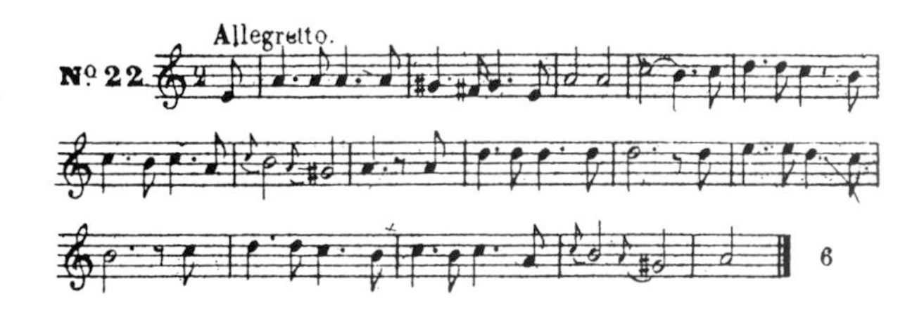

POURQUOI tout ce tumulte et ce bruit de tambour ?
Quel terrible danger nous menace en ce jour ?
Frémissant de courroux, nos valeureux soldats
Vers la Cité des Rois précipitent leurs pas.

Oh ! le plus effrayant des crimes inouïs
Qui vient de se commettre à la Cour de Louis !
Un Corps entier insulte, en sa rage, excité,
À l'emblème sacré de notre liberté.

Tous prenant à l'envi le plus coupable essor,
Osent fouler aux pieds le ruban *tricolor ;*
Tous ils osent chanter, égarés par le vin,
D'un air plat et rampant le scandaleux refrain.

The King and Queen in the presence of the Royal Guards who are trampling the tricolored cockade.

The refrain is a parody of *Ô Richard, ô mon roi (O Richard, O My King)*, a lengthy aria from *Richard Cœur de Lion (Richard the Lionhearted)*, Grétry's famous opera to a libretto by Sedaine. Clearly the first verse presented a hint of provocation :

> Ô Richard ! ô mon roi !
> L'univers t'abandonne ;
> Sur la terre il n'est donc que moi
> Qui s'intéresse à ta personne !
> Moi seul dans l'univers
> Voudrais briser tes fers,
> Et tout le monde t'abandonne.
> Ô Richard ! ô mon roi !
> L'univers t'abandonne ;
> Et sur la terre il n'est que moi
> Qui s'intéresse à ta personne.

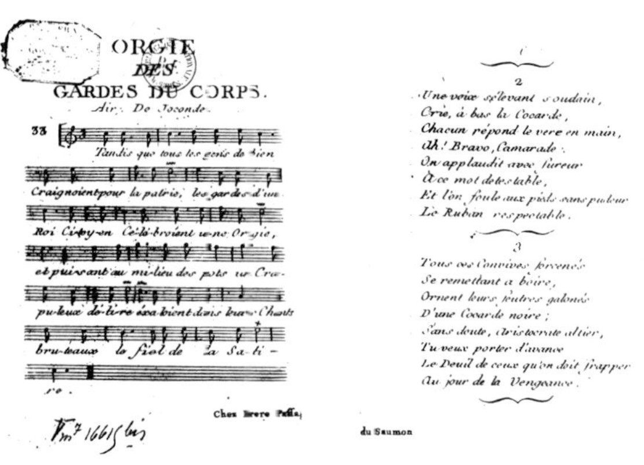

A street song published by Frère also criticized the counterrevolutionary attitude of the Royal Guards.

The news spread across Paris, angered the Palais Royal and the poor neighborhoods of Paris where bread, the main staple of the people's diet, was scarce.

October 5th dawned with a demonstration staged by several thousand women from the outskirts of Paris who had come to the Hôtel de Ville to ask for bread. Bailly and La Fayette were not there, so the women decided to move their protest to the palace of Versailles. By noon, the armed National Guards, together with a crowd of men, also decided to go to Versailles. The Commune finally agreed and La Fayette had no alternative but to lead the troops.

At Versailles, the women overran the Assemblée and dispatched its President, Mounier, to the King to demand bread. Louis XVI promised to bring food to the people. After the National Guards arrived, the King agreed to ratify the decrees of August hoping this decision would put an end to the demonstrations. But by 11 o'clock the Commune's commissioners, accompanied by La Fayette, demanded for the first time that the King move to Paris. Louis XVI had not yet made up his mind.

At daybreak on the 6th, the armed crowd, which had spent the night at Versailles, entered the castle courtyard and, despite the resistance of the King's personal guard, reached the Queen's antechamber. The Queen managed to escape and join the King. The National Guards intervened and succeeded in evacuating the palace. La Fayette appeared on the balcony with the royal family. The crowd applauded, but kept chanting, « To Paris ! » Finally, the King relented and the Assemblée escorted him to the capital.

Followed a long procession of men and women, wagons of wheat and cannons, with the colors of the French Guard flying high. The people led « the baker, the baker's wife, and the baker's apprentice » — that is the King, Queen, and Dauphin — from Versailles to Paris. Bailly took them first to the Hôtel de Ville, then to the Tuileries.

The King's move to his « rightful city » of Paris inspired a savory *Chanson de Messieurs les forts de la Halle,* meticulously worded in the vernacular of the day, based on a popular melody, « En passant par le Pont-Neuf » (Passing through on the Pont-Neuf).

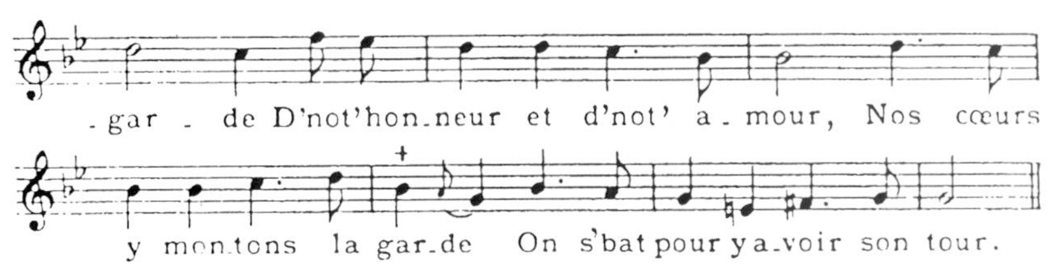

NOT' bon Roi s'plaît z'à Paris,
Ça ravigotte l'z'esprits.
Le v'là sous la sauvegarde
D'not' honneur et d'not' amour,
Nos cœurs y montons la garde
On s'bat pour y avoir son tour.

À Metz y voulions l'emmener
Pour afin de l'emprisonner :
Y voulions la guerr' civile
Et qu'not' sang fût répandu
Mais c'te guerr' fort z'incivile,
J'l'avons t'arrêtée sus cu.

S'ils ameutons les brigands
J'avons nos moules de gants,
J'f'rons voir qu'les forts de la Halle
Et les forts du Port-z'aux-blés,
Pour sabouler zeun' cabale,
Sont nerveux et ben râblés.

À peu d'frais j'ons t'acheté
Not' heureuse liberté.
Il en a coûté queuq' têtes,
Qui d'ça se s'raient ben passées,
Mais il n'est point d'bonnes fêtes
Sans queuqu'verres cassés.
(...)

J'ons d'la farine et du grain,
J'n'ons pas peur d'mourir d'faim :
Messieurs d' « l'aristracas'rie »,
Vos beaux jours s'raient-ils perdus ?
J'avons l'air d'une targédie :
Pourquoi donc qu'je n'chantons p'us ?
(...)
D'quoi donc qu'nous nous inquiétons ?
Buvons l'rogomme et chantons :
J'ons le brave La Fayette,
L'sag' Necker et le bon Bailly.
Ils nous tireront braye nette,
Avec le temps, du margouillis.

The King and the royal family brought to Paris by the people, October 6, 1789.

These days were more than dramatic. They marked a turning point for the Revolution, and a strengthening of the cause. Moreover, they incited the majority of the nobility to organize a massive emigration and prepare for a civil war with the help of foreigners.

The Last Months of 1789, « Year I of Freedom »

With riots breaking out in several areas, some deputies called for martial law. During a long debate, Robespierre declared that force should not be used against famine-stricken people, but against the truly guilty parties, the conspirators who should be judged mercilessly. Despite these urgings, the Assemblée adopted a special decree : When faced with mobs, municipal officers would wave a red flag and three times order the gathered citizenry to disperse. If they did not, military force would be used. This martial law of October 21 would have deadly consequences in July 1791 at the Champ-de-Mars.

Let us leave the year 1789, so rich in important events, with a simple anecdote. On December 1, a deputy, Doctor Guillotin, proposed to the Assemblée a new, and in itself revolutionary, instrument for more humane executions. The near future would find too many occasions to use this new machine called the guillotine. It is important to note that during this presentation, Robespierre declared himself against the death penalty.

Maximilien Robespierre (1758-1794)

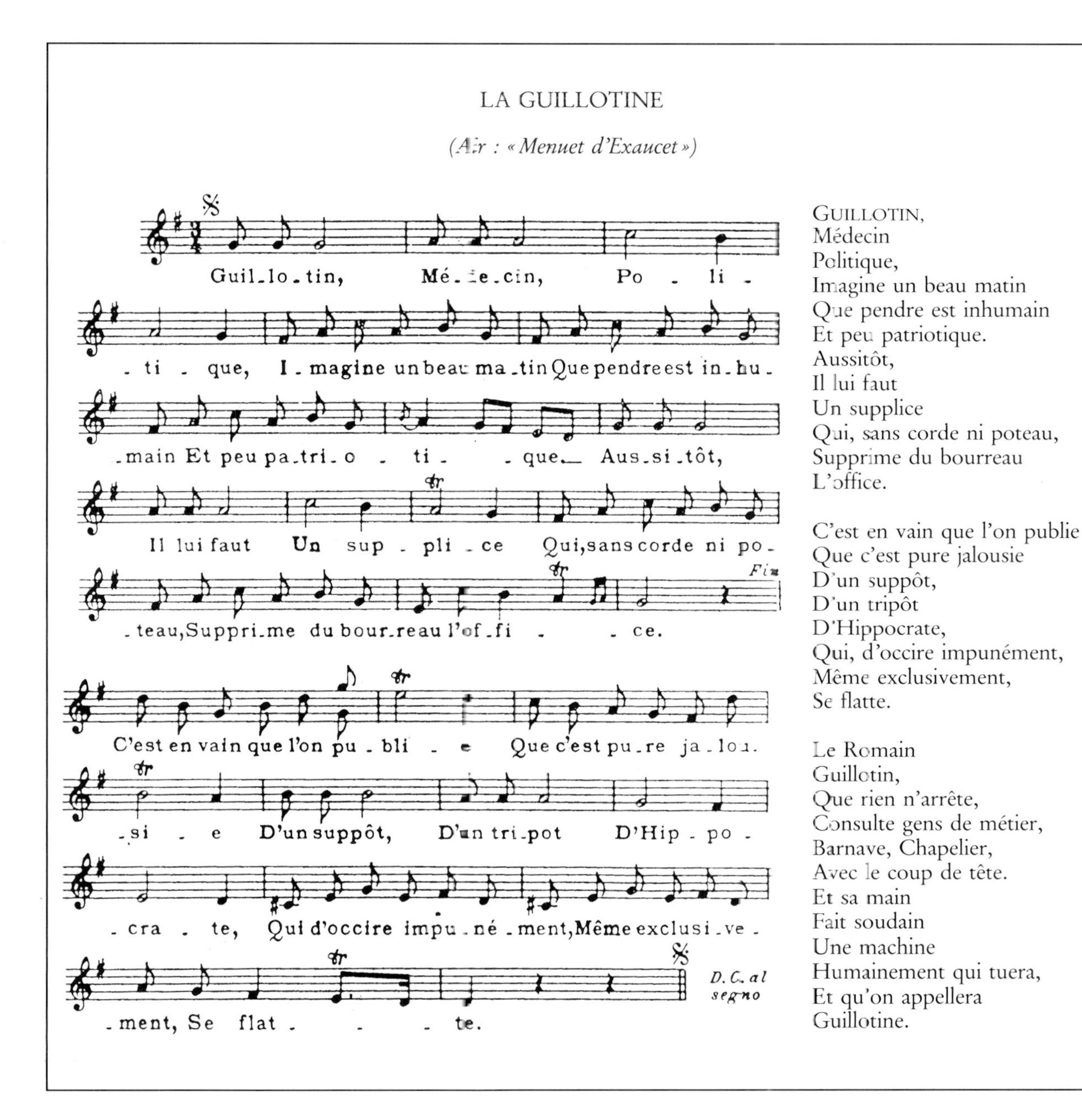

Let us, in contrast, add a soldier's song written on Christmas Eve, 1789. It reflected the state of mind and the hopes of the Paris National Guards, whose existence had come into question in the past and would do so again in the future. Here are a few of the twenty-four verses. They were written to a melody used for an off-color song attributed to Vadé, Voltaire and the Abbé Mangenot. The author was heartened by the improvement of the soldiers' lot and by the opportunities for advancement opened to commoners by the Revolution. One such commoner was Lazare Hoche, whose prestigious career was launched during the Revolution. A sergeant of the French Guards, Hoche was rapidly promoted. At only 24, he was one of the Republic's brightest generals.

LE GRAND NOËL DES GARDES NATIONALES
CI-DEVANT GARDES FRANÇAISES

(Air : « Dans les Gardes françaises ». Clé du C. n° 120)

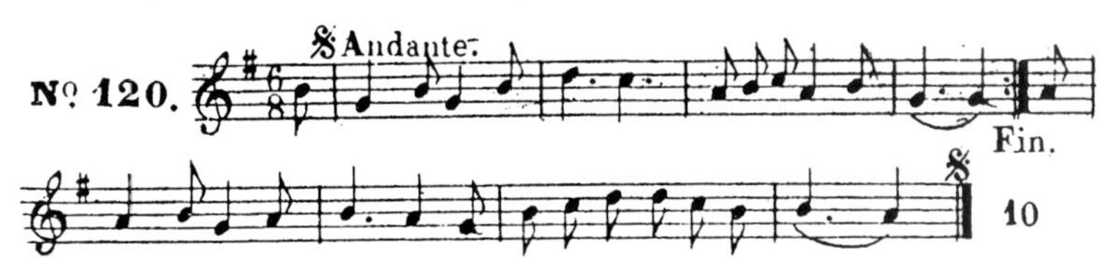

Si l'on en croit Voltaire
Qui, dans des vers hardis,
Peignit le Militaire
Tel qu'il le vit jadis :
Comme des automates,
À la file rangés,
Par des aristocrates
Nous étions dirigés.

Cette plaisanterie
Était bonne autrefois,
Avant que la Patrie
Eût connu ses droits :
Nous sentons qui nous sommes ;
Nos cœurs règlent nos bras,
Et jurons d'être Hommes
Avant d'être soldats.

Quelle métamorphose,
Quand tous les régiments
Soutiendront notre cause
Par les mêmes serments !
France trop alarmée,
Redouble de moyens
Pour n'avoir dans l'armée
Que de vrais Citoyens !

Déjà, sans rien entendre,
Le Peuple généreux
S'était hâté de rendre
Notre sort plus heureux ;
D'un meilleur ordinaire
Nous fûmes tous certains,
Et notre paie entière
Arriva dans nos mains.

À l'Officier sévère,
Et parfois méprisant,
Trouvez bon qu'on préfère
L'Officier d'à présent ;
Choisi parmi les nôtres,
Il est, sans tant de frais,
Ce qu'est le Noble aux autres...
Primus inter pares.

La Tulipe était brave,
On le faisait Sergent,
Et, d'entrave en entrave,
Tout au plus Adjudant.
La Tulipe, sans peine,
Aujourd'hui deviendra
Lieutenant, Capitaine,
Major, et cetera !

Mais le soldat moderne
N'est plus dorénavant
Cloîtré dans sa caserne
Comme dans un couvent :
Il boit à la taverne,
Il fume en bon vivant,
Et c'est sur la luzerne
Qu'il met le sabre au vent.

Si nous aimons les filles,
Si nous aimons le vin,
Ce sont des peccadilles
Qu'on blâmerait en vain.
Notre ami Henri Quatre,
Fier de ces deux besoins,
Quand il fallait se battre
Ne s'en battait pas moins.

Nous Menons
GRANDE RONDE AU TEMBOUR Air: DANS LES AMOURS DETE.
1
Nous Menons tembour batant
Enplain plan Rentan plan
tire lire en plan.
L'aristocrate arogant
Et Voulons le proscrire. Bis
Renten plan tire lire.
2
Il court aux Champs maintenant
En plain plan raten plan
tire lire en plan.
Il est aux Champs maintenant
Et ne sait plus que dire. Bis
rentanplan tire lire.
3
Son Effort est impuissant
En plain plan rentanplan
tire lire en plan.
Son Effort est impuissant
Car il ne peut plus nuire. Bis
rentanplan tire lire.
4
Quand il etoit un tyran
En plain plan rentan plan
tire lire en plan.
quand il etoit un tyran
On l'appeloit Messire. Bis
Rentan plan tire lire.
5
Tout Est Egal apresent
En plain plan rentan plan
tire lire en plan.
Tout Est Egal apresent
Ex cepté notre Sire. Bis
Rentan plan tire lire.
6
C'est le pere aux bons Enfans
Enplain plan rentan plan
tire lire en plan.
C'est le pere aux bons Enfans
Pour lequel on Soupire. Bis
Rentan plan tire lire.
Nous L'aimons bien tendrement
En plain plan rentan plan
tire lire en plan.
Nous L'aimons bien tendrement
Dans nos Coeurs on peut lire. Bis
Rentan plan tire lire.
8
il y est gravé Constament
En plain plan rentan plan
tire lire en plan.
il y est gravé Constament
Car C'est la Son Empire. Bis
Rentan plan tire lire.
9
Revenons à L'arogant
En plain plan rentan plan
tire lire en plan
L'aristocrate insolent
partout Se fait Maudire. Bis
Rentan plan tire lire.
10
On lui donne un lavement
En plain plan rentan plan
tire lire en plan.
il a pris un lavement
Et Sa peau se déchire. Bis
Rentan plan tire lire.
11
il nous Rend l'or et l'argent
En plain plan rentan plan
tire lire en plan.
il nous Rend l'or et l'argent
Le Seul bien qu'il desire. Bis
Rentan plan tire lire.
12
On réduit l'abbé gourmand
En plain plan rentan plan
tire lire en plan.
De Bénefices Regorgeant
quand un doit lui suffire. Bis
Rentan plan tire lire.
13
il est tres Mal apresent
En plain plan rentan plan
tire lire en plan.
il est tres mal apresent
Et Son Etat Empire. Bis
Rentan plan tire lire.
14
On l'enterre tout vivant
En plain plan rentan plan
tire lire en plan.
On l'enterre tout vivant
Ne pouvant le détruire. Bis
Rentan plan tire lire.
15
Voyant son Enterrement
En plain plan rentan plan
tire lire en plan.
Voyant son Enterrement
On n'en fera que Rire.
FIN

1790 : FALSE SOLIDARITY OF THE FÊTE DE LA FÉDÉRATION

The Fête de la Fédération was the most noteworthy event of 1790. Held on July 14 at the Champ-de-Mars, it is sometimes referred to as the apotheosis of the French Revolution. The year 1790 marked the height as well as the decline of the policy of conciliation with the monarchy.

The Assemblée nationale continued to attack the privileges of the nobility and of the clergy, while the counter-revolution organized and multiplied its bases of agitation. During the spring and summer, violent clashes took place in the provinces – Nîmes, Montauban, Toulouse, Valence, and then in Provence, Vivarais, Venaissin and Lyon.

Reforming the Clergy

Continuing work begun in August 1789, the framers of the Constitution decreed on February 13 that perpetual monastic vows were forbidden thereby putting an end to the recruiting of regular clergy, as well as to their benefices. This quite popular action prompted many satiric songs and engravings. Here are examples of two songs :

REPENTIR D'UN GROS BÉNÉFICIER,
ET LEÇONS QUE LUI A DONNÉES LISON,
CHEZ LAQUELLE IL A SOUPÉ

(Air du : « Confiteor ». Caveau n° 743)

CHANSON,

Sur l'air : Du Confiteor.

Repentir d'un gros bénéficier, et leçons que lui a données Lison, chez laquelle il a soupé.

Hélas ! quelle est l'énormité
De mes fautes, de mes offenses ?
Du saint nom de l'humanité
Dans mes folles extravagances, *bis.*
J'ai toujours méconnu les droits,
Et d'un Dieu bon les justes loix.

De bénéfices et de grands biens
Je fus pourvu en abondance ;
Pour ma table et pour mes catins
J'avois à peine suffisance, *bis.*
Tandis que tant de citoyens
Jeûnoient comme de pauvres chiens.

Ah ! je croyois de bonne foi
Que tout pour moi dans cette vie
Devoit concourir à la fois
A mes goûts, à ma fantaisie, *bis.*
Pour la luxure et les plaisirs
Renaissoient tous mes fous desirs.

J'étois fier, j'étois orgueilleux
De mes titres, de mes ancêtres ;
J'étois dur, j'étois vaniteux,
Comme le sont beaucoup de prêtres, *bis.*
Qui méconnoissent, ainsi que moi,
D'un Dieu pauvre la sainte loi.

Un soir soupant avec Lison,
Dont l'ame étoit sensible et tendre,
Elle me fit cette leçon :
Je vais de bonne foi la rendre, *bis.*
Tant j'aime sa sincérité
Et son ton de naïveté.

Gros jouflu, dit-elle en riant,
Tu creves et regorges d'aisance,
Tu es gai, ton cœur est content ;
Mais pourquoi, dis-moi donc en France, *bis.*
Enrichir tant de fainéans
Du sang de tous les pauvres gens.

Qu'as-tu donc fait pour ton pays,
Pour posséder tant de richesses ?
Crois-tu gagner le paradis
Avec ton faste et tes maitresses. *bis.*
Avoue que tu n'es qu'un vaurien,
Qui ne fus jamais bon à rien.

Quand le bon sens et la raison
Chasseront le grossier mensonge,
De bonne foi le croira-t-on,
Qu'il ait existé dans le monde *bis.*
Des fourbes qui, avec des mots
Aient dépouillé tant de sots ?

Le croira-t-on dans l'avenir,
Que l'espece humaine abrutie
Ne pût parler, ne pût sentir,
Et que le flambeau du génie *bis.*
Fût éteint par tant de fripons
Qui enchaînoient les nations.

Le Peuple.

Les moines mangeoient nos moutons,
Ils nous enlevoient nos bergeres,
Ils croquoient nos poules et chapons
Et marmotoient quelques prieres. *bis.*
Gardons nos bergeres et moutons,
Et tous ensemble Dieu prions.

F I N.

The drafting of the « Constitution civile du clergé » (Civil constitution for the clergy), ratified July 12 after six weeks of deliberation, triggered an even greater religious conflict which the royalist counter-revolutionaries would not fail to exploit.

Abolishing the Privileges of the Nobility

On March 15 the Assemblée ended the privileges of the nobility, some without compensation. Others such as inheritance by the first-born or through male lineage had to be paid for. Hereditary nobility and its titles were abolished on June 19. An anonymous song printed in Normandy gave voice to an ironic interpretation of these former rights :

LES DEVOIRS ET LES DROITS DE LA NOBLESSE

(Air : « Philis demande son portrait », noté p. 43)

PARTOUT des droits du citoyen
On parle avec ivresse,
Mais, hélas ! on ne dit plus rien
Des droits de la noblesse.
Par-ci, par-là, le cœur en deuil,
Ma main tremblante emprunte
Quelques soucis pour le cercueil
Qu'on fait pour la défunte.

Réclamer le vol du chapon,
Exiger le cuissage,
Mettre du rouge à son talon,
Ainsi qu'à son visage,
Présenter serviette et coton
Au roi qu'un besoin presse,
C'étaient, dans la bonne saison,
Les droits de la noblesse.

Sur des vitres, sur un panneau,
Peindre des antiquailles,
Végéter au fond d'un château,
Ou ramper à Versailles ;
À ses créanciers mécontents
Parler avec bassesse ;
C'étaient jadis, dans le bon temps,
Les droits de la noblesse.

1. Massacre of the National Guards at Montauban, May 10, 1790.

2. The displacement of the clergy : « I have lost my benefices. Nothing can equal my sorrow... ».

The Fête de la Fédération

In this climate of strong anti-aristocratic sentiment, preparations were made for the Fête nationale de la Fédération (National Festival of the Federation) decreed by the Assemblée on June 9. The delegates elected by the National Guards were to gather in Paris on July 14.

In June, smaller festivals were organized in many provincial cities — Lille on June 6, Besançon on June 19th, Rouen on June 29th, etc.

On June 17th at the 1789 society, the songwriter Piis saluted the event with a patriotic and Masonic song :

Celebration in preparation of the Confédération, at Lille on June 6, 1790.

COUPLETS
SUR
LA FÉDÉRATION DU 14 JUILLET 1790

(Air : « On doit soixante mille france ». Caveau n° 428)

30

C O U P L E T S

SUR LA FÉDÉRATION DU 14 JUILLET 1790.

Air : *On doit soixante mille francs.*

LES traîtres à la nation
Craignent la fédération ;
C'est ce qui les désole.
Mais aussi, depuis plus d'un an,
La liberté poursuit son plan :
C'est ce qui nous console.

L'INSTANT arrive où pour jamais
Vont s'éclipser tous leurs projets :
C'est ce qui les désole.
Mais l'homme enfin va, cette fois,
Rétablir l'homme dans ses droits :
C'est ce qui nous console.

IL arrive souvent qu'au bois
On va deux pour revenir trois,
Dit la chanson frivole.
Trois ordres s'étoient assemblés,
Un sage abbé les a mêlés,
C'est ce qui nous console.

QUELQUES-UNS regrettent leurs rangs,
Leurs croix, leurs titres, leurs rubans ;
C'est ce qui les désole.
Ne brillons plus, il en est tems,
Que par les mœurs et les talens :
C'est ce qui nous console.

CE dont on fera moins de cas,
C'est des cordons et des crachats ;
C'est ce qui les désole.
Mais des lauriers, mais des épis,
Des feuilles de chêne ont leur prix :
C'est ce qui nous console.

ON en en a vu qui, franchement,
N'ont fait qu'épeler leur serment ;
C'est ce qui nous désole :
Qu'on le répète à haute voix,
De bouche et de cœur à-la-fois ;
C'est ce qui nous console.

LA loge de la liberté
S'élève avec activité :
Maint tyran s'en désole.
Peuple divers, mêmes leçons
Vous rendront frères et maçons ;
C'est ce qui nous console.

PIIS.

Construction work on the Champ-de-Mars, early July 1790.

By July, preparatory construction work began in the heart of Paris. Almost every level of society was mobilized. The King and Queen themselves visited the area on the 8th to address the volunteers.

This enthusiasm and desire for solidarity was echoed in a song written to the melody of « Soldats français, chantez Roland » (French soldiers, sing Roland), Caveau.

RÉCIT DES TRAVAUX FAITS AU CHAMP-DE-MARS
PENDANT LA PREMIÈRE QUINZAINE DE 1790 POUR LA FÉDÉRATION

Le Duc avec le portefaix,
La charbonnière et la Marquise
Concourent ensemble au succès
De cette superbe entreprise.
Nos petits maîtres élégants
Et vous aussi, femmes charmantes,
Avec petits pierrots galants,
Vos chapeaux, vos plumes flottantes,
On vous voit bêcher, piocher,
Traîner camions et brouettes.
Ce travail peut vous attacher
Au point d'oublier vos toilettes ! *(bis)*

Les abbés auprès des soldats,
Et les moines avec les filles
Semblent, se tenant par le bras,
Réunir toutes les familles.
La marche est au son du tambour ;
Pluie ou vent n'y font point d'obstacle :
Non, jamais la Ville et la Cour
N'offrir' un si charmant spectacle.
Dans les éclats de leur gaîté
Ils vont, chantant la chansonnette,
La liberté, l'égalité,
Nos députés, et La Fayette ! *(bis)*

L'aristocrate frémira,
Qu'il vienne nous troubler, s'il ose !
À ses dépens il apprendra
Qu'un peuple libre est quelque chose.
Quand il entendra le serment
De tout un peuple et du monarque,
Sur son front pâle en ce moment
De l'effroi on verra la marque.
Pourquoi trembler ? Ah ! calme-toi,
Viens servir avec assurance
La Nation, la Loi, le Roi,
Ou bien abandonne la France. *(bis)*

Patrie, élevons ton autel
Sur les pierres de la Bastille
Comme un monument éternel
Où le bonheur des Français brille.
Venez de tous les lieux divers
Que renferme ce grand empire
Donner aux yeux de l'Univers
L'exemple à tout ce qui respire !
Que par la paix et l'union
Tout étranger soit notre frère,
Et que la Fédération
S'étende par toute la terre. *(bis)*

During this construction period, the famous song *Ah ! ça ira* was born. The first version was by Ladré. Soon other versions appeared, less in favor of La Fayette and more directly anti-aristocrat. Despite the difficulty of singing the verses to the melody of the « Carillon national » (National carillon), a quadrille written by Bécourt, a violin player at the Théâtre du Vaudeville, *Ça ira* had an immediate and lasting success. S. Mercier stated in his *Nouveau Paris (New Paris)* that *Ça ira,* which is « not a poetic masterpiece, but gives a striking example of the power of music, was constantly sung by the workers of the Champ-de-Mars and caused universal enthusiasm wherever performed... ».

Here is the first printing of Ladré's song. Ladré's name did not appear in this version. However, it did appear in a contemporary popular edition of the text alone, entitled « Couplets chantés au Champ-de-Mars, le 14 juillet, dans le moment que l'on prêtoit le Serment Fédératif sur l'autel de la Liberté » (Verses sung at the Champ-de-Mars on July 14, as allegiance to the Federation was being pledged at the altar of Liberty).

There are no guilds which do not want to help build the altar of the nation. A military march precedes them... ; their rallying cry is the well-known refrain of the new song called *Carillon national.* All sing together : *Ça ira, ça ira, ça ira.* Yes, *Ça ira,* people within hearing repeat after them... There are flags everywhere. On one flag are written those energizing words chanted by so many citizens : *Ça ira...* *(La Chronique de Paris,* July 9).

AH! ÇA IRA, DICTUM Populaire
Air du Carillon National

2 Couplet

Ah! ça ira ça ira ça ira
Suivant les maximes de l'Evangile
Ah! ça ira ça ira ça ira
Du legislateur tout s'accomplira
Celui qui s'éleve on abaissera
Et qui s'abaisse l'on élévera

Ah! ça ira ça ira ça ira
Le vrai catechisme nous instruira
Et l'affreux fanatisme s'eteindra
Pour être a la loi docile
Tout François s'exercera
Ah! ça ira ça ira ça ira

3

Ah! ça ira ça ira ça ira
Pierret et Margot chan a la guinguette
Ah ça ira ça ira ça ira
Rejouissons nous le bon tems viendra
Le Peuple François jadis a quia
L'aristocrate dit mea culpa
Ah! ça ira ça ira ça ira
Le Clergé regrette le bien qu'il a
Par justice la Nation l'aura
Par le prudent la Fayette
Tout trouble s'appaisera
Ah! ça ira ça ira ça ira

4

Ah! ça ira ça ira ça ira
Par les flambeaux de l'auguste Assemble
Ah ça ira ça ira ça ira
Le Peuple armé toujours se gardera
Le vrai d'avec le faux l'on connaitra
Le Citoyen pour le bien soutiendra
Ah! ça ira ça ira ça ira
Quand l'aristocrate protestera
Le bon Citoyen au nez lui rira
Sans avoir l'ame troublée
Toujours le plus fort sera
Ah! ça ira ça ira ça ira

5

Ah! ça ira ça ira ça ira
Petit comme grands sont soldats d's la me
Ah ça ira ça ira ça ira
Pendant la guerre aucun ne trahira
Avec cœur tout bon François combatra
S'il voit du louche hardiment parlera
Ah! ça ira ça ira ça ira
La Fayette dit vienne qui voudra
Le patriotisme leur repondra
Sans crainte ni feu ni flamme
Le François toujours vaincra
Ah! ça ira ça ira ça ira

Chez Frere Passage du Saumon

Among the parodies which immediately appeared,

AH ! ÇA IRA !
COUPLETS FAITS LE MATIN DU 14 JUILLET, PENDANT UNE AVERSE

AH ! ça ira, ça ira, ça ira,
En dépit d'z'aristocrat' et d'la pluie,
Ah ! ça ira, ça ira, ça ira,
Nous nous mouillerons, mais ça finira.

Ah ! ça tiendra, ça tiendra, ça tiendra,
On va trop bien l'nouer pour qu'ça s'délie,
Ah ! ça tiendra, ça tiendra, ça tiendra,
Et dans deux mille ans on s'en souviendra.

Comm'on r'viendra, on r'viendra, on r'viendra,
Couvrir d'son serment l'auteur d'la patrie,
Comm'on r'viendra, on r'viendra, on r'viendra,
Au diable donner quiconque l'enfreindra.

Another anonymous improvisation survived in manuscript form and was often added to Ladré's verses to give them a more revolutionary spirit.

CHANSON PATRIOTIQUE CHANTÉE À LA FÉDÉRATION DU 14 JUILLET

AH ! ça ira, ça ira, ça ira,
Les Aristocrates à la lanterne,
Ah ! ça ira, ça ira, ça ira,
Les Aristocrates on les pendra.

Le Despotisme expirera,
La Liberté triomphera ;
Ah ! ça ira, ça ira, ça ira,
Nous n'avons plus ni nobles ni prêtres.
Ah ! ça ira, ça ira, ça ira,
L'égalité partout règnera,
Le brigand prussien tombera,
L'esclave autrichien le suivra,
Et leur infernale clique s'envolera.

Ah ! ça ira, ça ira, ça ira,
Les Aristocrates à la lanterne,
Ah ! ça ira, ça ira, ça ira,
Les Aristocrates on les pendra.

The Parisian publisher Frère, after issuing Ladré's verses, also published two other versions on the same melody.

One, by an unnamed author, is a sort of sequel to *Ça ira* in harsher words *(Caveau listing No. 5)*.

L'ARISTOCRATIE EN DÉROUTE

AH ! v'là qu'est fait, v'là qu'est fait, v'là qu'est fait,
On peut maintenant répéter sans cesse
Ah ! v'la qu'est fait, v'là qu'est fait, v'là qu'est fait,
L'aristocratie a fait son paquet !

Baron, marquis, tout est stupéfait.
Le ci-devant Comte est presque muet,
Ah ! v'là qu'est fait... *(ter)*
Oui, faisons bien voir à ce prestolet
Qu'un bon citoyen n'est pas son valet.
Quel miracle ! la Comtesse
A perdu jusqu'au caquet. *(Refrain)*.

Docteurs de Sorbonne avec leurs bonnets
Croyaient pouvoir seuls jouer du toupet,
Mais v'là qu'est fait... *(ter)*
Ce joli petit abbé dameret,
Qui d'un air fripon, qui d'un air coquet
Dansait forces contredanses,
Est réduit au menuet. *(Refrain)*.

Ah ! v'là qu'est fait, v'là qu'est fait, v'là qu'est fait,
À tous les abbés nous donnons vacance,
Ah ! v'là qu'est fait, v'là qu'est fait, v'là qu'est fait,
L'aristocratie a fait son paquet !

Quoi, dans leurs petits conciles secrets,
Ils n'ont donc pu faire que du brouet !
Ah ! v'là qu'est fait... *(ter)*
Et ce financier bien gros, bien replet,
Qui ne valait pas ce qu'il avalait,
A vu se fondre sa graisse
Avec le fond de son gousset.

Ah ! v'là qu'est fait, v'là qu'est fait, v'là qu'est fait,
On peut maintenant répéter sans cesse
Ah ! v'là qu'est fait, v'là qu'est fait, v'là qu'est fait,
L'aristocratie a fait son paquet !

L'aristocratie en soi-même espérait
Que le Champ-de-Mars du poivre chierait,
Mais v'là qu'est fait... *(ter)*
Alors comme au feu chacun y courait,
Chargeait, piochait, il tirait, brouettait,
Avec si grande vitesse,
Qu'on peut chanter ce couplet : *(Refrain)*.

L'autre (n° 25), signée du chansonnier Déduit, est plutôt conciliatrice, glorifiant La Fayette et faisant confiance au roi pour assurer aux Français l'Égalité et la Liberté :

LE RETOUR DU CHAMP-DE-MARS

AH ! ça ira, ça ira, ça ira,
Nous l'avons juré, nous serons tous fidèles,
Ah ! ça ira, ça ira, ça ira,
Les aristocrates sont tous à quia ;
Dans tout l'Univers chacun parlera
De ce beau serment que le cœur tiendra,
Ah ! ça ira... *(ter)*
Des peuples nous serons les modèles,
Ah ! ça ira... *(ter)*
Le Ciel toujours nous protègera.
Oui Français tout nous réussira,
De nos tyrans on se moquera
En leur disant par-ci par-là
Vous enragez de tout cela.
Ah ! ça ira... *(ter...)*

Quel beau Te Deum alors on chanta,
Quel bruit le canon fit quand il ronfla,
Ah ! ça ira... *(ter)*
Qu'on nous demande des nouvelles,
Ah ! ça ira... *(ter)*
Voilà le refrain qu'on répètera,
La Fayette étoit ben content d'ça,
Louis Seize de joye en pleura.
Autour de l'Autel on dansa,
Quel spectacle que celui-là,
Ah ! ça ira... *(ter)*

Oui la Nation c'est nous que voilà ;
La Loi nous encore qui voulons cela,
Ah ! ça ira... *(ter)*
Voilà : les maximes les plus belles,
Ah ! ça ira... *(ter)*
Le Roi de la Loi le gardien sera,
La douce Égalité renaîtra,
Notre félicité s'ensuivra,
La Liberté triomphera,
Et dans cent ans l'on redira
Ah ! ça ira, ça ira, ça ira.

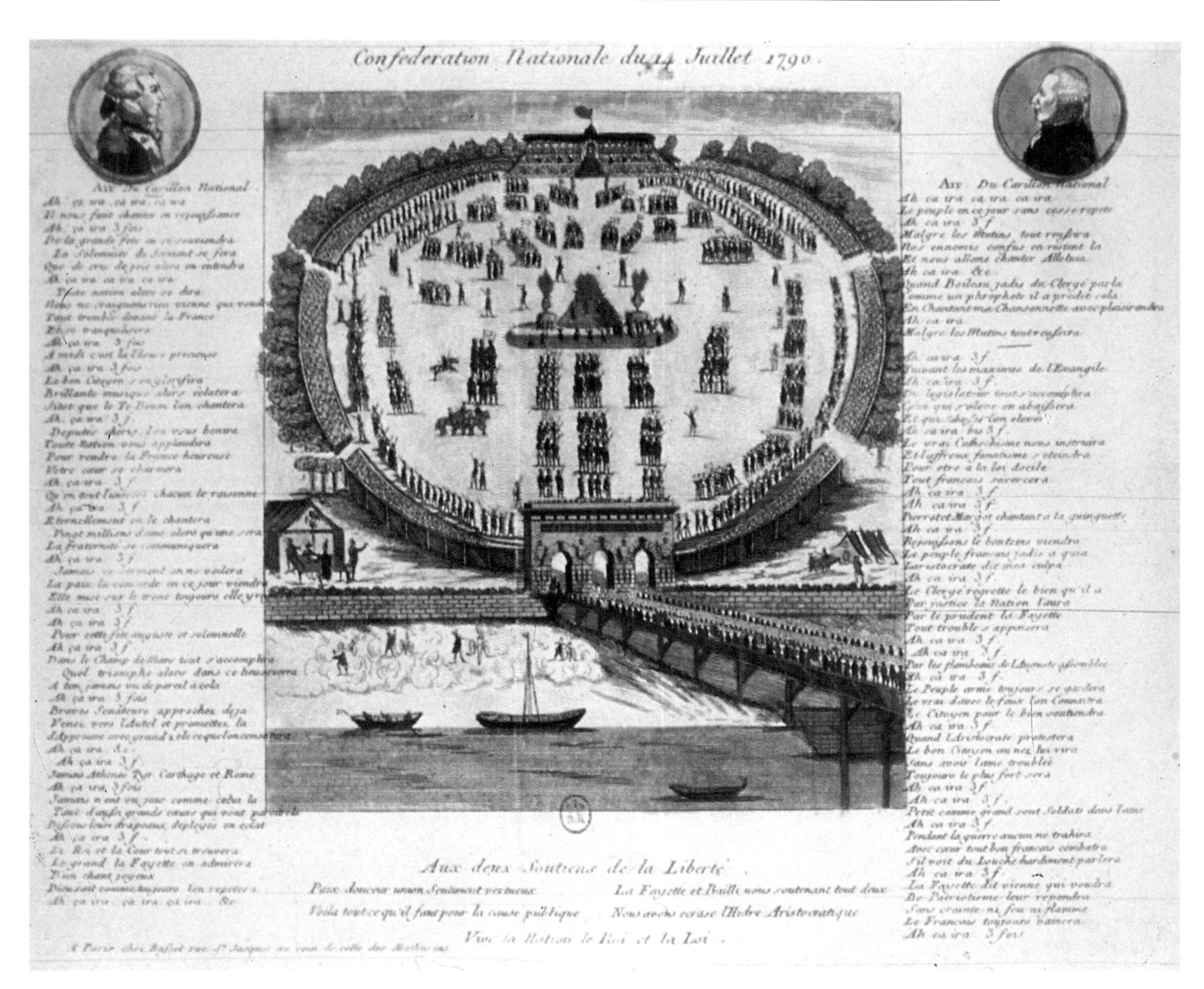

Primitive style engraving of Ça ira *which depicts La Fayette and Bailly as the mainstays of Freedom.*

Also from Frère's publishing house, two other topical anonymous songs on a popular melody from « La partie de chasse de Henri IV » (Henry IV's hunting party) by Collé *(No. 622)*.

One song *(No. 8)* is attributed to « un Abbé revenant du Champ-de-Mars » (an abbot returning from the Champ-de-Mars) :

L'ARISTOCRATE CONFONDU

ARISTOCRATES, vous voilà confondus, *(bis)*
Les Démocrates ont enfin le dessus,
Aristocrates, vous ne brillerez plus. *(bis)*

Aristocrates, votre règne est passé, *(bis)*
Des Démocrates le règne est arrivé,
Aristocrates, c'est une vérité. *(bis)*

Aristocrates, pourquoi tant vous fâcher ? *(bis)*
Les Démocrates veulent vous ménager,
Aristocrates, il faut vous résigner. *(bis)*

Aristocrates, cessez d'être si vains *(bis)*
Et idolâtres de vos vieux parchemins,
Aristocrates, vous n'en ferez plus rien. *(bis)*

Aristocrates, vive l'égalité *(bis)*
Les Démocrates veulent la liberté,
Aristocrates, c'est un point décidé. *(bis)*

Aristocrates, vous vous êtes mépris, *(bis)*
Les Démocrates seront tous vos amis,
Aristocrates, soyons donc tous unis. *(bis)*

The second song *(No. 10)* blamed the aristocrats in rougher language, but expressed no less expressed faith in La Fayette and in Louis XVI. The author did not fail to point out that July 14 is also Saint Bonaventure's Day.

TOMBEAU DES ARISTOCRATES

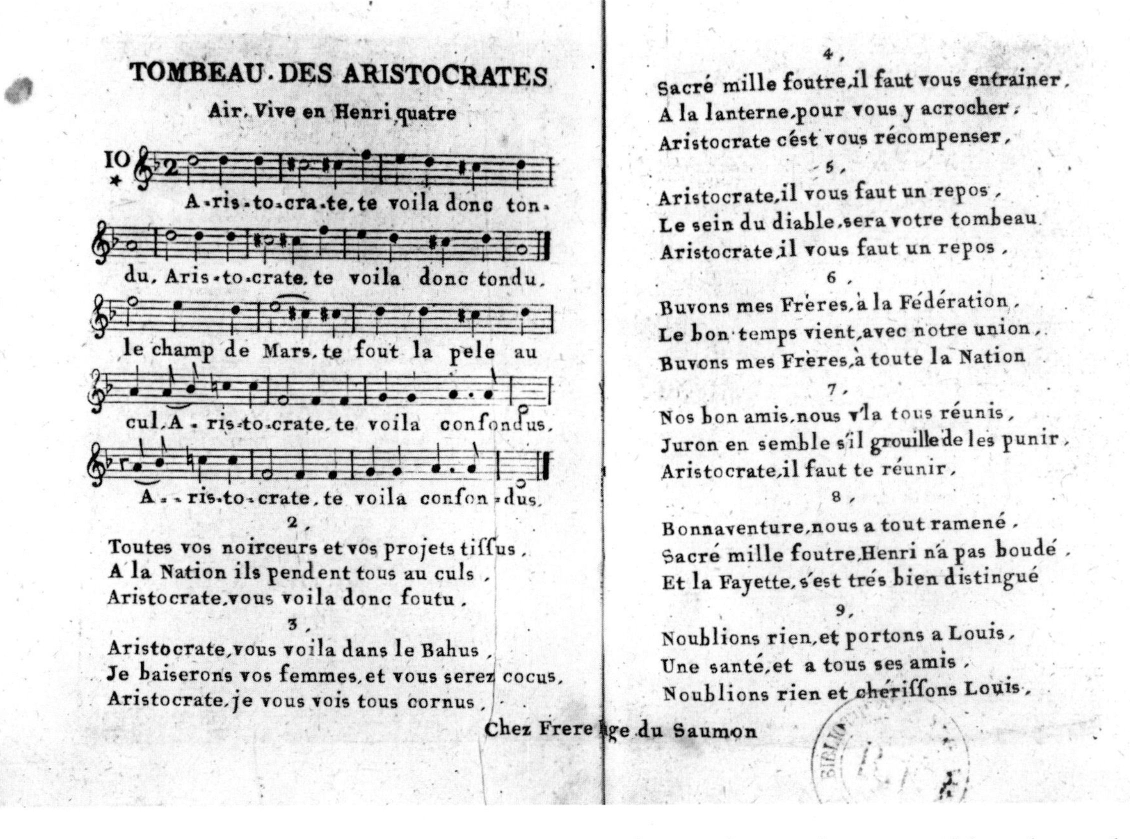

TOMBEAU DES ARISTOCRATES

Air. Vive en Henri quatre

10 *

A-ris-to-cra-te, te voila donc tondu, Aris-to-crate, te voila donc tondu,
le champ de Mars, te fout la pele au
cul, A-ris-to-crate, te voila confondus,
A--ris-to-crate, te voila confon-dus.

2,
Toutes vos noirceurs et vos projets tiſſus,
A la Nation ils pendent tous au culs,
Aristocrate, vous voila donc foutu.

3,
Aristocrate, vous voila dans le Bahus,
Je baiserons vos femmes, et vous serez cocus,
Aristocrate, je vous vois tous cornus,

4,
Sacré mille foutre, il faut vous entrainer,
A la lanterne, pour vous y acrocher,
Aristocrate cést vous récompenser,

5,
Aristocrate, il vous faut un repos,
Le sein du diable, sera votre tombeau
Aristocrate il vous faut un repos,

6,
Buvons mes Frères, à la Fédération,
Le bon temps vient, avec notre union,
Buvons mes Frères, à toute la Nation

7,
Nos bon amis, nous v'la tous réunis,
Juron en semble s'il grouille de les punir,
Aristocrate, il faut te réunir,

8,
Bonnaventure, nous a tout ramené,
Sacré mille foutre, Henri n'a pas boudé,
Et la Fayette, s'est trés bien distingué

9,
Noublions rien, et portons a Louis,
Une santé, et a tous ses amis,
Noublions rien et chériſſons Louis,

Chez Frere [illegible]ge du Saumon

In a nobler style, the son of the dramatist Sedaine, — the latter had written several opera libretti, among them *Richard-Cœur de Lion (Richard the Lionhearted),* — produced an almost idyllic *Ça ira* for a Delegates' banquet. Although, as others did, he welcomed the attainment of *freedom,* to it he added another objective : *fraternity.*

COUPLETS

***Chantés par M.* SÉDAINE*, soldat-citoyen du bataillon de la Jussienne, au repas donné par ledit bataillon, aux députés de la confédération, le samedi 17 de ce mois, dans le jardin de* Ruggiery.**

Air : *de la contredanse nationale* Ça ira.

COMME ça alloit, ça alloit, ça alloit ;
Ah ! quel pillage ! ah ! quel désordre !
Comme ça alloit, etc.
Devant l'oppresseur l'opprimé trembloit ;
Et si parfois sa peine il exhaloit
De nouveaux fers on l'accabloit :
Comme ça alloit, etc.
Le grand à ses dépens il vivoit,
Son appétit toujours croissoit,
On l'avoit laissé mordre,
Enfin il dévoroit.
Comme ça alloit, etc.

Mais ça ira, ça ira, ça ira,
À la liberté nous devons la gloire,
Ah ! ça ira, etc.
Le parfait bonheur bientôt renaîtra,
En frères d'armes chacun se traitera,
En vrais amis chacun s'obligera.
Ah ! ça ira, etc.
Le pauvre qu'on opprimera
Jamais en vain ne réclamera.
À jamais dans l'histoire
Notre siècle on citera.
Comme ça ira, etc.

Oh ! l'on verra, l'on verra, l'on verra
Tout ce que nous devons à la réforme ;
Oh, l'on verra, etc.
Comme chaque jour tout s'embellira.
La difficulté par degrés s'aplanira,
La vérité dans son jour brillera,
Oh, l'on verra, etc.
Jamais emploi ne n'achètera,
Jamais la loi ne permettra
Qu'au palais un juge dorme
Quand l'avocat plaidera.
Oh, l'on verra, etc.

Ah, ç'a été, ç'a été, ç'a été,
Nous pouvons, amis, nous pourrons le dire ;
Ah, ç'a été, etc.
Nous avons conquis notre liberté,
Nous chérissons avec sincérité
La nation, la loi, la majesté,
Ah, ç'a été, etc.
Déjà la douce égalité
Assure notre félicité,
Entre tous dans cet empire
Établit la fraternité.
Ah, ç'a été, etc.

The night before the Fête de la Fédération at the Champ-de-Mars? *La prise de la Bastille (The taking of the Bastille),* « un hiérodrame tiré des livres saints » (a sacred drama from the holy books), premiered at the Cathedral of Notre Dame de Paris. Marc-Antoine Désaugiers, composer of other lyric operas, wrote the music. This commission was the result of the decision by the Assemblée générale des électeurs in 1789 to : « Have performed every year on July 14, in the Paris cathedral, a Te Deum as thanksgiving for the memorable events of this patriotic epoch ». The Parisian press reported that *La prise de la Bastille* and the *Te Deum* following it were performed by over 600 players, singers and instrumentalists belonging to the Opéra and other Parisian theaters. The elder Désaugier's efforts were greatly appreciated by the audience[1]. Two other performances on a more modest scale followed in 1790 and 1791.

Gossec was also asked to write a *Te Deum* for the Fédération of July 14, 1790[2], to be performed not in a church but at an open air concert on the Champ-de-Mars. Gossec adapted music for wind instruments as the choral accompaniment. This innovation influenced many other composers of future festivals and ceremonies.

The Song of the 14th of July

Marie-Joseph Chénier created a commissioned *Hymne pour la Fête de la Fédération (Hymn for the Federation Festival).* However, it was published too late to be sung on July 14th. Soon after, Gossec set six of the poem's twenty-six quatrains to music. Certain verses were altered in 1792 and 1793. Even after the revolutionary period *Le Chant du 14 Juillet (The July 14th song)* was often performed.

Constant Pierre, publisher of several editions of the hymn, admired it very much : « *Le Chant du 14 Juillet* is one of Gossec's best inspirations, lofty, imposing and quite forceful. The melody is supple and of great formal purity... The harmony is simple and solid : it contributes in large part to the majesty of the entire piece ».

Albert Sobcul used to recall a memory of his youth : *Le Chant du 14 Juillet* was still being sung in the choirs of state colleges during the Third Republic, in the years between the two wars ; and he would gladly hum a verse...

[1] When *La Prise de la Bastille* was performed again on July 14, 1794 in concert form, the words were changed to take into account new events. Since Désaugiers senior had died several months before, the new words were more likely written by his eldest son, Auguste-Félix rather than his other son, Marc-Antoine-Madeleine. Auguste-Félix began his diplomatic career in 1791 and wrote several opera libretti. Marc-Antoine-Madeleine wrote the songs *Monsieur et Madame Denis* and *Paris à cinq heures du matin (Paris at five o'clock in the morning).* Another change in year II was the replacement of the *Te Deum* by the Chorus of the first act of Gluck's *Armide :* « Poursuivons jusqu'au trépas... » (Let us persevere until death...).

[2] Constant Pierre published the *Te Deum* in *Musiques des fêtes et cérémonies de la Révolution (Music of the celebrations and ceremonies of the Revolution)* No. 1, p. 1.

LE CHANT DU 14 JUILLET

Rappellons nous ces tems où des tyrans sinistres
Des Français asservis foulaient aux pieds les droits;
Ces tems si près de nous où d'infames ministres
Trompaient les Peuples et les Rois.

Des brigands féodaux les rejettons gothiques
Alors à nos vertus opposaient leurs ayeux;
Et, le glaive à la main, des prêtres fanatiques
Versaient le sang au nom des cieux.

Princes, nobles, prélats, nageaient dans l'opulence;
Le Peuple gémissait de leurs prospérités;
Du sang des opprimés, des pleurs de l'indigence
Leurs palais étaient cimentés.

En de pieux cachots l'oisiveté stupide
Afin de plaire à Dieu détestait les mortels;
Des martyrs, périssant par un long suicide,
Blasphémaient au pied des autels.

Ils n'éxisteront plus ces abus innombrables;
La sainte Liberté les a tous effacés;
Ils n'éxisteront plus ces monumens coupables;
Son bras les a tous renversés

Dix ans sont écoulés; nos vaisseaux rois de l'onde
A sa voix souveraine ont traversé les mers;
Elle vient maintenant des bords du nouveau monde,
Régner sur l'antique univers.

Soleil, qui parcourant ta route accoutumée,
Donnes, ravis le jour et régles les saisons;
Qui versant des torrens de lumière enflammée
Mûris nos fertiles moissons:

Feu pur, œil éternel, âme et ressort du monde,
Puisses-tu des Français admirer la splendeur!
Puisses-tu ne rien voir dans ta course féconde
Qui soit égal à leur grandeur!

Que les fers soyent brisés; que la terre respire;
Que la raison des lois parlant aux nations
Dans l'univers charmé fonde un nouvel empire,
Qui dure autant que tes rayons.

Que des siècles trompés le long crime s'expie;
Le ciel pour être libre a fait l'humanité;
Ainsi que le tyran l'esclave est un impie
Rebelle à la divinité.

Au Magasin de Musique
à l'usage des Fêtes Nationales Rue des fossés Montmartre.-

Shadows upon the Festival

It soon became obvious that the much-hailed total solidarity of the Fête de la Fédération of July 14, 1790 was just a show.

Not only did the Assemblée, constantly battle the court's hostility and the counter-revolutionary threat but also dissent between the enlightened members of the old ruling class and the bourgeois of the commons in the Assemblée intensified. Moderate patriots, partisans of La Fayette, left the « Club des Jacobins », also known as the « Société des Amis de la Constitution », for a more exclusive club, the « Société de 1789 » (1789 society). After April 1790 a larger membership formed the « Société des droits de l'homme et du citoyen » (The society for the rights of man and citizen) known as the « Club des Cordeliers » (Franciscan club). Marat and Danton became well-known members of this new society.

At the Assemblée, the triumvirate of Barnave, Duport and Lameth opposed the conciliatory positions of Mirabeau and La Fayette suspected of playing into the King's hands. The more independent deputies such as Robespierre, Pétion and Abbé Grégoire garnered greater power. Outside the Assemblée, Marat and his journal *L'Ami du Peuple (The people's friend)* vigilantly defended the cause of the little poeple.

The Nancy Affair

Marat called attention to discontent in the army where the artistocratic officers wanted to regain control and where during May and June, confrontations became so prevalent that the Minister La Tour du Pin was to comment on the « deplorable situation in the Army ».

In August, the Nancy Affair exploded and ended in a deliberate massacre of Swiss soldiers of the Châteauvieux Regiment. Thomas Rousseau, in the printed version of his *Romance des soldats de Châteauvieux (Ballad of the Châteauvieux soldiers)*, captured the spirit of this regiment when the royal court used foreign troops against the Parisians : « The Châteauvieux soldiers, together with the French Guards, were the first in the army to recognize the Nation's sovereignty in July 1789. They were among the 20,000 men gathered at Champ-de-Mars who were ordered to subdue the Parisians and dissolve the États généraux. Instead, they told their leaders that they would destroy their guns before they used them against the citizens... This was one of Freedom's earliest triumphs. From this moment, the Court's resentment singled out the Châteauvieux soldiers for retribution. Bouillé took the initiative to bring about the right situation. The Châteauvieux regiment was sent to Nancy in an army division under his command ».

In accordance with the decrees of August 6 and 7, the Swiss soldiers, whose pay had been delayed, asked to handle their regiment's money in the same way that the French soldiers handled theirs. The military command, backed by key political figures, answered their request with a show of force. La Fayette urged his cousin the Marquis de

Bouillé to « crush them ». The misguided Assemblée ordered the Châteauvieux garrison to obey which they did. But some days later, Bouillé and his accomplices provoked the troops in the heart of the city and fighting broke out. On August 31 the army finally recaptured Nancy at the cost of 300 lives. Pitiless reprisals ensued — 33 soldiers were hanged and 40 sent to the galleys.

Marat reported this tragedy under the headline « L'affreux réveil » (The horrible awakening). Then, after relating how the King congratulated the bloodstained Bouillé, Marat caustically criticized La Fayette : « Can there still be any doubt that the great General, the hero of two continents, the immortal restorer of liberty, is in fact the counter-revolutionary leader at the heart of all anti-French conspiracies ? »

The Massacre of Nancy, August 31, 1790. The young lieutenant Desilles is killed trying to stop the fighting.

When the Châteauvieux troops were belatedly reinstated, Thomas Rousseau expressed his indignation in several couplets of his *Romance* written to the melody « Charmante pastourelle » (Charming shepherd girl). In another publication, Bouillé's crimes and transgressions were sung to the tune of « Ô ma tendre musette » *(Caveau No. 417).*

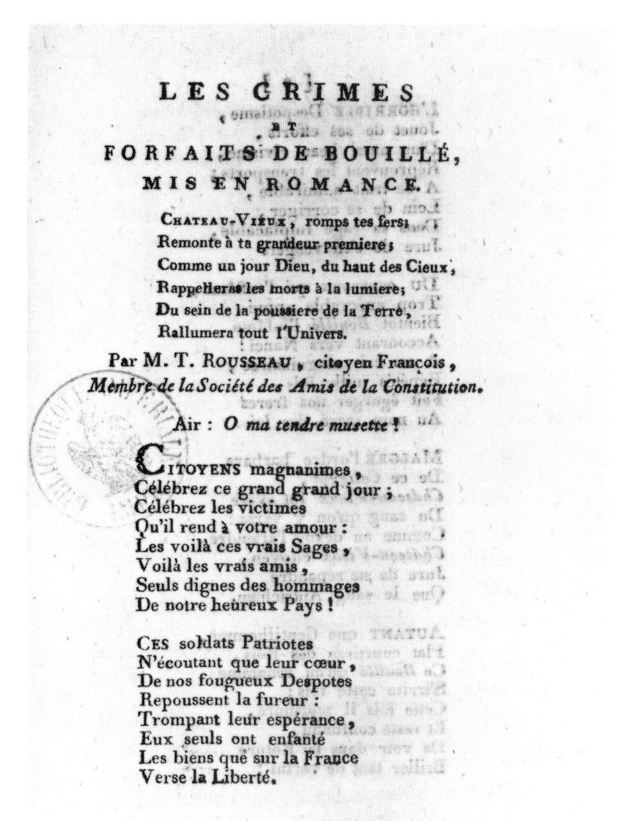

LES CRIMES
ET
FORFAITS DE BOUILLÉ,
MIS EN ROMANCE.

CHATEAU-VIEUX, romps tes fers;
Remonte à ta grandeur premiere;
Comme un jour Dieu, du haut des Cieux,
Rappellera les morts à la lumiere;
Du sein de la poussiere de la Terre,
Rallumera tout l'Univers.

Par M. T. ROUSSEAU, citoyen François,
Membre de la Société des Amis de la Constitution.

Air : *O ma tendre musette !*

CITOYENS magnanimes,
Célébrez ce grand grand jour ;
Célébrez les victimes
Qu'il rend à votre amour :
Les voilà ces vrais Sages,
Voilà les vrais amis,
Seuls dignes des hommages
De notre heureux Pays !

CES soldats Patriotes
N'écoutant que leur cœur,
De nos fougueux Despotes
Repoussent la fureur :
Trompant leur espérance,
Eux seuls ont enfanté
Les biens que sur la France
Verse la Liberté.

CES soldats patriotes
N'écoutant que leur cœur,
De nos fougueux despotes
Repoussent la fureur :
Trompant leur espérance,
Eux seuls ont enfanté
Les biens que sur la France
Verse la Liberté.

Du courroux qui l'enflamme
Trop exécrable appui,
Bientôt Bouillé l'infâme
Accourant vers Nancy,
À ses cris sanguinaires
Répétés mille fois,
Fait égorger nos frères
Au nom sacré des lois.

(...)

L'horrible Despotisme,
Jouet de ses efforts,
D'un aussi beau civisme
Réprouvant les transports,
À ce trait admirable
Loin de se corriger,
Dans sa rage implacable
Jure de s'en venger.

En son aveugle haine,
Il fait, le monstre affreux,
Condamner à la chaîne
Ces soldats généreux
Qui, saintement rebelles,
Ne voulurent jamais
Tremper des mains cruelles
Dans le sang des Français.

Bernard Cerey, another songwriter, had already proven the point in three verses.

COMPLAINTE
SUR
LE MASSACRE DE NANCY

(Air : « Si je meurs »)

ARMEZ-VOUS tous du courage
Des victimes de ce convoi ;
Et vengez donc cet outrage,
Le Triomphe en fait la Loi :
Exterminons l'exécrable (l'aristocrate)
Qui dévore de se souiller
Parmi le sang mémorable
Qu'il a déjà fait ruisseler.

Si vous voulez qu'on admire
Votre force, votre union,
Que la fureur vous inspire
De le mettre à la raison :
Car ce monstre qui criaille
Travaillera adroitement
À corrompre la Canaille,
Qui l'écoute facilement.

C'est à Nancy, triste ville,
La victime des noirs projets,
Que le Peuple fort tranquille
En jugera par leurs forfaits :
Que la foudre le consume
Cet infâme Conspirateur ;
Et qu'il crève d'amertume
Pour ajouter à sa douleur.

La Fayette's popularity, so high at the July 14 Fédération, declined rapidly, and even more dramatically when he formed a new ministry of his own after Necker was dismissed. At the same time, many noble officers changed from being passive to being openly hostile towards the Constitution.

Religious Crisis

Religious conflict created another cause for division and confrontation.

The first measures against the clergy were well received overall. But the promulgation of the « Constitution civile du clergé » (Civil constitution for the clergy) raised protests, though the King approved it fast enough, by July 22. To have tried at that point to get Pope Pius VI's approval was without doubt an error. This Pope, who had already condemned the Declaration of the Rights of Man, turned a deaf ear to pleas from bishops anxious to prevent a schism.

Still another measure soured the relations between the Assemblée and the Catholic hierarchy. Since priests had become public functionaries, the Constituante decided on November 27 to impose upon them an oath pledging acceptance of the Constitution. The Pope remained silent, though he was predisposed to oppose the measure. Only seven bishops agreed to take the oath, and opinion among parish priests was split by region. Most priests in the southeast agreed to take the oath. Objecting priests came mostly from the north and west.

The counter-revolution would soon exploit this religious conflict.

Torture and execution of the Swiss Châteauvieux soldiers at Nancy

CHANSON

PATRIOTIQUE

DU PÈRE DUCHÊNE

Sur le refus de la prestation du serment, par les Évêques et les Curés.

Air : J'suis un *chien*, à coup d'pied, etc.

Cent mil-millions de noirs rabats,
La prêtraille fait donc sabat,
Y aisément cela se peut croire ;
Les calotins et les bigots,
Nous traitent donc de Huguenots,
Et Protestant,
Contre l'serment,
Vont s'faire casser la mâchoire.

Pestant de se voir rasibus,
Et d'avoir tous la pelle au cul,
Y aisément cela se peut croire ;
Ils voudroient ravoir leurs châteaux,

Leurs maîtresses et leurs chevaux,
Mais nom d'un chien !
On a l'moyen
D'leux casser à tous la mâchoire.

O temps pervers, ô siècle ! ô mœurs !
Dit le calotin en fureur,
Y aisément cela se peut croire ;
Pourquoi nous enlever nos biens,
Voudroit-on nous rendre des saints !
Plutôt mourir,
Plutôt souffrir,
Qu'on nous casse à tous la mâchoire.

Autrefois à nos bons ayeux,
Ils en mettoient par sus les yeux,
Y aisément cela se peut croire ;
Prélats, les femmes court'soient,
Et les Moines les enlevoient,
Mais à présent,
C'est différent,
J'leux cassons à tous la mâchoire.

Jadis on voyoit Monseigneur,
Plein de fierté, plein de hauteur,
Y aisément cela se peut croire ;
Mais, foutre ! tout est bien changé,
Car autrement,
Tout bonnement,
J'ly cassons, morbleu, la mâchoire.

Autrefois ils couroient le bal
Les concerts, le Palais-Royal,
Y aisément cela se peut croire ;
Aujourd'hui rendus scrupuleux,
Ils ont de la conscience...... et mill'dieux,
Ils rempliront
Tous les canons,
D'peur d'se fair'casser la mâchoire.

Quoiqu'çà, j'dis que les calotins,
Sont de fiers miroirs à putains,
Y aisément cela se peut croire ;
Quoiqu'on ait dit leur *libera*,
Et qu'ils soient foutus à *quia*,
Ils ont espoir,
De se revoir,
Nous cassant à tous la mâchoire.

Pour ça, qu'ont-ils imaginé,
Ces buveurs d'eau de bénitié ?
Y aisément cela se peut croire ;
Les Prélats ont fait des sermons,
Les curés, dit des oraisons,
Mais c'est foutu,
On n'a voulu,
Qu'leux casser à tous la mâchoire.

Envain, ils espèrent à présent,
Dans l'Jupiter du Vatican,

Y aisément cela se peut croire ;
Mais il est un trop fin renard,
Pour foutre le feu à son pétard,
Il risqueroit,
S'ils s'y frottoit,
D'se faire casser la mâchoire.

N'y a pas jusqu'aux sacrés pédans,
Qui n'voulions faire les chenapans,
Y aisément cela se peut croire, ;
Moi, je dis qu'avec leux savoir,
Tout leur esprit est aussi noir,
Que leur habit,
D'chauve-souris,
Qui leur f'ra casser la mâchoire.

Vous, d'la calotte l'ornement,
Qui tous avez prêté serment,
Y aisément cela se peut croire ;
Oui, dans le cœur des bons Français,
Vos noms, sont gravés à jamais,
Et tous pour vous,
Ils sont jaloux,
D'se faire casser la mâchoire.

A PARIS, de l'Imprimerie de Chalon, rue du Théâtre Français, l'an 2 de la liberté

Chapter 3

1791 : THE CONSTITUANTE AND THE COUNTER-REVOLUTION

The religious conflict became much more of a divisive factor after the Pope's Pastoral letters of March 11 and April 13, 1791 condemned the Civil Constitution. From that period on, there were two hostile clergies and competing churches. One camp led to the development of an anti-clerical movement. The other, the conservative Catholic group, chose to disregard the « Constitutional » (or oath-taking) clergy and attend the churches of the non-pledging priests.

From the beginning of the year, each faction had songs to express its viewpoint. This song was published in an almanac hostile to « Jacobinocracy » : *« Le Guide national ou Almanach des adresses à l'usage des honnêtes gens pour faire suite à l'almanach des artistocrates » (National guide or address book to be used by decent people to replace the listing of aristocrats).*

COUPLETS
SUR
L'AIR DU DUO DE L'ARCHEVÊQUE
ET DU CURÉ,
DANS « NICODÈME DANS LA LUNE »[1]

BONS curés, vertueux prélats
Que vexe à toute outrance
De sots, de fripons, d'apostats
La méprisable engeance,
Des prestolets ambitieux
Des prêtres avaricieux,
N'ont sollicité vos disgrâces
Que pour s'emparer de vos places.

Pour jouir de vos trahisons,
Ô pasteurs mercenaires,
Vous dépouillez vos compagnons,
Leurs biens sont vos salaires ;
En assignats incessamment
On payera votre traitement ;
Ce n'est qu'avec telles promesses
Que l'on peut bien payer vos messes

Par avarice, ambition,
Ce n'est plus un mystère,
Oubliant Dieu, religion,
Et votre ministère,
Vous profanez par un serment
Que votre cœur au fond dément
Le culte de l'Être Suprême,
Et c'est où tend votre système.

[1] *Nicodème dans la lune,* a lyric opera by Cousin Jacques (Beffroi de Reigny), premiered November 1790 at the Théâtre Français. Its melodies were very popular at the time.

One song of the oath-taking priests was attributed to Father Duchesne : *Chanson patriotique du Père Duchesne, sur le refus de la prestation du serment par les évêques et les curés (Father Duchesne's patriotic song about the bishops' and parish priests' refusal to take the oath).* The song was probably written by the printer-journalist Jacques Hébert, editor of the newspaper *Le Père Duchesne* launched in November, who would use his newspaper's title as a pen name.

On April 17, four days after Pope Pius VI reiterated his condemnation of the Civil Constitution, the King went to a non-pledging priest for Easter mass. Devout Parisians who also wanted to have access to the « right kind of priests » provoked incidents depicted in song and in lithographs.

CHANSON

Sur l'avanture des Bigottes fustigées.

AIR : *la Bonnaventure, gué, &c.*

DES Bigottes fustigées.
La drôle d'histoire,
Par des mères outragées,
Qui le pourra croire ?
Le fait en certain pourtant,
Qu'on à fouetté leur ponant,
La drôle d'histoire, gué,
La drôle d'histoire.
L'incartade assurément,
Blesse la décence,
Il faut du Ménagement,
Dans l'effervescence,
Mais, houspiller mon enfant,
Aussi gratuitement,
Cela crie vengeance, gué.
Cela crie vengeance.
C'est vous Prêtres orgueilleux.
C'est vous que j'accuse,
Craignez le courroux des cieux,
Je vois votre ruse ;
Envain vous vous tourmentez,
Ainsi que des enragés ;
Elle est sans excuse, gué,
Elle est sans excuse,
Vous voudriez soulever,
Toutes vos Bigottes,
Et nous faire regretter,
Jusqu'à vos calottes,
Mais vous perdez votre tems,
Ministres impertinens.
Gare à vos culottes, gué,
Gare à vos culottes.
La Municipalité,
Votre sauve-garde,
Est trop pleine de bonté,
Car la hallebarde,
Ne vous feroit pas broncher,
Et vous lui faites monter,
Au nez la moutarde, gué,
Au nez la moutarde.
Béguines, renfermez vous,
Dans votre cellule ;
Fermez sur vous les verroux.
Foin de tout scrupule,
Sauvez vous de ces hiboux,
Qui font un trafic de vous,
Avec leur férule, gué,
Avec leur férule.
Que maint et maint Polissons,
Rient de l'avanture ;
L'homme sourd aux passions,
Cherche la droiture ;
Il ne voit d'obscénité,
Que dans l'Etre révolté ;
C'est dans la nature, gué,
C'est dans la nature.

De l'Imprimerie de LABARRRE, au coin de la rue du Puit & du marché aux Poirées à la Halle..

CHANSON
SUR LES CULS FOUETTÉS.

AIR : *zon zon zon, lizette, ma lizette.*

DÉVOTES entêtées
De Prêtres refractaires,
Vous voilà fustigées,
Ce sont bien vos affaires :
Et zon, zon, zon,
Grisettes. Biguenettes,
Et zon, zon, zon,
Demandez nous pardon.
Contre la Nation
Vous vous montrez rebelles ;
A quelle intention
Devenez vous Cruelles ?
Et zon, zon, zon,
Grisettes, Biguenettes :
Et zon, zon, zon,
Demandez lui pardon.
Sur de tendres Enfans
Votre rage s'épuise,
Ces pauvres Innocens
Sont enfans de l'église :
Et zon, zon, zon,
Grisettes, Biguenettes,
Et zon, zon, zon,
Demandez leur pardon.
De Mères courroucées
Redoutez la colère,
Où vous serez troussées
Plus haut que jarretière :
Et zon, zon, zon,
Grisettes, Biguenettes,
Es zon, zon, zon,
Demandez leur pardon.
De votre doux Jesus
Imitez la clémence ;
C'est un étrange abus
Que votre résistance :
Et zon, zon, zon,
Grisettes, Biguenettes,
Et zon, zon, zon,
Demandez lui pardon.
Oui vous vous égarez
Dans un triste délire,
Croyez-moi, renoncez
Aux Palmes du martyre
Et zon, zon, zon,
Grisettes, Biguenettes
Et zon, zon, zon,
Demandez-nous pardon.
Jesus, sur son troupeau
Veille toujours en pére ;
Foibles comme roseau,
Pourquoi cette poussière ?
Et zon, zon, zon,
Grisettes, Biguenettes,
Et zon, zon, zon,
Demandez-lui pardon.
Mais malheur au méchant,
Malheur à l'hypocrite,
Qui séduit l'ignorant,
C'est le Ciel qu'il irrite :
Et non, non, non,
Jamais le Fanatique,
Et non, non, non,
N'obtiendra de pardon,

Patriotic discipline or fanaticism punished. This event occurred during the « Semaine de la Passion » of 1791 brought on by the « Dames de la Halle ». A detailed inventory listed 621 bottom cheeks whipped, a total of 310 and one half bottoms, since the « Trésorière des Miramionnes » had only half a bottom.

Emigration Increases

But in early 1791, another problem, emigration, preoccupied the public, even though some songs downplayed its importance by making light of it.

Louis XV's daughters and the King's aunts, the « Mesdames », emigrated abroad, with the Court's approval and with Bouillé's help. This minor episode gained notoriety because of an amusing pun. Concerning the « Mesdames' » travel to Metz, Antoine Gorsas, future Convention Member (Girondin), wrote in his newspaper, *Le Courrier de Paris dans les 83 départements (The Paris courier of 83 departments),* that « everything the Mesdames possessed, including their shirts, belonged to the Nation ». The word « chemise » was also an oblique reference to the journalist's own dossiers. Patriots who read the sentence understood its double meaning. Hence the satiric tale of this adventure by François Marchant in *Sabbats jacobites (Jacobin Sabbaths).*

LES SABATS

JACOBITES.

AU PALAIS-ROYAL,

1791.

Les Municipaux d'Arnai Le-Duc Arêtent Mesdames Tantes du Roi, et leur redemandent les chemises du folliculaire Gorsas.

donnez nous les chemises
a gorsas
donnez nous les chemises.

LES CHEMISES À GORSAS

(Air : « Rendez-moi mon écuelle en bois ». Caveau n° 507)

In Marchant's song, these verses were sung by the Municipal officers of d'Arnay-le-Duc who stopped the carriage :

DONNEZ-NOUS les chemises
À Gorsas,
Donnez-nous les chemises.
Nous savons, à n'en douter pas,
Que vous les avez prises,
Donnez-nous les chemises
À Gorsas,
Donnez-nous les chemises.

Madame Adélaïde retorted :

JE n'ai point les chemises
À Gorsas,
Je n'ai point les chemises.
Cherchez, Messieurs les magistrats,
Cherchez dans nos valises,
Je n'ai point les chemises, etc.

So the officers started to rummage through the trunks :

CHERCHONS bien les chemises
À Gorsas,
Cherchons bien les chemises.
C'est pour vous un fort vilain cas,
Si vous les avez prises.
Mais où sont les chemises, etc.

And according to Marchant, the guards were unable to tell the journalist's dossiers from the other « chemises ». They decided to keep an eye on the King's aunts until more information could be gathered.

This story made everyone laugh, including Gorsas. All the same, the Assemblée hotly debated Mesdames' emigration. Mirabeau pleaded their case, and their trip continued uninterrupted.

The Constituante became even more troubled by the emigration problem when noble émigrés abroad began plotting to reinstate the King and his former rights.

There were several émigré centers in Italy (Turin, Rome) and in England. The main ones, however, were in the Rhineland, particularly at Coblenz where the King's brothers, Provence and Artois, had settled, and at Mayence and Worms where the Prince de Condé gathered officers for a counter-revolutionary army.

The titles and themes of many songs after March 1791 focused on the counter-revolution, such as this potpourri based on the traditional melody « La Tentation de Saint Antoine » (Saint Anthony's temptation) : *La Contre-Révolution.*

LA CONTRE-REVOLUTION,

POT-POURRI PATRIOTIQUE,

Parodie de la Tentation de Saint-Antoine.

AIR : *Plus inconstant que l'onde.*

La France ô ciel! va-t-elle se dissoudre?
Je vois armer contre elle six cents bras
Tout prêts à lancer la foudre
Pour nous réduire en éclats,
Et mettre en poudre
Tous nos soldats.
Oh! Rhin,
Deviens un frein
A cette rage;
Que ton passage
Ne soit jamais
Connu que des Français.

AIR : *Du haut en bas.*

Au bord du Rhin,
Condé petit fils d'un grand père,
Au bord du Rhin,
Vient d'examiner le terrain;
A ses soldats alte il fait faire,
Il sent ralentir sa colère
Au bord du Rhin.

AIR : *Folies d'Espagne.*

Tambour-major et prêt à l'escarmouche
Marche à grands pas le cardinal collier
On voit, auprès de sa timide bouche,
Ouvrir celle de son grand chancelier.

AIR : *Turelure et flon, flon.*

On voit des soldats
De tous les états,
De la ville et de la campagne,
De la Chine et de l'Allemagne;
On voit aussi des procureurs,
Des abbés, des moines, des sœurs,
Des nobles de toute couleur,
Des noirs sur-tout à faire peur,
Et flon, flon, flon, turelure,
Ils ont tous leur ton, leur allure.

AIR : *La faridondaine.*

Quelques-uns sur un gros tonneau
Affublant une tête,
Ont fait cravatte Mirabeau,
Capitaine tempête;
On va voir par ce champion,
La faridondaine, la faridondon,
L'ancien régime rétabli
Biribi,
A la façon de barbari,
Mon ami.

AIR : *Sous un ormeau.*

Séguier le nain,
Un réquisitoire à la main,
A tous les Français
Bientôt fera le procès.
Mais.

AIR : *Au fond de mon caveau.*

Le ferme d'Autichamp
Propose la retraite;
Nous n'aurons, dit-il, plus d'argent,
Calonne a la cassette;
De l'anti-révolution
La pucelle sur son
Trop ombrageux grison,
Quoique à califourchon
Chancèle tout de bon,
Et crie à tue tête :
Ecoutez donc.

AIR : *La pierre Fitoise.*

Mon cher Spire vous me foulez;
Non, ma reine, vous vous trompez.
Mon cher Spire vous me foulez,
Et vous me pesez sur le corps,
Fort.
Mais je vous le jure sur ma foi
Que ce n'est moi.
Ce n'est pas toi.
Ce n'est pas moi. } *bis.*
Retenez donc votre cheval,
Il est un peu trop colossal;
Retenez donc votre cheval,
Car il me fait, cet animal,
Mal.

AIR : *Quand la mer rouge apparût.*

Malgré le bon d'Autichamp
L'armée murmure;
Soldats allons en avant,
Tentons l'avanture;
Les ennemis auront peur,
Car nous avons pour sapeur
Deux ca, ca, ca, ca,
Deux pu, pu, pu, pu,
Ca, ca, ca,
Pu, pu, pu,
Capucins sauvages,
Même antropophages.

AIR : *Nous autres bons villageois.*

Pour aide de lit-de-camp
Le cardinal a pris Lamotte,
D'une femme d'un haut rang
Elle a l'air fière et l'ame haute,
Et cette belle en traits de feu
Sur l'épaule porte en tout lieu,
De l'air le plus majestueux,
Les armes de ses ayeux.

AIR : *Du second quatrain des folies d'Espagne.*

L'abbé d'Aymar ce brillant Papimane,
Marche à leur tête aussi fier qu'un César;
Un grand feuillet des contes de peau d'âne
Est en ses mains en guise d'étendard.

AIR : *Va-t-en voir s'ils viennent.*

Le valet-chef Villequier
Envoye de France,
Un bataillon tout entier
Par la diligence.
Va-t-en voir s'ils viennent, Jean
Va-t-en voir s'ils viennent.

AIR : *Ah! maman que je l'échappe belle.*

De ce fier bataillon qui s'avance,
Français, vous riez
Et vous restez
Sans méfiance.
De ce fier bataillon qui s'avance
Français vous riez,
Fort bien; mais en riant veillez.

AIR : *Le démon malicieux et fin.*

Le démon aristocrate et fin
Est toujours à nous duper enclin;
Mais prendrait-il la forme de Toinette,
Son air charmant, sa taille et ses appas?
Un diadème ornerait-il sa tête?
Gardons-nous bien de voler dans ses bras.

Another example was a song first published in pamphlet form in *La Chronique de Paris (The Paris chronicle)* then reissued as a leaflet. When it was performed on the Pont-Neuf, the song *La Contre-Révolution ou Chanson des circonstances (The counter-revolution, or Song of current events)* sold very well :

(Air : « Va-t'en voir s'ils viennent, Jean ». Caveau n° 613)

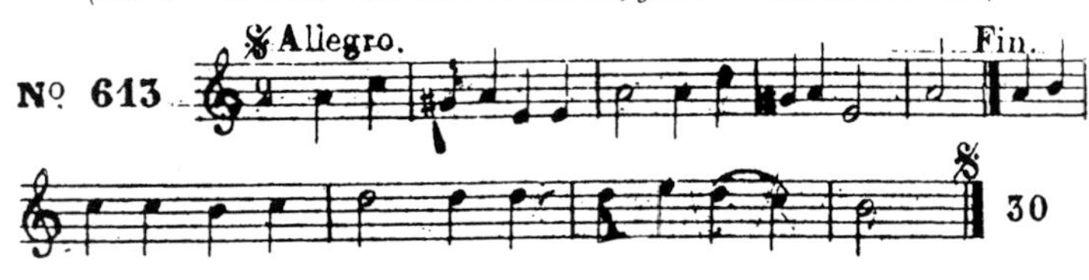

ENFIN, grâce à nos prélats,
Nous aurons la guerre
Avec tous les potentats
Sur mer et sur terre.
Va-t'en voir s'ils viennent, Jean,
Va-t'en voir s'ils viennent.

Germains, Espagnols, Anglais,
Pandours et Talpaches
Vont venir à nos Français
Couper les moustaches.
Va-t'en voir, etc.

Condé qui, de bonne foi,
Se croit un Hercule,
Va du vainqueur de Rocroi
Se montrer l'émule.
Va-t'en voir, etc.
(...)

Nous allons voir triomphants
Tous nos gros chanoines ;
Nous allons dans leurs couvents
Voir rentrer les moines.
Va-t'en voir, etc.

(...)

Maury, de ses calotins
L'appui le plus ferme,
Va reprendre ses catins
Et ses huit cents fermes.
Va-t'en voir, etc.

Nos petits nobles altiers
Vont rentrer en France,
Et reprendre leurs quartiers
Et leur insolence.
Va-t'en voir, etc.

At the same time, *La Légende dorée (The golden legend)*, Girey-Dupré's newspaper, published on March 12 and 30 two songs by his contributor L.P.E. Bignon[1].

1 Louis Pierre Édouard Bignon, son of a clothes dyer from Rouen, occasionally wrote songs. In 1792, he enlisted in the army. Under the Directoire, he pursued a diplomatic career during which he became the close associate of Talleyrand up to 1815. He was made Baron of the Empire in 1809, and was elected deputy of the Eure department in 1817. He became minister of public education after the Revolution of 1830 and Peer of France in 1837. He died in 1841.

LES ÉMIGRANTS

(Air : « Au pied du lit »)

AMIS, faut-il en France
Retenir par prudence
Les mécontents ?
Non, ouvrons-leur la porte,
Et que le diable les emporte
Les émigrants.

Si de nos lois nouvelles
Quelques Français rebelles
Sont mécontents,
Qu'ils se rendent justice ;
Qu'ils partent... Dieu bénisse
Les émigrants.

Puissent, loin de nos rives,
Fuir les troupes plaintives
Des mécontents !
Tout ce que je regrette,
C'est la riche cassette
Des émigrants.

Bignon's second song, *Les émigrants. Quel mal pourraient-ils nous faire? (Emigrants – What harm can they do us?)*, was later published under the pen name Father Duchesne — a decidedly symbolic name that was often appropriated by others. Bignon wrote his piece to the tune of a recent song by Boufflers with music by Martini : *L'amour est un enfant trompeur (Cupid is a deceptive child) (Caveau listing No. 320).*

CHANSON

DU PERE DUCHÊNE,

SUR LES ÉMIGRANS.

DE nos illustres vagabonds
La troupe sanguinaire
Cherche en tous lieux des compagnons
Pour nous faire la guerre,
Mais ne craignons pas leurs efforts ;
Ducs, Barons et Marquis sont morts.
Quel mal peuvent-ils faire ? *(bis)*

Condé voit bien maint officier
Marcher sous sa bannière ;
Mais il n'a pas un fusilier
Dans son armée entière.
Sous lui chacun commandera,
Et personne n'obéira.
Quel mal peut-il nous faire ? *(bis)*

(...)

Des prêtres pour l'amour de Dieu
Ravageraient la terre.
Leur fanatisme n'est qu'un jeu
Qu'a dévoilé Voltaire.
Du diable dont ils nous font peur,
Polichinel seul a frayeur.
Quel mal pourront-ils faire ? *(bis)*

(...)

Je me ris de tous leurs complots
Et, remplissant mon verre,
Je laisse le jeûne aux cagots,
Et je fais bonne chère.
Ma devise est libre ou mourir.
Prêcher raison est mon plaisir.
Je répugne à mal faire. *(bis)*

Mirabeau's funeral procession.

Mirabeau in the Panthéon

On April 2, France mourned Mirabeau's death. The orator whose voice had echoed in the États généraux and the Constituante was still very popular when he died. Many laments, such as the one published by J.-B. Gouriet, testified to this sentiment.

MIRABEAU N'EST PLUS

(Air : « Madame La Vallière » = faux-timbre de la « Complainte de Madame Henriette », 1670)

PLEURONS, versons des larmes,
Mirabeau ne vit plus,
Pour nous rien n'a de charmes,
Nous avons tout perdu.
Généreux défenseur
Des lois de la patrie,
Toujours il fut vainqueur
De l'aristocratie.
(...)

Député de Provence,
Au Sénat il tonnait,
Avec grande éloquence
Le peuple il défendait.
Mirabeau ne vit plus,
Peuple, pour te défendre,
Où en trouveras-tu
Un si noble et si tendre ?
(...)

Some months later, it will be discovered that Mirabeau had been corrupted by the Court. But the Assemblée and the people were not yet aware of his treason when they gave him the Panthéon honors on April 4.

For this occasion the Constituante decided to transform the Church of Sainte-Geneviève, recently designed by Soufflot, into the Panthéon, a burial place reserved for great citizens. The front of the church was engraved with the following words : « Aux grands hommes la Patrie reconnaissante » (The nation thanks its great men). The nation posthumously honored Voltaire, Rousseau and then other revolutionaries.

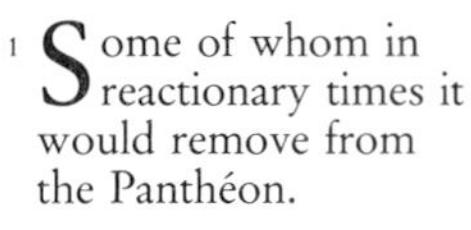

1 Some of whom in reactionary times it would remove from the Panthéon.

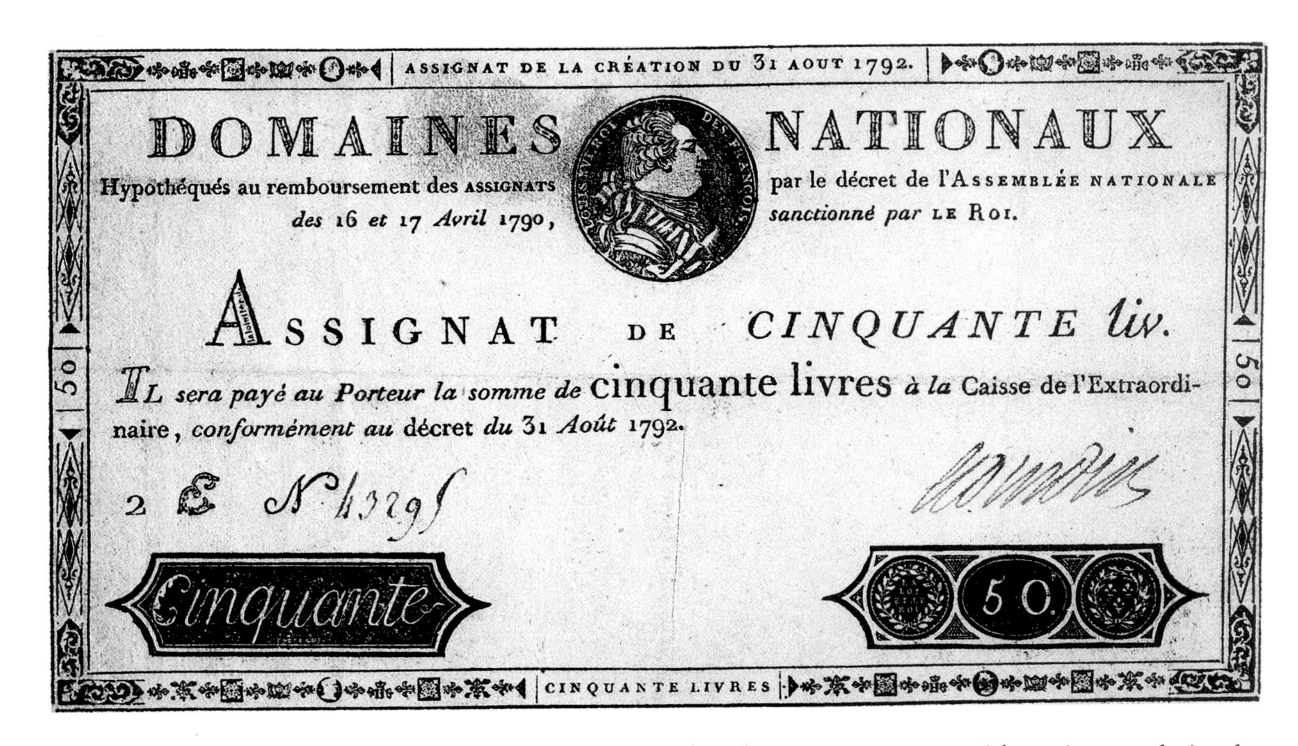

Assignats

In May 1791, the Assemblée decided to increase the printing of assignats, paper money, and to create small notes of up to 5 livres. At first, these were only a sort of treasury note meant to facilitate the sale of the clergy's property. Later they became currency with an imposed circulation.[1] Beauchant, the street singer, championed the assignats in a light-hearted manner trying to dispel concerns about the nation's economy. The assignats reminded many people of the measures enacted by the financier Law which had resulted in the nation's bankruptcy at the end of the Régence.

[1] In direct competition with metal currency, the assignats depreciated gradually forcing merchants to list two prices, one in coins, the second in paper money.

CHANSON NOUVELLE
SUR
LES ASSIGNATS

(Air : «J'ai du bon tabac...». Caveau n° 1230)

SANS les assignats
Dans nos porte-feuilles,
Sans les assignats
Nous étions à bas.

Par eux le péril est passé,
Le numéraire est remplacé.
Sans les assignats etc.

Comme un jardin plein de fleurs,
Il en est de toutes couleurs.
Sans les assignats etc.

Les gros et les petits écus
Chargeaient nos poches tant et plus.
Sans les assignats etc.

Ils ont la terre et l'air pour eux,
Dieu les garde de l'eau, du feu.
Sans les assignats etc.

Bien autres que ceux du Régent,
Ils valent bel et bon argent.
Sans les assignats etc.

N'était de la contrefaçon,
L'écu carré vaut l'écu rond.
Sans les assignats
Dans nos porte-feuilles,
Sans les assignats
Nous étions à bas.

The Ramponneau cabaret, which the song writer Piis would immortalize :

« Et le peuple eut Ramponneau
À cheval sur un tonneau ;
Ramponneau qui fit éclore
Des refrains qu'on chante encore.
Chantons le verre à la main,
Et nous danserons demain ».

The Le Chapelier Decree and the Hymn to Equality

For the middle class, the concept of Liberty included economic freedom and freedom of enterprise. Accordingly, it acted to defend its property rights. On June 14, the Assemblée unanimously approved a decree, introduced by Le Chapelier, banning unions, defined as any group of laborers formed together to consider « their presumed common interests ». Apparently, the decree's implications escaped democrats like Robespierre. But Marat, in *L'Ami du Peuple (The people's friend)* of June 18, made its class message clear : « To prevent large gatherings of people which they so dread, they (the deputies) have taken away from countless skilled and unskilled laborers the right to assemble in an orderly manner, to decide upon their interests. This was done under the pretext that these gatherings might revive the guilds that had been abolished ».

This conflict, however, did not prevent the June 19 performance of *L'Hymne à l'Égalité (Hymn to equality)* by M.-J. Chénier, the people's representative, music by Catel[1].

HYMNE À L'ÉGALITÉ
CHANTÉ DANS UNE FÊTE CIVIQUE LE 19 JUIN 1791
JOUR ANNIVERSAIRE
DE L'ABOLITION DE LA NOBLESSE EN FRANCE

ÉGALITÉ douce et touchante
Sur qui reposent nos destins,
C'est aujourd'hui que l'on chante
Parmi les jeux et les festins ;

Ce jour est saint pour la patrie ;
Il est fameux par tes bienfaits ;
C'est le jour où ta voix chérie
Vint rapprocher tous les Français.

Tu fis tomber l'amas servile
Des titres fastueux et vains,
Hochets d'un orgueil imbécile
Qui foulait aux pieds les humains.

Tu brisas des fers sacrilèges,
Des peuples tu conquis les droits,
Tu détrônas les privilèges,
Tu fis naître et régner les lois.
(...)
Le Rhône, la Loire et la Seine
T'offrent des rivages pompeux ;
Le front ceint d'olive et de chêne,
Viens y présider à nos jeux.

Répands la lumière infinie,
Astre brillant et bienfaiteur ;
Des rayons de la tyrannie
Tu détruis l'éclat imposteur.

Ils rentrent dans la nuit profonde
Devant tes rayons souverains ;
Pour toi la terre est plus féconde,
Et tu rends les cieux plus sereins.

[1] *L'Hymne à l'Égalité* scored for solo voice with figured bass was published in 1795 by the « Magasin de Musique des Fêtes nationales ». C. Pierre, who published the piano version in *Musiques des fêtes et cérémonies,* No. 46, p. 408, commented : « This is a pleasant and sweet ballad with an ingenious orchestration for the period ; note the doubling of the melody and its parodies.

In a parallel development, La Fayette continued to follow a policy of compromise with the monarchy. Fearing mass unrest, Barnave and his associates sided with him. These feeble attempts to slow down the Revolution were to be called into question when the King fled.

Varennes : the Counter-revolution Fails

Louis XVI was to prove his duplicity. Shortly after he had written the Assemblée that he considered himself free and that the Constitution « was on its own », Louis XVI and the royal family fled Paris on the night of June 20th. They hoped to reach the border at Montmédy. What happened instead became legend. The escort planned by Bouillé blundered. Young Drouet, son of the Sainte-Menehould postmaster, recognized the coach's passengers despite their disguise. Drouet alerted the Varennes patriots who stopped the royal carriage. The King's was brought back to Paris, surrounded by a scornfully silent mob, signalling the beginning of the monarchy's end.

Louis XVI is arrested at Varennes June 21, 1791. (Print by Prieur).

The Widow Ferrand sang of the royal « desertion » to an ironically chosen tune : « Vous qui partez sans que rien vous arrête » (You, who leave without anything holding you back) *(Caveau No. 1231).*

POURSUITE ET RETOUR
DE LA FAMILLE CI-DEVANT ROYALE

ILS sont partis sans que rien les arrête,
Laissez-les faire, ils n'iront pas bien loin.
De déserter est un trait malhonnête
Dont les ingrats ont payé notre soin.
Au trébuchet, donnant à pleine tête,
Ils s'y sont pris, tout en faisant chemin.

Par des serments, ainsi que par des larmes,
Les traîtres savent regagner les cœurs.
Le patriote oubliant ses alarmes,
Louis, Toinon, reçoivent des honneurs
Lorsqu'en secret ils goûtent d'autres charmes :
Ceux de cueillir les fruits de leur noirceur.

Couple perfide, réservez vos larmes
Pour arroser le prix de vos forfaits.
Le crime est seul le pouvoir de vos armes,
Ils vous confond dans tous vos vains projets.
Un peuple libre reconnaît les charmes
De n'être plus au rang de vos sujets.

The King returned to Paris on June 25 in an icy silence (« Anyone cheering the King shall be flogged. Anyone insulting him shall be hanged »). Soon afterward, a letter from Bouillé reached the Assemblée. Bouillé, who was en route to Luxembourg, claimed responsibility for the King's flight and he threatened reprisals : « Soon, 'stone shall not be left on stone' in Paris ». The King's flight to Varennes uncovered many conflicts within the inner circles of the Constituante and the middle class. Most believed Bouillé's letter which claimed the King had been kidnapped. They were afraid that popular political movements, both urban and rural, would go to extremes. Barnave expressed this position emphatically : « Are we to complete the Revolution or are we to start over again ? One step too many in either direction would be disastrous and criminal. One step too many in the direction of freedom would destroy royalty, one too many step in the direction of equality would destroy property ». A. Soboul agreed in his « Short history of the French Revolution » : « Despite the King's betrayal and the nobility's threat, the middle class delegates continued to believe that the nation belonged to those who held property. For them, the Revolution was over ».

The attempts to rescue the monarchy inspired a republican current at the heart of the democratic movement.

Bouillé traitre a la Patrie
Klinglin traitre a la Patrie
Exécution populaire à Strasbourg le 25 Juin 1791 .
A la nouvelle que les Citoyens ont recu des trames perfides des trois Scelerats Klinglin Heyman et Bouillé protecteur de la fuite du Roi ils ont
conduit par la ville et brulé sur la place d'armes les effigies des trois traitres aux plus vives acclamations du peuple

2,
Des préjugés perçant la nuit profonde,
De nos tyrans tu devins la terreur;
Tu préparois la liberté du monde
En déchirant le bandeau de l'erreur,
Entends la voix de la reconnoissance,
Dans les Français vois un peuple nouveau;
Viens dans ces murs tout fiers de ta naissance,
Viens recevoir un Autel pour tombeau, -bis

3,
Du Mont-jura les tribus asservies,
Tont dénoncé l'outrage de leurs fers;
Du Mont-jura les tribus affranchies
Vont proclamer ton nom dans l'univers,
De ses bourreaux tu vengeas l'innocence,
Tu protégois le timide orphelin,
Champs de ferney, dites sa bienfaisance;
Peignez son cœur, vous Calas et Sirvein, -bis

4,
Si des talents tu parcours la carriere
L'homme étonné croit voir le fils des dieux
Tu suis Newton aux champs de la lumiere,
Loin des mortels tu planes dans les Cieux
Ta noble audace, et soixante ans de gloire
Ont désarmé l'envie et ses serpens;
Le despotisme outragea ta mémoire,
La liberté vient t'offrir notre encens, -bis

5,
Déja ton nom a consacré l'asyle
Ou l'amitié par mille soins touchans,
Vint sous les traits de ta jeune pupille
Semer des fleurs sur tes derniers instants,
De ce grand nom la seine enorgueillie,
Aime a le voir retracé dans ses flots,
Elle le donne a sa rive chérie
Et la préfere à celui des Héros, -bis

rere Passage du Saumon

The Second Anniversary of July 14

The middle class delegates hoped to see the second anniversary of July 14 celebrated with national fervor, if not the unanimity of 1790.

On July 11, in accordance with an earlier decree, Voltaire's remains were solemnly transferred to the Panthéon. From that time on, witnesses reported seeing many patriots sporting the red cap of the Revolution.

During this ceremony, the procession paused in front of the Paris Opéra. To the accompaniment of wind instruments, Gossec led a *Chœur patriotique (Patriotic chorus)* based on a portion of a libretto written by Voltaire for the opera *Samson* to music composed by Rameau around 1731. Sixty years later, the lyrics still echoed the people's widespread desire for freedom :

PEUPLE, éveille-toi, romps tes fers,
Remonte à ta grandeur première.
Comme un jour Dieu du haut des airs
Rappellera les morts à la lumière,
Du sein de la poussière,
Et ranimera l'univers !
Peuple, éveille-toi, romps tes fers :
La liberté t'appelle,
Peuple fier, tu naquis pour elle.
L'hiver détruit les fleurs et la verdure,
Mais du flambeau du jour la féconde clarté
Ranime la nature
Et lui rend sa beauté.
L'affreux esclavage
Flétrit le courage,
Mais la liberté
Relève sa grandeur et nourrit sa fierté.

From the Hymn to Liberty to the Champ-de-Mars Executions

On July 13, during a patriotic banquet given by the Electors of 1789, a group in which Bailly and La Fayette played an important role, two singers from the Opéra, Chéron and Lais, performed a piece by a brilliant young officer, Rouget de Lisle, to the melody of « L'Amant statue » (The stone-hearted lover)[1].

HYMNE À LA LIBERTÉ

[1] Also known as « Dans le cœur d'une cruelle » (In a cruel heart), Caveau listing No. 117.

COUPLETS

Chantés par MM. Cheron & Lais, au Banquet patriotique donné par MM. les Électeurs de 1789. (1).

13 juillet 1791.

HYMNE A LA LIBERTE.

Air : *de l'Amant statue.*

I.

Loin de nous le vain délire
D'une profane gaieté,
Loin de nous les chants qu'inſpire
Une molle volupté.
Liberté ſainte !
Viens, ſois l'ame de mes vers
Et que juſqu'à nos concerts
Tout porte en nous ta noble empreinte.

(1) Ce dîné a été donné à la ſuite des actions de graces que rendent annuellement MM. les électeurs de 1789, en commémoration des événemens du mois de juillet de l'an premier de la liberté.

L'Aſſemblée nationale, par députation, le département & la municipalité de Paris ont aſſiſté à cette cérémonie religieuſe, ainſi qu'une députation des ſections & des bataillons de cette ville.

M. l'Evêque de Paris a célébré pontificalement, & tous les muſiciens de la capitale ont concouru par leurs talens à la parfaite exécution d'un *hierodrame*, tiré des livres ſaints, mis en muſique par M. Desaugiers, & d'un *Te Deum* de M. Gossec : ces deux artiſtes ont reçu du public les juſtes applaudiſſemens que méritent leurs ſublimes productions. Quel plus digne uſage pouvoient-ils en faire, que de les deſtiner à embellir la fête de la liberté !

HYMNE

À LA LIBERTÉ,

Chanté à la fête de la publication de l'Acte Constitutionel

le Dimanche 25 Septembre 1791.

mis en Musique

PAR

IGNACE PLEYEL,

Maître de Chapelle de la Cathédrale à Strasbourg.

De l'Imprimerie de Ph. Jac. Dannbach, Imprimeur de la Municipalité.

Two months later, this hymn was sung in Strasbourg where Rouget had been stationed since May. This time Pleyel composed original music for the occasion.

According to Rouget de Lisle, Dietrich, the mayor of Strasbourg, translated the poem into German and distributed it for citizens to learn every verse by heart. Citizens of Strasbourg sang it on September 25 at the place d'Armes when, under Pleyel's direction, *L'Hymne à la Liberté* *(The hymn to liberty)* was performed by a « colossal orchestra » which included the military musicians from all the regiments of the garrison which by then was very large. « One cannot imagine the musical effect if one has not heard it ». Another revealing comment of the author : « The very next day the French-German hymn had crossed the Rhine and immediately became popular among the inhabitants of Baden and the countryside. As soon as they noticed Frenchmen on the other side of the river, these people ran along singing it, in the liveliest demonstrations of joy and brotherhood... »

Brotherhood had been missing from Paris during the Second Festival of the Federation. The Club des Cordeliers, together with some of the Jacobins, collected 6,000 signatures on a petition supporting the Republic. Drafted on July 15, their petition was to be presented on the Champ-de-Mars altar on the 17th. On that day, the Assemblée majority, under the false pretense of quelling the riot, ordered Bailly, as mayor of Paris, to disperse the crowd.

Maëstoso.
Loin de nous le vain dé - li - re d'u-ne pro - pha - ne gaie - té! Loin de nous les chants qu'ins - pi - re, une
F
P
mol - le vo - lup - té! Li - ber - té sain te! Li - ber - té sain te! viens, sois l'a me de mes vers; et que
P
jus qu'à nos con - certs, tout porte en nous ta no ble emprein - te.

Sous tes fortunés auspices
Vois tes enfans réunis,
Gouter les douces prémices
Des biens que tu leur promis.
D'un pur hommage
Ils honorent tes autels:
Toi, du sein des immortels,
Daigne sourire à ton ouvrage.

Brulant d'un zèle intrépide,
Fier de te connoître enfin,
Le Français sous ton égide,
S'élance au plus beau destin.
Par mille obstacles
En vain croit on l'arrêter;
Quel effort peut resister
A ceux que guident tes oracles!

De nos préjugés gothiques,
Tu domptas l'hydre fatal:
De ses oppresseurs antiques,
Le peuple marche l'égal.

L'or et les titres
Ne dispensent plus les rangs:
Les vertus et les talens
En sont les suprêmes arbitres.

Des bords de l'Occitanie
Aux campagnes de l'Artois,
Des rivages de Neustrie
Jusques aux monts francomtois,
Plus de barrières! ....
La Liberté desormais,
Sous ce beau nom de Français,
Ne voit plus qu'un peuple de frères.

Salut, roches helvétiques,
Berceau de la liberté!
Salut, plaines britanniques,
Où son culte fut porté!
Plages lointaines,
Qu'affranchirent nos efforts,
Répondez à nos transports:
Nous aussi, nous brisons nos chaines!

N.° 69. 17 JUILLET. Publication de la Loi martiale. Le Massacre des Citoyens, rassemblés sans armes au champ de mars, pour y Signer une pétition, explique le sujet de ce Tableau.

Acting under the martial law decree of October 21, 1789, the National Guards, commanded by La Fayette, overran the Champ-de-Mars, waving a small red flag which almost no one saw. Then, without the proper warning, the soldiers fired into the crowd, killing fifty demonstrators.

Only a few songs immortalized this bloody episode. Our old acquaintance, Thomas Rousseau, saw this event as the direct consequence of subjecting patriots to martial law. He further underlined the irony of martial law having been enacted in « Year I of Freedom ».

LA LOI DE SANG,
DITE LOI MARTIALE

(Air : « Ce mouchoir, belle Raymonde ». Caveau n° 74, déja noté p. 23)

QUELLE terrible Furie
Guide nos Législateurs ?
Quel implacable Génie
Leur inspire ces fureurs ?
En nous prescrivant le culte
De la plus heureuse loi,
Tous au rang d'un Peuple-brute
Osent mettre un Peuple-Roi ! (...)

Mais contemple les victimes
De ton pouvoir odieux ;
Nous cherchons en vain leurs crimes,
Ils n'en ont point à nos yeux :
Viens donc rendre à cette mère
Les appuis de ses vieux ans ;
Bourreau ! viens rendre ce père
À sa femme, à ses enfants.

Leurs cris qui se font entendre
N'ont-ils pas percé ton cœur ?
Puissent-ils au moins t'apprendre
À détester ta fureur !
Lorsque le Peuple s'égare,
Si tu veux le ramener,
Tu dois l'éclairer, barbare !
Et non pas l'assassiner. (...)

In his own version of the July 17 events, Ladré reminded the reader that he was the « author of the original *Ça ira* », and held the « blacks » accountable for the massacre. The « blacks » were monarchists like Cazalès, the Abbé Maury, or the journalist Rivarol, all advocates for the Ancien Régime.

Bailly declared martial law in effect. La Fayette, without giving the citizens time to retreat, ordered the troops to fire. The soldiers cowardly obeyed this inhumane order. And so, many people became the victims of their zeal, or of a curiosity surely understandable ».

AH ! COM' ÇA VA,
OU LES BONS FRANÇAIS TROMPÉS PAR LES NOIRS

AH ! com'ça va, com'ça va, com'ça va !
Je ne comprends pas d'où vient la tristesse,
Ah ! com'ça va, com'ça va, com'ça va !
Est-ce que toujours on nous trahira ?
A-t-on oublié ce que l'on jura
Au Champ-de-Mars ? Quel plaisir ce jour-là !
Ah ! com'ça va, com'ça va, com'ça va !
Pendant plusieurs jours
Ah ! comme on dansa !
Par de bons repas on se régala.
Aujourd'hui plus d'allégresse
Et tout va cahin-caha.
Ah ! com'ça va, etc.

Le peuple est toujours dans l'impatience.
Ah ! com'ça va, com'ça va, com'ça va !
Sans argent, il se voit presqu'*à quia.*
L'ennemi dit qu'il s'en repentira
Et le Sénat dit qu'il le soutiendra.
Ah ! com'ça va, com'ça va, com'ça va !
Puisque tout pour lui si bien commença,
Qu'il ne craigne rien, tout s'achèvera ;
Mais une noire science
Voudrait troubler tout cela.
Ah ! com'ça va, etc.

Nous possédons la justice et la force,
Ah ! com'ça va, com'ça va, com'ça va !
Jamais le méchant noir ne nous vaincra.
À nous faire battre il excitera,
La guerre civile il désirera,
Ah ! com'ça va, com'ça va, com'ça va !
Tant que la paix parmi nous durera,
Ce bel arbre que pour nous on planta
Restera dans son écorce,
Et son fruit on goûtera.
Ah ! com'ça va, etc.

(Air : « Lise demande son portrait ». Caveau n° 449)

DÉCRIVANT du dix-sept juillet
L'accident mémorable,
Il faut vous rendre trait pour trait
Ceux du premier coupable ;
Peignant le moral du coursier
Du souple Lafayette,
J'offre du seigneur cavalier
Ressemblance parfaite.

(Air : « Un mouvement de curiosité ». Caveau n° 224)

UN cheval blanc d'agréable encolure,
Pour la maraude au continent[1] dressé,
En bataillon faisant piètre figure,
Dans les haras[2] admis et méprisé,
Dieu du manège[3] où grâce à son allure
Il fut tantôt craint, tantôt caressé.

[1] America where La Fayette commanded a regiment of hussars.

[2] The Court.

[3] The Constituante.

(Air : « Au coin du feu ». Caveau n° 47)

D'UNE voix unanime,
Chacun proscrit le crime
Au Champ-de-Mars,
Que le despote tremble,
La foule se rassemble
Au Champ-de-Mars *(ter)*

(Air : « Non, la fortune jalouse »)

UN mot, un signal terrible,
D'un guerrier, d'un magistrat,
Firent aux groupes paisibles
Pressentir un attentat.
On gémit, on se disperse,
On précipite ses pas,
Mais le plomb siffle et renverse
Ceux que le fer n'atteint pas.

An unusual work, *La Révolution en Vaudevilles (The Revolution in ballads)* by « Citizen P*** », appeared in Year III. Was this published by Piis, cautiously keeping his anonymity during such volatile times ? The author described the execution in four verses : « On July 17, countless citizens gathered at the Champ-de-Mars to sign a petition abolishing monarchy. The Court's supporters became alarmed. A murder committed on the site of the gathering triggered its retaliation. Bailly, the mayor of Paris, and La Fayette, commander-in-chief of the army, arrived under the pretext of restoring order. They carried a red flag.

There were political repercussions. The conservative members of the Jacobins, then in the majority, seceded on July 16 to form a new club, the Feuillants, together with La Fayette and members of the 1789 Society. Nevertheless, revolutionary elements maintained their majorities in the larger societies. Robespierre reorganized the Jacobin club as outlined in his *Adresse aux Français (Speech to the French).*

In late July, repressions escalated. Danton had to seek refuge in England. Marat, whose arrest had been ordered, went into hiding and for a time *L'Ami du Peuple* ceased publication.

1

The Constitution of 1791

In August, the Assemblée again undertook to revise the Constitution. The article-by-article discussion caused many confrontations, including some involving La Fayette, Barnave and Lameth. The societies and press followed the debates attentively.

On September 3, the Assemblée adopted the Constitutional Act, subject to royal approval. Louis XVI reluctantly approved it on the 14th and pledged his oath to the Constitution in the Assemblée.

This event was acknowledged by a street singer named Le Pelletier who was probably not related to Michel Lepeletier Saint-Fargeau or his brother Félix.

COUPLETS PATRIOTIQUES
À L'OCCASION DE LA CONSTITUTION
ACCEPTÉE PAR LOUIS SEIZE,
LE 14 SEPTEMBRE 1791

(Air : « L'amitié vive et pure ». Caveau n° 315)

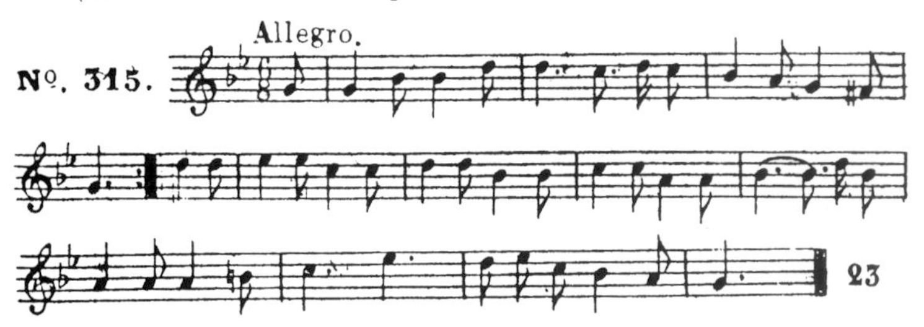

APRÈS quelques alarmes,
Bannissons les noirs soucis,
Et n'élevons nos armes
Que contre nos ennemis.

Nous avons fait la conquête
De l'aimable Liberté ;
Pour nous quel beau temps de fête,
C'est celui de l'unité.

D'une triste détresse
Nous avons craint les horreurs ;
Louis, par sa sagesse,
Vient de rassurer nos cœurs.

Il promit à la patrie
D'être fidèle à jamais ;
Jurons-le tous à l'envie,
C'est le serment des Français.

Pauvre aristocratie,
Nous connaissons ton erreur ;
Abjure ta folie,
Car elle a fait ton malheur.

Si tu veux que l'on oublie
Tes noirs complots, tes forfaits,
Viens jurer à la patrie
D'être sage désormais.

Vous, peuples de la terre,
Prenez exemple sur nous,
Unissez-vous en frères,
Des tyrans défendez-vous.

Croyez-moi, brisez vos chaînes
Au nom de la liberté,
Et changez vos jours de gêne
Par ceux de l'égalité.

This new Constitution was published and quickly circulated throughout France.

2

1. The Constitution comes out of the Club des Jacobins and forces Brissot and his supporters to step back.

2. Declaration of the Constitution, Place du Marché des Innocents, September 14th (print by Prieur).

3. Michel Gérard, the legendary « Père Gérard », peasant Deputy to the Assemblée nationale, explains the Constitution to his electors of the Montgermont commune, Ille-et-Vilaine.

PORTRAIT DU PÈRE GERARD,

Bas-Breton, Député à l'Aſſemblée Nationale en 1789.

RONDE.

Air : *Adieu donc, dame Françoiſe.*

CHANTER eſt un bon préſage; chantons donc tous ce refrain : vertus, amitié, courage, ſignalent le citoyen ; ce ſont les titres du ſage & ceux de l'homme de bien.

Jadis ſur de vieilles vitres, un noble fondoit ſes droits ; un caillou caſſe des titres, voilà le noble aux abois. Auſſi ſur de vieilles vitres, pourquoi donc fonder ſes droits ?

Un comte avoit ſa nobleſſe, bien roulée en parchemin ; un maudit rat, pièce à pièce, a rongé tout le vêlin ; pourquoi diable ſa nobleſſe, eſt-elle de parchemin ?

Nos droits ſont dans la nature, la raiſon les recouvra ; ils ne craignent pas l'injure, d'un coup de vent, ni d'un rat : mais auſſi c'eſt la nature, qui dans nos cœurs les grava.

Je connois une patrone, qui ſe nomme *Liberté*, à ſes élus elle donne, force, gloire & sûreté : voilà, voilà la patrone, dont mon cœur eſt enchanté.

J'ai juré de mourir libre, & je tiendrai mon ſerment ; que le Pape, au bord du Tibre, lance ſon foudre impuiſſant ; j'ai juré de mourir libre, & je tiendrai mon ſerment.

FIN.

CHANSON.

Air : *Auſſitôt que la lumière vient redorer nos côteaux.*

C'en eſt fait du deſpotiſme & de toutes ſes horreurs ; le feu du patriotiſme brûle enfin dans tous les cœurs. Que tous les peuples s'uniſſent pour imiter les Français ; que tous les tyrans gémiſſent, de n'avoir plus de ſujets.

Sujets, ſans doute faut l'être ? ſoyons le tous de la loi : la loi ſeule eſt notre maître, & la loi commande au roi : déſormais la vertu pure, la douce fraternité, vont au nom de la nature, eſcorter la liberté.

Tous les peuples de la terre, comprennent que par nos travaux ; le ciel qui les éclaire fut irrité de leurs maux ; & notre aſſemblée auguſte, qui rend de ſi bons décrets, d'un dieu bien-faiſant & juſte, interprête, les arrêts.

Adorons la main ſuprême, qui nous comble de bienfaits ; aimons autant qu'elle même, tous les êtres qu'elle a faits ; pourſuivons avec courage, ne craignons point les revers ; achevons ce grand ouvrage, le ſalut de l'univers.

Que le deſpotiſme tremble, s'il ourdit quelque noirceur ; en ce jour qui nous raſſemble, chacun de nous, de bon cœur, offre au nom de la patrie, au nom de l'humanité, ſes biens, ſon glaive & ſa vie, aux loix à la liberté

AVIS A TOUS LES BONS CITOYENS.

IL n'eſt nul citoyen français, qui ne ſe rappelle du *père Gerard*, ce viellard vénérable, ce payſan bas-Breton, député en 1789 à l'Aſſemblée Nationale. Eh bien ! c'eſt un homme d'un bon ſens ſans pareil, il a une bonté de cœur de ces anciens patriarches.

Vous le voyez, lorſqu'il eût quitté l'Aſſemblée au renouvellement de la Conſtituante ; étant retourné dans ſes foyers, au milieu de ſa famille, dans un village, du *département du Finiſtère*, où il fut accueilli avec joie & bénédictions par tous les braves citoyens de ce pays ; car on bénit toujours l'homme qui remplit loyalement les fonctions qui lui ont été confiées par le peuple.

Figurez-vous le voir, entouré de ſes fréres, de ſes amis, preſſé & carreſſé, mais ſur-tout bien queſtionné, & bien interrogé ; & répondant à chaque inſtant à ceux qui l'entouroient, ô ! la bonne conſtitution, que la conſtitution françaiſe, elle aſſure la paix, la tranquilité, notre bonheur & celui de nos enfans.

Oh ! leur dit-il mes amis, écoutez & prêtez l'oreille à tout ce que je vais vous raconter ; alors il leur fait le détail de tout ce qui s'eſt paſſé à l'Aſſemblée Nationale.

Tel il étoit à ſon arrivée chez lui, tel vous le voyez ici repréſenté. Admirons français ! admirons l'ardeur de ce zèlé & vénérable patriote ; ce bon *père Gerard* qui inſtruit les uns par la morale & les avis prudens, & les autres par des chanſons patriotiques & divertiſſantes qui navrent à la fois le cœur du citoyen & lui rappelle toujours qu'il doit faire comme ce bon *père Gerard*, c'eſt-à dire, que dans les plus rudes attaques de nos ennemis ariſtocrates, nous devons toujours être raſſurés & tranquilles, en conſervant continuellement dans nos cœurs ces paroles ſi chéries : LIBERTÉ ou MOURIR.

A ORLÉANS, chez LETOURMY, place du Martroi.

DÉCRET DE L'ASSEMBLÉE NATIONALE
du 3 Septembre 1791.

DÉCLARATION
DES DROITS DE L'HOMME
ET DU CITOYEN

Les Représentans du Peuple français, constitués en Assemblée Nationale, considérant que l'ignorance, l'oubli ou le mépris des droits de l'homme sont les seuls causes des malheurs publics et de la corruption des gouvernemens, ont résolu d'exposer dans une déclaration solennelle, les droits naturels, inaliénables et sacrés de l'homme, afin que cette déclaration constamment présente à tous les membres du corps social, leur rappelle sans cesse leurs droits et leurs devoirs; afin que les actes du Pouvoir législatif et ceux du Pouvoir exécutif, pouvant être à chaque instant comparés avec le but de toute institution politique, en soient plus respectés; afin que les réclamations des citoyens, fondées désormais sur des principes simples et incontestables, tournent toujours au maintien de la Constitution, et au bonheur de tous.

En conséquence, l'ASSEMBLÉE NATIONALE reconnait et déclare, en présence et sous les auspices de l'Etre suprême, les droits suivans de l'Homme et du Citoyen :

ARTICLE PREMIER.

Les hommes naissent et demeurent libres et égaux en droits. Les distinctions sociales ne peuvent être fondées que sur l'utilité commune.

II.

Le but de toute association politique est la conservation des droits naturels et imprescriptibles de l'homme. Ces droits sont la liberté, la propriété, la sûreté et la résistance à l'oppression.

III

Le principe de toute souveraineté réside essentiellement dans la Nation. Nul corps, nul individu ne peut exercer d'autorité qui n'en émane expressément.

IV

La liberté consiste à pouvoir faire tout ce qui ne nuit pas à autrui: ainsi l'exercice des droits naturels de chaque homme, n'a de bornes que celles qui assurent aux autres membres de la société la jouissance de ces mêmes droits. Ces bornes ne peuvent être déterminées que par la loi.

V.

La loi n'a le droit de défendre que les actions nuisibles à la société. Tout ce qui n'est pas défendu par la loi ne peut être empêché, et nul ne peut être contraint à faire ce qu'elle n'ordonne pas.

VI.

La loi est l'expression de la volonté générale. Tous les citoyens ont droit de concourir personnellement, ou par leurs représentans, à sa formation. Elle doit être la même pour tous, soit qu'elle protège, soit qu'elle punisse. Tous les citoyens étant égaux à ses yeux, sont également admissibles à toutes dignités, places et emplois publics, selon leur capacité, et sans autre distinction que celle de leurs vertus et de leurs talens.

VII.

Nul homme ne peut être accusé, arrêté, ni détenu que dans le cas déterminé par la loi, et selon les formes qu'elle a prescrites. Ceux qui sollicitent, expédient, exécutent ou font exécuter des ordres arbitraires, doivent être punis; mais tout citoyen appelé ou saisi en vertu de la loi, doit obéir à l'instant: il se rend coupable par la résistance.

VIII

La loi ne doit établir que des peines strictement et évidemment nécessaires, et nul ne peut être puni qu'en vertu d'une loi établie et promulguée antérieurement au délit, et légalement appliquée.

IX.

Tout homme étant présumé innocent jusqu'à ce qu'il ait été déclaré coupable, s'il est jugé indispensable de l'arrêter, toute rigueur qui ne serait pas nécessaire pour s'assurer de sa personne, doit être sévèrement réprimée par la loi.

X

Nul ne doit être inquiété pour ses opinions, même religieuses, pourvu que leur manifestation ne trouble pas l'ordre établi par la loi.

XI.

La libre communication des pensées et des opinions est un des droits les plus précieux de l'homme; tout citoyen peut donc parler, écrire, imprimer librement, sauf à répondre de l'abus de cette liberté dans les cas déterminés par la loi.

XII.

La garantie des droits de l'homme et du citoyen nécessite une force publique: cette force est donc instituée pour l'avantage de tous, et non pour l'utilité particulière de ceux auxquels elle est confiée.

XIII

Pour l'entretien de la force publique, et pour les dépenses d'administration, une contribution commune est indispensable; elle doit être également répartie entre tous les citoyens, en raison de leurs facultés.

XIV

Tous les citoyens ont droit de constater, par eux mêmes, ou par leurs représentans, la nécessité de la contribution publique, de la consentir librement, d'en suivre l'emploi, et d'en déterminer la quotité, l'assiette, le recouvrem.t et la durée.

XV.

La société a le droit de demander compte à tout agent public de son administrat.on

XVI.

Toute société dans laquelle la garantie des droits n'est pas assurée, ni la séparation des pouvoirs déterminée, n'a point de constitution.

XVII.

La propriété étant un droit inviolable et sacré, nul ne peut en être privé, si ce n'est lorsque la nécessité publique, légalement constatée, l'exige évidemment, et sous la condition d'une juste et préalable indemnité.

A Pamphlet Against the Rights of Man

François Marchant caustically critiqued the Declaration of the Rights of Man in his satiric *La Constitution en Vaudevilles (The Constitution in ballads).* The author explained himself in a note : « My status of passive citizen requires me to contribute something to the nation. I cannot think of anything the nation would like better than for me to set the Constitution to song. In this manner it becomes available to everybody. Those unable to read it can sing it... » The book achieved such success that in 1792 it was reprinted several times under different titles such as *Étrennes au beau sexe, ou la Constitution française mise en chansons (Gifts for the fairer sex or the French Constitution set to songs).* Many collections included this work.

DÉCLARATION DES DROITS DE L'HOMME ET DU CITOYEN
(Air : « Tous les hommes sont bons ». Caveau n° 896)
Ou sen - sés, ou ni - gauds, Les hom - mes sont é - gaux. A la qua - li - té près, les Français, les Anglais, les Lapons, les Hu - rons, Et les Suis - ses Ont les mê - mes pas - si - ons, Mêmes in - cli - na - ti - ons, Mê - mes vi - ces.
(Air : « Vive le vin, vive l'amour ». Caveau n° 523)
Ils sont tous in - dis - tinc - te - ment Fils d'un pa - pa d'une ma - man. Peupler et cul - ti - ver la ter - re, Voi - là quel est leur mi - nis - tè - re; Mais tous n'ont pas l'heureux ta - lent De pou - voir fa - re é - ga - le - ment Tout ce qu'on a fait pour les fai - re.
(Air : « Triste raison, j'abjure ton empire ». Cav. n° 573)
Les ci - toy - ens, par leur ser - ment ci - vi - que, Au plus haut poste, ont tous un droit é - gal. Le sa - ve - tier dé - lais - sant sa ma - ni - que, Peut de - ve - nir é - vê - que ou gé - né - ral.
(Air : « Ah ! que je sens d'impatience ». Caveau n° 19)
Tous les cul - tes sont per - mis Et même ce - lui de Mo - ï - se, De Ma - ho - met le pa - ra - dis Se - ra van - té en mainte é - glise. Comme à pré - sent dans les can - tons, D'ê - tre con - sé - quent on se pi - que, De tou - tes les re - li - gi - ons, Nous ex - ceptons la ca - tholi - que, Nous ex - cep - tons la ca - tholi - que.
(Air : « Ce fut par la faute du sort ». Caveau n° 71)
No - tre di - vin a - ré - o - pa - ge Dans sa sa - ges - se dé - cré - ta Que cha - que fran - çais en voy - a - ge Peut al - ler quand il lui plai - ra. A - vec gentille a - mi - e, On veut fuir sa Pa - tri - e Car c'est un plai - sir que ce - lui là ! Sou - dain un dis - trict en fu - ri - e Vous ar - rê - te et vous dit comme ça : Coquin res - te là ! Où vas-tu comme ça ? Si tu fais un pas, Tu cours au tré - pas, Donne nous ton or, Et ton pas - se - port, Oui dà, oui dà, oui dà, oui dà ! Voy - a - ge, voy - a - ge à pré - sent qui vou - dra Voy - a - ge qui vou - dra, voy - a - ge qui vou - dra.
(Air : « Monsieur le Prévôt des marchands ». Cav. n° 763)
Les biens et les pro - pri - é - tés En tous lieux se - ront res - pec - tés, Si les chas - seurs de Ro - bes - pierre Brû - laient un cas - tel é - lé - gant, Nous di - rions au pro - pri - é - tai - re : Nous vous plai - gnons sin - cè - re - ment !
LES biens et les propriétés
En tous lieux seront respectés
Mais nous prendrons sans nul scrupule
Tous les biens du clergé romain,
Nous prendrons jusqu'à la cellule
De la nonne et du capucin.
Les biens et les propriétés
En tous lieux seront respectés,
Mais les charges que l'on supprime
Nous ne les rembourserons pas ;
Croit-on payer ceux qu'on opprime
En leur donnant des assignats ?

Thomas Rousseau was disappointed. He stated, « They have sold 20,000 copies of the awful and abominable *Constitution en Vaudevilles (Constitution in ballads)* ».

He had barely sold 500 copies of his *Chants du patriotisme (Songs of patriotism)*, even though the Jacobin Club had recommended it to its affiliated societies in January 1792. Rousseau's efforts surely were closer to the spirit of the Revolution than Marchant's. But they were also heavier, less clever, less pleasant to sing than the mocking verses of Marchant...

LES DROITS DE L'HOMME

(Air de « la Croisée ». Caveau n° 678)

Par un Dieu d'a - mour ins - pi -
Et bien - tôt, de gloire e - ni -
- ré, J'ai chan-té gen-til - les maî-tres - ses, Ma muse en-
- vré, Districts, j'ai chanté vos prou-es - ses.
- fin change de ton, Mais, a-mis, vous al - lez - voir com -
- me El - le va, dans cet - te chan - son, chan-ter les
droits de l'hom - me, Chanter les droits de l'hom - me.

POUR ces droits que l'on n'entend pas
Chaque jour il naît des grabuges,
Ah ! terminons ces vains débats
En prenant nos femmes pour juges.
Alors, du bonheur le plus doux
On jouira dans le royaume,
Les femmes savent mieux que nous
Juger les droits de l'homme. *(bis)*

Sur ces droits-ci, plus d'un pédant
A débité mainte sottise ;
Si l'un écrit, si l'autre pend,
Si celui-là nous dévalise,
Ils ne veulent point par plaisir
De nos maux augmenter la somme,
Mais c'est qu'ils pensent tous agir
Selon les droits de l'homme. *(bis)*

Ces droits, que fit notre Sénat,
Pour le bonheur de ma patrie,
Vont prêter un nouvel éclat
Aux mouchoirs de la Germanie.[1]
Grâce à ce bon peuple allemand,
On pourra, de Berlin à Rome,
Se moucher fort commodément
Avec les droits de l'homme. *(bis)*

[1] The Germans printed the « Déclaration des Droits de l'Homme » on handkerchiefs.

LES DROITS DE LA FEMME

(Air : « Je connais un berger discret ». Caveau n° 201)

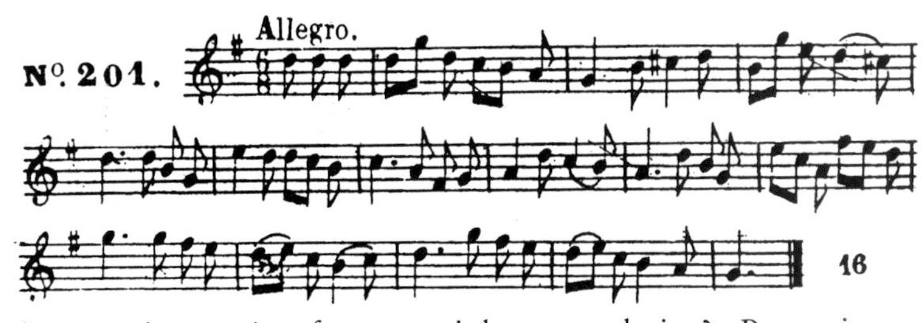
No. 201.
Allegro.
16

POUR mieux faire admirer sa voix
Des oreilles civiques,
De l'homme j'ai chanté les droits
En vers patriotiques ;
Mais ma foible muse bientôt
A dû changer de gamme ;
Elle va dire un petit mot
Sur les droits de la femme.

Nous rendre toujours plus épris,
En fleurs changer nos chaînes,
Exercer sur nos cœurs soumis
Pouvoir de Souveraine,
Toujours nous plaire et nous charmer
Dès qu'amour nous enflamme ;
Voilà ce qu'il nous faut nommer
Les beaux droits de la femme.

Aux femmes qui donna ces droits ?
La nature elle-même :
Des femmes nature fit choix
Pour notre bien suprême.
Contre ces droits, je le sais bien,
Un mari ne déclame
Que lorsqu'il sent qu'il ne peut rien
Sur les droits de la femme.

Notre Sénat de tout fait rien,
Mais il nous régénère ;
Il régénère notre bien
Pour nous tirer d'affaire ;
Et craignant peu de s'attirer
Bonne ou froide épigramme,
Il veut chez nous régénérer
Jusqu'aux droits de la femme.

Pour mieux servir la Nation,
L'auguste aréopage
Va donner plus d'extension
À son nouvel ouvrage.
Bientôt on verra parmi nous
Une volage Dame
Vingt fois par an changer d'époux
Grâce aux droits de la femme.

Tous sont égaux, disent les loix.
Le beau sexe, au contraire,
Dit que chaque homme sur ces droits
Du plus ou moins diffère ;
Et contre nos droits sans raison
On l'entend qui déclame :
Mais qui peut bien connoître à fond
Tous les droits de la femme ?

Almanach National.
Dédié aux Amis de la Constitution.

At the end of his collection, Marchant added a Republican song already published in his journal *Les Sabbats jacobites (Jacobin Sabbaths)* :

LE GRAND PROJET

(Air : « Le saint craignant de pécher ». Caveau n° 355)

UN soir, disait Condorcet
À plus d'un confrère,
J'ai dans la tête un projet
Qui pourra vous plaire,
Il nous faut, mes chers amis,
Établir en ce pays
Une ré ré ré
Une pu pu pu
Une ré
Une pu
Une République
D'une forme unique.

Danton voulait de Louis
Porter la couronne,
Mais bientôt à mes avis
Danton s'abandonne.
Car il pense comme moi
Que rien ne vaut mieux, ma foi,
Qu'une ré ré ré
Qu'une pu pu pu
Qu'une ré
Qu'une pu
Qu'une République
Bien démocratique.

On porte aux cieux un héros
Tant qu'il est utile,
On jouit de ses travaux,
Ensuite on l'exile,
Cela n'est pas trop décent,
Mais c'est l'usage pourtant
D'une ré ré ré
D'une pu pu pu
D'une ré
D'une pu
D'une République
Bien démocratique.

Sans craindre d'un importun
Les discours infâmes,
Nous mettrons tout en commun
Jusques à nos femmes.
Si nous agissons ainsi,
C'est pour mieux saisir l'esprit
D'une ré ré ré
D'une pu pu pu
D'une ré
D'une pu
D'une République
Bien démocratique.

The Constituante had met its goals and nothing remained but to adjourn, which it did on September 30 to cries of « Long live the King ! Long live the Nation ! »

The Constituante was replaced by the Assemblée législative, which held its first meeting the very next day on October 1.

Chapter 4

THE ASSEMBLÉE LÉGISLATIVE AND THE MONARCHY'S FALL

OCTOBER 1791 - SEPTEMBER 21, 1792

Antoine Pierre Barnave (1761-1793)

Alexandre Lameth (1760-1829)

Jacques Pierre Brissot (1754-1793)

The Assemblée législative was made up of 745 deputies duly elected according to strict voting requirements. « Passive » citizens did not have the right to vote. Only « active » citizens could vote if they paid a direct tax amounting to three days' labor. This rule favored rural voters. Only the « active » voters appointed « electors » from among a pool of 50,000 citizens who paid a tax equivalent to ten days' labor. These electors in turn chose the « deputies ». A deputy had to be a landowner and pay a larger contribution, at first fixed at one marc of silver or 52 livres, a considerable sum at the time.

At Robespierre's suggestion, the Constituants declared themselves ineligible to hold office. This scrupulosity excluded experienced politicians, who had distinguished themselves since 1789, from serving in the new Assemblée. Though the freshmen assemblymen might not have been famous on a national level, they had already proven themselves in regional assemblies.

At first the Législative seemed divided. Its 745 members were basically grouped as follows :

— 264 deputies were members of the « Feuillants ». This group had two main factions, the « Lamethistes » and the « Fayettistes ». These groups were influenced respectively by the triumvirate Lameth-Barnave-Duport, and by La Fayette, who still exercised some influence although they were not members of the Assemblée.

— 136 were registered in the « Jacobins » or « Brissotins », named after the journalist Brissot, backed by another Parisian deputy, Condorcet. The « Brissotins » were later called « Girondins » because of the influence of the Gironde deputies, especially the brilliant orator Vergniaud. On the extreme left, democrats like Couthon, Carnot, Lindet and Basire influenced other clubs and societies.

— Finally, apart from the « Feuillants » and « Brissotins », 345 deputies remained undecided but committed to the Revolution.

On November 16, dissent within the « Feuillants » society resulted in the Jacobin Pétion's being elected mayor of Paris, replacing Bailly and passing over La Fayette who had resigned as commander of the National Guards in hopes of becoming mayor.

Jean Antoine Caricat Condorcet (1743-1794)

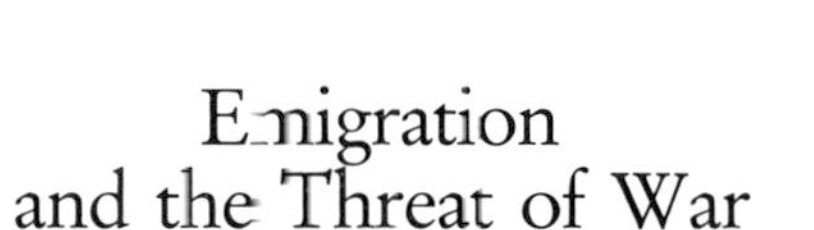

Emigration and the Threat of War

Realizing what might have happened if the King's escape had been successful, the Législative turned its efforts to eliminating the threat posed by émigrés and by the foreign support they solicited from the Emperor of Austria and from the King of Prussia.

Pierre Vergniaud (1753-1793)

On October 31, a decree ordered the King's brother, the comte de Provence, to return to France within two months or forfeit his rights to the throne. Louis XVI approved this decree. On November 9, a second decree required the other émigrés to return under penalty of being charged with conspiracy and of having their possessions confiscated. This time the King vetoed the decree.

Jérôme Pétion de Villeneuve (1756-1794)

The King and Queen continued to scheme believing that the Ancien Régime could be reinstated only through foreign intervention. They also received support from the Brissotins who were ready to do battle for their own reasons. Brissot explained themseon December 16 : « A nation which has won its freedom after ten centuries of slavery needs war. War is needed to consolidate that freedom » And again, speaking to the Assemblée, Brissot said : « The time has come for another Crusade, a Crusade for universal freedom ».

Maximilien Robespierre (1758-1794)

Georges Jacques Danton (1759-1794)

Jean Paul Marat (1743-1793)

Robespierre was virtually alone in opposing the war cry resounding among the Jacobins. He was initially supported by Billaud-Varenne, Danton, Marat and other democrats. Robespierre countered Brissot : « No one loves armed missionaries. Before the effects of our Revolution can be felt in foreign countries, they must be consolidated. Trying to give these nations freedom before having control of our own is to ensure both our slavery and that of the entire world ».

After confrontations among the Court, the Fayettists, and the Brissotins caused several ministry changes, Robespierre uncovered compromises and intrigues to no avail. But the decision to go to war had already been made. It became even more final when Francis II acceded to the throne following Emperor Leopold's death on March 1 and refused to make any concessions.

The royalists had already unfurled their flags, as this threatening song indicates :

HYMNE DES ROYALISTES
POUR LE TEMPS PASCAL 1792

(Air : « O filii et filiæ », noté p. 21)

RÉJOUISSEZ-VOUS, bons Français,
Le plus infortuné des Rois
Recouvrera bientôt ses droits... Alleluia.
Alleluia, alleluia, alleluia.

Sortant de son état passif,
Il quittera l'exécutif
Et reprendra l'impératif... Alleluia.

D'Artois justement indigné
De voir captif son frère aîné
Est comme un lion déchaîné... Alleluia.

Dans Worms, Condé, la foudre en main,
Prépare le fer et l'airain
Pour délivrer son souverain... Alleluia.

Bender, général de renom,
Vainqueur du peuple brabançon,
Au prince se joindra, dit-on... Alleluia.

Le Sarde, bien discipliné,
Au-delà des monts cantonné,
Marchera vers le Dauphiné... Alleluia.

L'Espagnol, sujet d'un Bourbon,
Avec la même intention,
Traversera le Roussillon... Alleluia.

Ces guerriers s'étant réunis
Dans les environs de Paris,
En pleurs y changeront les ris... Alleluia.

Cent mille sujets de Louis,
À ses lois constamment soumis,
Iront au-devant comme amis... Alleluia.

Malheur alors aux députés
Dont les décrets mal fagotés
N'ont produit que calamités... Alleluia.

Malheur à vous, Parisiens,
Qui tenez dans d'étroits liens
Vos maîtres, ainsi que les miens... Alleluia.

Qui que ce soit ne vous plaindra
Lorsqu'on vous écartèlera ;
Au contraire, on jubilera... Alleliua.

Dans ce triste et fatal moment
Vous regretterez vainement
D'avoir faussé votre serment... Alleluia.

Au lieu de chanter *ça ira*,
Plus d'un parmi vous s'écriera
Dies iræ ! dies illa !... Alleluia.

Tandis qu'il en est encor temps,
De vos crimes résipiscents,
Pleurez sur vos égarements... Alleluia.

Aux pieds du Roi prosternez-vous,
Tâchez de fléchir son courroux,
Vous savez qu'il est bon et doux... Alleluia.

Prenez, croyez-moi, ce parti ;
Je vous le conseille en ami,
Et désire qu'il soit suivi... Alleluia.

The patriots penned their own songs in response to the royalists. Typical are those by Adrien-Simon Boy, chief surgeon of the army of the Rhine.

The most famous song of this time is *Le Salut de l'Empire (The empire's health)*, often retitled *Veillons au salut de l'Empire (Let us watch over the Empire's health)*[1]. The author wrote this song on the melody of the romantic aria « Vous qui d'amoureuse adventure » (You amorous adventurer) from Dalayrac's opera *Renaud d'Ast.* The lighthearted aria did not seem to fit the bellicose lyrics. Nevertheless, after its performance at the Fête civique at the Champs-Élysées on March 25, 1792, the republic's soldiers adopted this song. Gossec even included the song in his *Offrande à la Liberté (Offering to Freedom)* performed at the Opéra in October. Later, the Directoire ranked it among the « Songs dear to republicans ». Bonaparte, as Napoleon, revived it, playing on the term empire for his own motives. *Les Annales patriotiques (Patriotic annals)*

[1] Here the word empire did not signify a state governed by an emperor, but the entire territory of a nation.

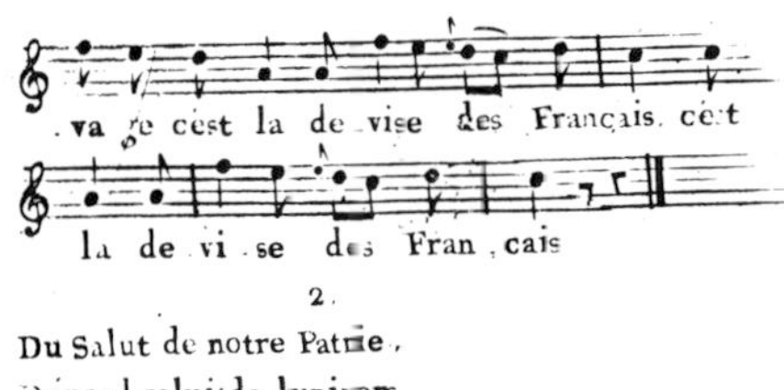

2.

Du Salut de notre Patrie,
Dépend celui de lunivers
Si jamais elle est asservie
Tous les peuples sont dans les fers
Liberté liberté que tous mortels te rende hommage
Tyrans tremblez vous allez expier vos forfaits
Plutôt la mort que lesclavage
Cest la devise des Français.

3.

Ennemie de la tyranie
Paraissés tous armés vos bras
Du fond de leurope avilie
Marchez avec nous aux combats
Liberté liberté que ce nom sacrée nous rallie
Poursuivons les tyrans punissons, punissons leurs forfaits
Nous servons la même patrie
Les hommes libres sont Français.

of March 29 published another song by Boy, the *Chanson patriotique (Patriotic song)* on the familiar melody «Pauvre Jacques» (Poor Jacques). It was also called *Romance aux Français (Ballad for the French)*[1].

[1] Les Annales commented as follows : « We recommend this song be circulated among all patriotic women... Travelling minstrels would do well to sing it from one end of the empire to the other.

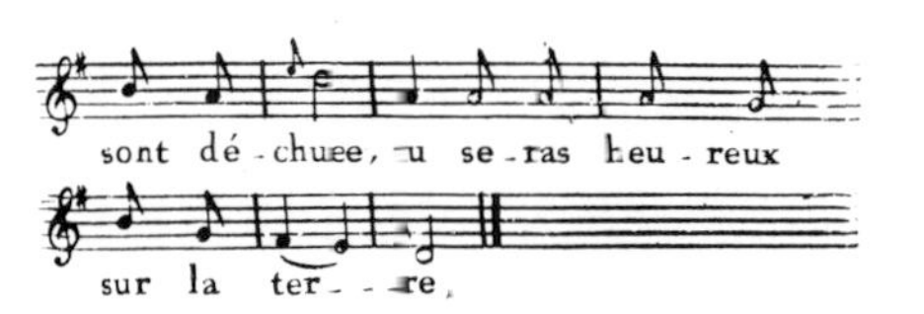

2,

Ces grands jadis tes laches oppresseurs
Exalent envain leurs colère
Tu peux braver leurs dépit leurs fureurs
Ils sont tes égeaux sur la terre
Brave peuple pour conserver tes droits
Ressouviens toy de ta misère
Veille toujours sur les grands dautre fois
Ce sont les fleaux de la terre. (bis

3,

Quils sarmens qu'ils attaqueu tes foyers
Brave leurs courroux sanguinaire
Vole aux combats va cueillir des lauriers
Punis les tyrans de la terre
Brave peuple soutiens ta dignité
Accable un parti téméraire
Pour un français qui perd sa liberté
Il nést plus de bien sur la terre. (bis

The Festival of Freedom and Homage to the Châteauvieux Soldiers

A.S. Boy's song was performed on Sunday, April 15, at the city-wide Fête de la Liberté (Festival of Freedom) in Paris. The Châteauvieux soldiers, now freed and reinstated, were the heroes of the festival. The *Courrier des 83 départements (The courier of 83 departments)* recounted the enthusiasm of the people : « Cries of *Vive la Nation ! Vive la Liberté ! Vivent les soldats de Châteauvieux ! Vivent les Gardes Françaises ! (Long live the Nation ! Long live Freedom ! Long live the Châteauvieux soldiers ! Long live the French guards !)* did not stop a single moment for the almost four hours it took to cross the boulevards ». Another song by Boy, composed and sung especially for the occasion, was also published by this newspaper :

CHANSON
DE
CHATEAUVIEUX

(Air : « Ton mouchoir,
belle Raymonde ».
Caveau n° 74, noté p. 23)

POUR servir la tyrannie,
Bouillé, cet homme pervers,
Aux soutiens de la Patrie
Fit donner d'indignes fers.
D'autres ont perdu la vie,
Ah ! souvenirs douloureux !
Quelle âme n'est attendrie
Au seul nom de Châteauvieux ? *(bis)*

Si le fer de la vengeance,
Vils assassins de Nancy,
Osa frapper l'innocence,
Elle triomphe aujourd'hui.
Après de longues alarmes
Le succès comble nos vœux :
Nous pouvons sécher nos larmes
En embrassant Châteauvieux. *(bis)*

Oubliez tant de misères,
Martyrs de la Liberté ;
Et dans les bras de vos frères
Goûtez la félicité :
Ils ont gémi de vos peines,
Mais il n'en est plus pour eux,
Quand on a brisé les chaînes
Des soldats de Châteauvieux. *(bis)*

Législateurs de la France,
Des hommages vous sont dus ;
Que notre reconnaissance
Soit le prix de vos vertus.
L'on vous doit la délivrance
De ces soldats généreux :
Que n'aviez-vous la puissance
Quand on jugea Châteauvieux ? *(bis)*

Mais des victimes sanglantes
Vous demandent des vengeurs ;
Sur les ombres gémissantes
C'est assez verser de pleurs.
Pour l'honneur de la Patrie,
Frappez des traîtres fameux,
Et que leur supplice expie
Les malheurs de Châteauvieux. *(bis)*

The first « Fête de la Liberté » (Festival of Freedom) celebrating the rescue of forty Châteauvieux soldiers from the galleys of Brest. Louis David was the master of the celebration whose theme was « Liberté, Égalité, Fraternité ». For the occasion, Chénier and Gossec wrote a Ronde nationale : *« L'Innocence est de retour ; elle triomphe à son tour... »* (National rondo : « Innocence has returned triumphant »). They also wrote a Chœur à la Liberté : *« Premier bien des mortels, ô Liberté chérie... »* (Chorus to Liberty : *« Highest among mortal gifts, beloved Liberty... »). Both songs were published by C. Pierre in* Musiques des Fêtes et Cérémonies, *No. 74 and 75, pages 348 to 356.*

Another officer of the Rhine army rebuked Bouillé and his accomplices more scathingly than did Boy, the surgeon.

Later, when the fighting began, Boy no longer had much leisure to write songs.

He died in 1795.

In 1792, at the home of the mayor of Strasbourg, Rouget de Lisle sings La Marseillaise *for the first time.*

Declaration of War and the Birth of « La Marseillaise »

On April 19, in *L'Ami du Peuple (The People's Friend),* Marat launched a final plea for peace. He foresaw the first defeats and spoke of his misgivings about the aristocratic generals.

Confident that the Assemblée would agree with him, the King proposed on April 20 to declare war on the « King of Hungary and Bohemia », carefully omitting any mention of Austria. Only a dozen deputies rejected the proposal. This declaration fanned nationalistic pride and was met with an enthusiastic response in France. It also added to the Girondins' prestige. Faced with such a self-serving situation, the far left now was engaged in a desperate fight to preserve the Revolution. In this spirit, Robespierre and Marat asked for the removal of the now suspect La Fayette.

The French people became aware of the threat of invasion. Most acknowledged the need to protect the nation. The army of the Rhine, billeted at Strasbourg, was commanded by Lückner. On April 25, Frédéric de Dietrich, the mayor of that city, asked Captain Claude-Joseph Rouget de Lisle to create a song that could galvanize the patriotic soldiers and counteract the anti-aristocratic song *Ça ira.* An amateur violinist and poet in his spare time, Rouget had written songs of only minor importance. But he had a local reputation for his *Hymne à la Liberté (Ode to Liberty),* set to music by Ignace Pleyel, the cathedral's music master, and performed on September 25, 1791, at the Place d'Armes. This hymn was a success, particularly for Pleyel as both composer and conductor of the piece. In late December, Pleyel left for London to conduct a series of concerts through May 14, 1792.

Rouget de Lisle presented his *Chant de guerre pour l'armée du Rhin (Battle song for the army of the Rhine)* to Dietrich on the morning of April 26. According to legend, he wrote the six verses in one night and composed the music on his violin. Later much would be written about this work of genius.

The lyrics presented no difficulties. Not surprisingly, Rouget, a member of the « Enfants de la Patrie » batallion, was inspired by a poster of the Amis de la Constitution (Friends of the Constitution). The poster had appeared on city streets April 5th. Its text began with these rallying words : « Aux armes citoyens ! L'étendard de la guerre est déployé : le signal est donné. Aux armes ! Il faut combattre, vaincre ou mourir ! » (Citizens, to arms ! The battle standard has been raised, the signal given. To arms ! We must fight – conquer or die ! »).

However, the music was the object of controversy too long to cover here[1].

[1] Let us cite recent works on this subject : Josef Klingenbeck, « Ignaz Pleyel und die Marseillaise », *Studien zur Musikwissenschaft,* Leipzig, 1960, pp. 106-119 ; Jacques Chailley, « La Marseillaise et ses transformations jusqu'à nos jours », *Actes du 89 congrès national des Sociétés savantes,* Lyon, 1964, t. I, pp. 7 à 23 ; Guy Breton, *Le Cabaret de l'Histoire,* Paris, 1974 ; t. 2, pp. 176-182 et 215-216 ; Philippe Parès, *Qui est l'auteur de la Marseillaise ?,* Minerva, 1974 ; Bernard Gavoty, *Les grands mystères de la musique,* Trévise, Paris, 1975, pp. 159-175 ; Robert Brécy, « La chanson révolutionnaire de 1789 à 1799 », *Annales historiques de la Révolution française,* avril-juin 1981, pp. 288-292. We should also note the study by Frédéric Robert : *Lettres à propos de « La Marseillaise »,* 80 pages, P.U.F., Paris, 1980. One can also consult my critique in le *Mouvement social,* No. 119, April-June 1982, pp. 136-139 concerning several translations of *La Marseillaise* sung throughout the world. They are as well known as that other revolutionary song of French origin, *l'Internationale.*

This invaluable early edition for solo voice was published in Strasbourg for Ph.-J. Dannebach, printer of the municipality. Apparently it can be found neither at the Bibliothèque Nationale nor in any other public library in France. It can be dated to May 1792, when Rouget de Lisle was still in Strasbourg and when Maréchal Lückner, to whom the song was dedicated, was still commander of the Rhine army. (Lückner gave up his command on May 21). Let us note that Rouget de Lisle's name does not appear in this edition nor does it appear in L'Hymne à la Liberté *published several months earlier by Dannbach. Was this an intentional oversight? The melody is marked C major, without accompaniment. It is followed by a simple ritornelle which contrasts with the martial tone of the song. (Also note the typesetter's error in the third line : the note for the «vos compagnes» should have been a dotted eighth note).*

CHANT DE GUERRE

POUR L'ARMÉE DU RHIN,

DÉDIÉ

AU MARÉCHAL LUKNER.

A STRASBOURG,

De l'Imprimerie de PH. J. DANNBACH, Imprimeur de la Municipalité.

Tems de marche animé.
Allons, en - fans de la pa - tri - e! Le jour de gloire est ar - ri - vé. Con - tre
nous de la ty - ran - nie l'é - ten - dart sanglant est le - vé, l'é - ten - dart sanglant est le - vé. Entendez-vous dans les cam-
pag - nes Mu - gir ces fé - ro - ces sol - dats? Ils viennent jusque dans vos bras, é - gor - ger vos fils, vos compagnes!.... Aux
ar - mes, Ci - toy - ens! for - mez vos ba-tail - lons: Mar - chez, mar - chez, qu'un sang im - pur a-
breu - ve nos sil - lons.

QUE veut cette horde d'esclaves,
De traitres, de Rois conjurés?
Pour qui ces ignobles entraves,
Ces fers dès long tems préparés?
Français! Pour nous, ah! quel outrage!
Quels transports il doit exciter?
C'est nous qu'on ose méditer
De rendre à l'antique esclavage!....
Aux armes, citoyens! formez vos bataillons:
Marchez..... qu'un sang impur abreuve nos sillons.

Quoi des cohortes étrangères
Feraient la loi dans nos foyers!
Quoi ces phalanges mercenaires
Terrasseraient nos fiers guerriers!
Grand Dieu!.... Par des mains enchaînées,
Nos fronts sous le joug se ploiraient!
De vils despotes deviendraient
Les maîtres de nos destinées!.....
Aux armes, Citoyens! formez vos bataillons:
Marchez..... qu'un sang impur abreuve nos sillons.

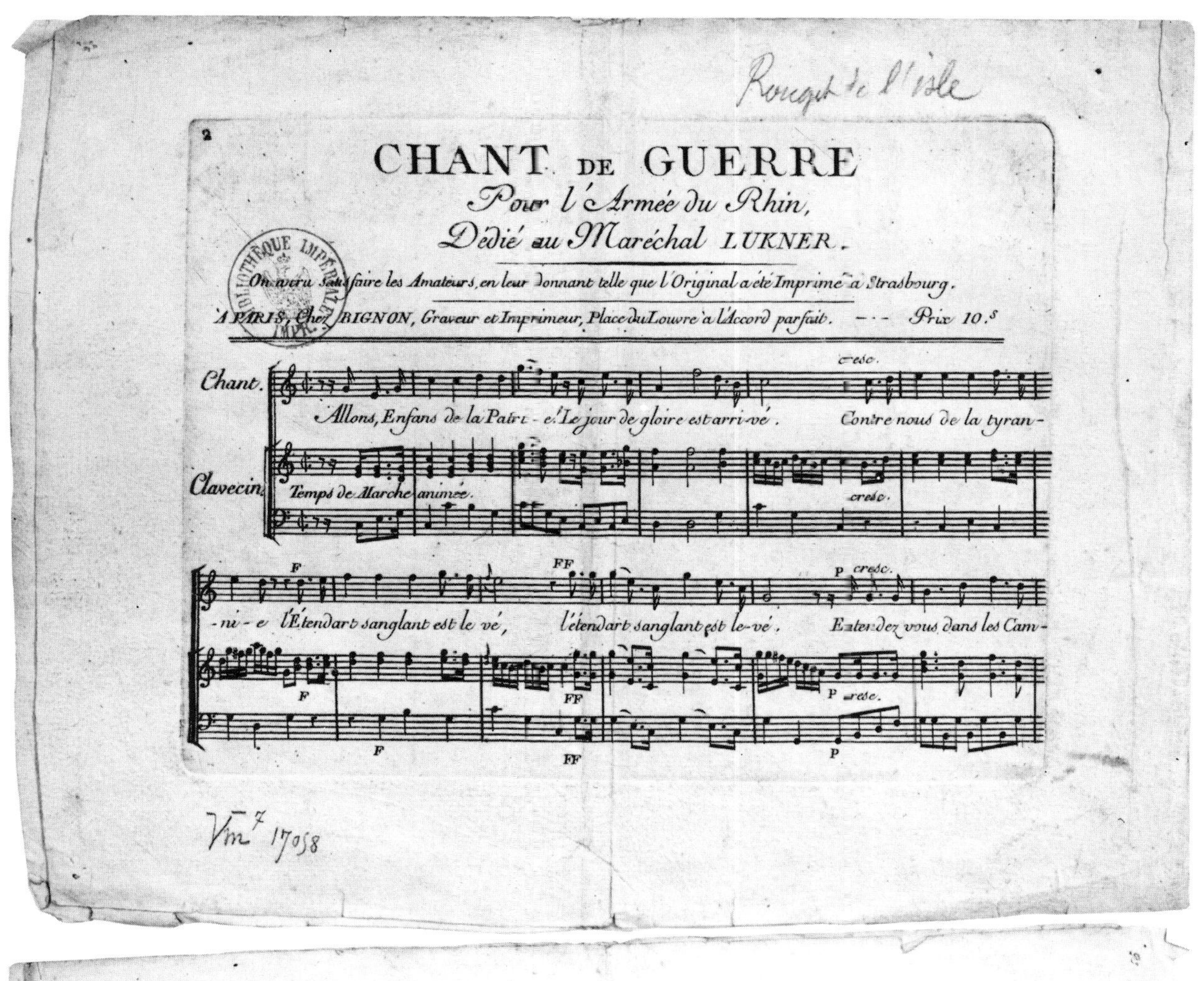

Several popular versions of La Marche des Marseillais *in which the original melody had been changed had already been published in Paris. The Parisian printer-publisher Bignon took the melody of the original Dannbach edition and added a clavichord part. He even picked up the ritornelle at the end, played on the violin by Rouget de Lisle, whose name still does not appear.*

4

2.e Couplet.

Que veut cette horde d'esclaves
De traitres, de Rois conjurés ?
Pour qui ces ignobles entraves,
Ces fers dès longtems préparés ? (Bis)
Français ! pour nous, ah ! quel outrage !
Quels transports il doit exciter ?
C'est nous qu'on ose méditer
De rendre à l'antique esclavage !....
Aux armes, Citoyens ! &c.

3.e Couplet.

Quoi des cohortes étrangères
Feroient la loi dans nos foyers !
Quoi ces phalanges mercénaires
Terrasseraient nos fiers guerriers ! (Bis)
Grand Dieu !... Par des mains enchainées,
Nos fronts sous le joug ploiraient
Des vils despotes deviendraient
Les maîtres de nos destinées !....
Aux armes, Citoyens ! formez &c.

4.e Couplet.

Tremblez, Tirans ! et vous, perfides,
L'oprobre de tous les partis,
Tremblez !.... vos projets parricides
Vont enfin recevoir leur prix. (Bis)
Tout est Soldat pour vous combatre.
S'ils tombent nos jeunes Héros,
La terre en produit de nouveaux
Contre vous tous prets à se battre.
Aux armes, Citoyens ! formez &c.

5.e Couplet.

Français ! en guerriers magnanimes,
Portez ! ou retenez vos coups,
Epargnez ces tristes victimes
À regrèt s'armant contre nous, (Bis)
Mais le despote sanguinaire !
Mais les complices de Bouillé !
Tous ces tigres qui sans pitié
Déchirent le sein de leur mère
Aux armes, Citoyens ! &c.

6.e Couplet.

Amour sacré de la Patrie,
Conduis, soutiens nos bras vengeurs :
Liberté ! Liberté chérie
Combats avec tes deffeuseurs : (Bis)
Sous nos drapeaux que la victoire
Accoure à tes mâles accens ;
Que tes ennemis expirans
Voient ton triomphe et notre gloire.
Aux armes, Citoyens ! &c.

Aux armes citoyens!........

The first performance of *Le Chant de guerre (The battle hymn)* was given in the mayor's drawing room to harpsichord accompaniment scored by Mrs. Dietrich to Rouget de Lisle's melody. The National Guards orchestra performed the piece next in Strasbourg on April 29 in the presence of eight battalions. Then the song began its own tour through France. We know that Lyon and Montpellier heard it before it reached Marseille on June 22. The delegates sang it along the road until they arrived in Paris on July 30. There on August 10 it triumphed as the *March of the Marseillais.*

Yet « Allons enfants de la patrie » had already been performed at a July 26 dinner on the site of the Bastille for the « brothers in arms from the 83 departments », as reported in *Le Journal du Soir* of the 27th. This was several days before the men from Marseille reached Paris.

It is possible that parts of familiar melodies had slipped into Rouget de Lisle's music. Or, he may have benefitted from a collaborator's help, — not Mozart or Pleyel, but Gossec. In fact, Gossec later modified the melody line, harmonized and orchestrated *La Marche des Marseillais.* He did this to prepare the march for its performance at the Opéra in his spectacle, *Offrande à la Liberté (Offering to Freedom).* This production was so successful that it had 130 performances up to 1799[1]. Gossec's version of the song became the definitive one. It was matched only by Hector Berlioz's arrangement for choir and orchestra. This sumptuous version marked the resurrection of *La Marseillaise* after « les Trois Glorieuses » of July 27, 28 and 29, 1830.

We should note that the couplet called « Des Enfants », added in October, 1792, has usually been attributed to Abbé Pessonneaux of Vienne :

NOUS entrerons dans la carrière
Quand nos aînés n'y seront plus ;
Nous y trouverons leur poussière
Et la trace de leurs vertus ! *(bis)*
Bien moins jaloux de leur survivre
Que de partager leur cercueil,
Nous aurons le sublime orgueil
De les venger ou de les suivre !

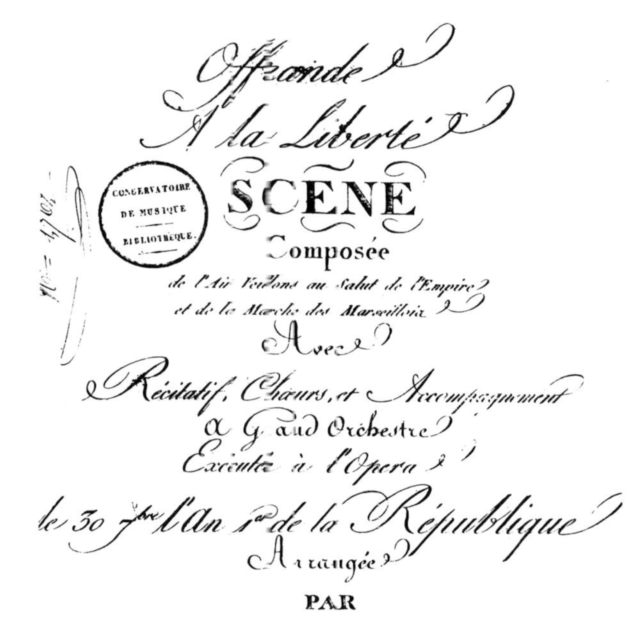
Offrande
A la Liberté
SCENE
Composée
de l'Air Veillons au Salut de l'Empire
et de la Marche des Marseillois
Avec
Récitatif, Chœurs, et Accompagnement
de Grand Orchestre
Exécutée à l'Opéra
le 30 7bre l'An 1er de la République
Arrangée
PAR
LE CITOYEN GOSSEC
Dr de la Musique de la Garde Nationale Parisienne
Prix 1£ 16s
A PARIS
Chez Imbault rue St Honoré près l'Hôtel d'Aligre au Mont d'Or No 627.

1 According to Rouget de Lisle, this is how Gossec came to stage *La Marseillaise :* Actors from the Opéra were dining at the restaurant to the right of the Bois de Boulogne entrance gate, at the porte Maillot. The actors Laïs and Chéron began singing patriotic songs in full voice. As the restaurant's windows were opened, people began to gather. One of the spectators asked Laïs and Chéron to sing *La Marseillaise.* Laïs and Chéron came outside the restaurant, stepped onto two large empty barrels which had been brought out and began to sing. When they got to the couplet « Amour sacré de la patrie », everyone kneeled down and removed their hats. Gardel, the ballet master of the Opéra, Méhul, Gossec and many other famous musicians were also at this dinner. Gardel commented to Gossec : « This scene could be made into something for the Opéra ». Gossec answered that he was willing to do it, and that all he needed was a libretto. The libretto entitled *Offrande à la Liberté* was written shortly thereafter.

In addition to melodic and harmonic innovations he brought to the piece, Gossec repeated the refrain « Aux armes citoyens... » and had the part read « Marchons » (« Let us march ») instead of « Marchez » (« March ! »).

Albert Soboul emphasized the double nature of this song in which « fervor, both nationalistic and revolutionary, is present. There is no difference between the concept of revolution and nation in the author's mind or in the minds of those who sang it. The tyrants and *« vile despots »* who wish to return France to its *« former slavery »* are denounced, but so are the aristocrats and the émigrés, *cette horde d'esclaves, de traîtres, ces parricides, ces complices de Bouillé (that horde of lackeys and traitors, those paricides, those accomplices of Bouillé).* « Sacred love » for the nation is extolled. It is this love that calls upon the French to defend their nation. (« Entendez-vous dans les campagnes mugir ces féroces soldats... » Do you hear in the countryside the roar of ferocious soldiers...). And it is this nation that has been created since 1789 to fight against aristocracy and feudalism »[1].

Rouget de Lisle's lyrics may seem antiquated today, even shocking (« Qu'un sang impur abreuve nos sillons » : Let impure blood soak our fields). Yet attempts at more contemporary or more pacifist verses never succeeded in replacing La Marseillaise of 1792. Several abortive *Marseillaise de la Paix (Peacetime Marseillaise)* failed. In a decree dated Messidor 26, Year III (July 14, 1795) the Convention officially made it the French national anthem.

From its creation *La Marseillaise* served as the melody for innumerable songs. Several hundred parodies of it, some revolutionary and some not, have been written over the last 200 years. Here is one of the first, which was very popular at the time. *La Feuille du matin (The morning page)* printed the anonymous lyrics November 25, 1792. Frère published them as a handbill entitled *Le retour du soldat (The soldier's return)*, then republished them later under the name *Marseillaise de la Courtille (The courtyard Marseillaise)*. The lyrics were attributed to Antignac. Even if this were not the case, one recognizes the delightful and humorous tone of the songwriters of the Caveau.

[1] *Précis d'histoire de la Révolution française, (Concise history of the French Revolution)*, Paris, 1962, p. 198.

LE RETOUR DU SOLDAT. Chanson bacchique

Air, de la Marche des Marseillois

Chez FRERE Passage du Saumon

75

Allons enfans de la Courtil-le, le jour de boire est arri-vé, c'est pour nous que le boudin grille, c'est pour nous qu'on l'a conservé. c'est pour nous qu'on l'a conservé. ne vois-tu pas dans la cuisi-ne rôtir des Din-dons et Gigots! ma foi, nous serions bien ni-gauds si nous leur faisions triste mine. a ta-ble Citoy-ens, vuidez tous les flacons, bu-vez, man-gez, qu'un vin bien pur hu-mec-te vos pou-mons!

2.

Décoëffons chacun sept bouteilles
Et ne laissons rien sur les plats,
D'amour faisons les sept merveilles,
Au millieu des plus doux ébats. (bis
Pour nous Français ah! quel outrage!
S'il falloit rester en chemin:
Que Bacchus par son jus divin
Elève encore notre courage!
A table, Citoyens, &c.

3.

Tremblez Lapins, tremblez Volailles,
Ou bien prenez votre parti!
Ne tremblez que dans nos entrailles,
Pour appaiser notre appétit. (bis
Tout est d'accord pour vous détruire,
Chasseurs et gloutons tour à tour,
Peut être viendra-t-il un jour
Ou c'est vous qui nous ferez cuire.
A table Citoyens, &c.

4.

Quoi, des cuisines étrangères
Viendraient gâter le goût Français!
Leurs sauces fades ou légères
Auraient le véto sur nos mets! (bis
Dans nos festins quelle déroute!
Combien nous aurions à souffrir!
Nous ne pourrions plus nous nourrir
Que de fromage ou de choucroutte.
A table Citoyens, &c.

5.

Amis, dans vos projets bachiques,
Sachez ne pas trop vous presser,
Epargnez ces poulets étiques,
Laissez les du moins s'engraisser. (bis
Mais ces chapons aristocrates,
Chanoines de la basse-cour,
Qu'ils nous engraissent à leur tour
Et n'en laissons rien que les pattes.
A table Citoyens, &c.

6.

Amour sacré de la bombance,
Viens élargir notre estomach,
Quand on pense à panser sa panse
Faut-il consulter l'almanach. (bis
Du plaisir de manger et boire
Nous te devons l'invention;
Sauves-nous l'indigestion
Pour que rien ne manque à ta gloire.
A table, Citoyens, &c.

Les citoyens du fauxbourg St. Antoine et St. Marceau, chez le Roi, lui font une petition, Louis 16 prend un bonnet rouge et le met sur sa tête en criant vive la Nation et buvent à la santé des sans Cullotes.

The phrygian bonnet became one of the symbols of the popular revolution, as noted by the songwriter Salles in Les Voyages du Bonnet Rouge (The travels of the red bonnet).

The Nation in Danger

As the most farseeing democrats had predicted, the first military operations ended in failure.

The three French armies were poorly organized, half the officers had emigrated and the generals from the Ancien Régime were more interested in events in Paris than at the borders. In May, entire regiments, including the Royal German, passed to the enemy's side. Rochambeau resigned. On May 16, La Fayette acted traitorously. He secretly proposed the Austrian ambassador suspend hostilities in order to let him take his army to Paris. Once there he would make the Jacobins listen to reason and install a strong government. Later it was also discovered that the Queen had informed the enemy of the French army's battle plans.

For the moment, Marat and the Cordeliers, who cried treason, were silenced. Robespierre in vain told the Jacobins he did not trust the generals, since almost all of them missed the old order of things.

Robespierre proclaimed : « I place my faith in the people, only in the people ».

Fearing the masses, the Girondins in power made overtures to the right. However, since La Fayette refused to come to terms with them, Brissot and Vergniaud denounced the « Austrian Committee », attacking the Queen and other internal traitors. On June 10, Roland, the minister of the Interior, addressed a moving letter to the King asking for strong measures against anti-patriotic elements Nonetheless, Louis XVI vetoed the Assemblée's prudent decree to deport hostile clergy, as well as a bill by Servant, the minister of War, to enlist another 20,000 men from the departments.

Going farther, too far, the King dismissed the Girondin ministers and formed a new cabinet with the Feuillants, a move poorly received by the majority of the Assemblée who placed its confidence in the dismissed ministers. The Girondins were then able to turn to their advantage the discontent felt in some districts. Assisted by Pétion, the Girondins urged the people of Paris to demonstrate on June 20. The people peacefully took over the Assemblée and then the Tuileries in order to pressure the King. The monarch was not intimidated. He agreed to wear the phrygian cap, to drink to the nation's health, but refused to change his veto. The intimidation having failed, Pétion was relieved of his duties as mayor.

The nation is declared in danger, July 21, 1792.

Did La Fayette think his chance had come ? He went to the Assemblée to demand measures be taken against the Jacobins. He was not supported in this move, and was instead criticized for abandoning his army. Moreover, the King and Queen, who detested La Fayette, did not wish to place themselves under his protection. They preferred to wait.

For their part, the Girondins tried to ingratiate themselves with the King and disowned those who called for his removal. Nonetheless, their position continued to evolve as the revolutionary movement gained momentum. In the provinces as in Paris, the passive citizens, the humble folk called the « Sans-Culottes », participated more and more in village, city and neighborhood club meetings. On June 28, at the Jacobin Club, Brissot and Robespierre called on them to unite for the sake of the Nation and of the Revolution.

The march of the Federation delegates from the provinces to Paris symbolized this evolution. From the beginning of July, despite a royal veto, they converged on the capital, bearing arms, determined to defend the Revolution's gains.

On July 11, faced with this threat, the Assemblée declared « the Nation in danger » : « Many troops are advancing upon our borders. Citizens, the Nation is in danger ! Those of you who will earn the honor of being first to defend what is

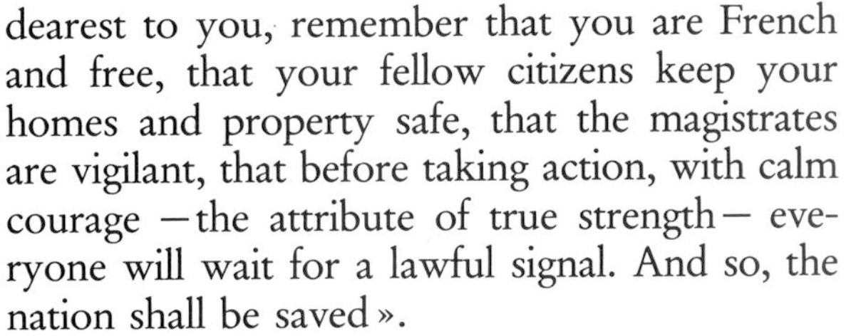

dearest to you, remember that you are French and free, that your fellow citizens keep your homes and property safe, that the magistrates are vigilant, that before taking action, with calm courage — the attribute of true strength — everyone will wait for a lawful signal. And so, the nation shall be saved ».

On July 21, all across France, this public decree was solemnly proclaimed while enlistment of volunteer recruits had already begun.

An anonymous song attributed to a female patriot encouraged the movement : *Adieu des Françaises aux défenseurs de la Patrie partant pour l'armée (The French women's farewell to the nation's defenders leaving for the army),* sung to the melody of « Gaston, le sort de la patrie ».

ADIEU, les vengeurs de la France,
Vous, nos époux ou nos amants ;
Allez renverser l'espérance
Et les noirs complots des tyrans. *(bis)*
Votre absence, ô troupe chérie !
Va nous causer bien des chagrins ;
Mais il faut sauver la patrie
Dont le sort est mis dans vos mains. *(bis)*
(...)
Ah ! pourquoi toujours inutiles
Dans les cas les plus dangereux,
Avons-nous des bras si débiles
Et des desseins si généreux ? *(bis)*
S'il ne fallait qu'aimer la gloire...
Partout notre ardeur eût planté
Et l'étendard de la victoire
Et l'arbre de la liberté. *(bis)*

Jamais une cause aussi belle
D'un peuple n'armera les mains ;
Jamais aussi grande querelle
Ne régna parmi les humains. *(bis)*
L'Europe attend sa destinée
De vos succès, de vos revers,
Et le cercle de cette année
Fixe le sort de l'univers. *(bis)*
(...)
Oh ! quand partout de l'esclavage
Vos mains auront brisé les fers,
Comme vos noms, votre courage
Seront fameux dans l'univers ! *(bis)*
Alors dédaignant les conquêtes,
Écueil trop commun des guerriers,
Venez, plus chéris dans nos fêtes,
Vous reposer sous vos lauriers. *(bis)*

C'est là que vos cœurs à leur aise
Pourront librement s'enflammer ;
Il ne sera point de Française
Qui refuse de vous aimer : *(bis)*
La vertu même est orgueilleuse
D'avoir su fixer un vainqueur ;
Et la beauté s'estime heureuse
D'être le prix de la valeur. *(bis)*

Patriotic fervor was enhanced by a new national and political consciousness. After their failure of June 20, and despite the Brissotins' recantations, the patriots openly discussed the King's dethronement in popular assemblies. Thus the third Fête de la Fédération on July 14 had more than a commemorative significance.

On July 15, the club des Cordeliers requested the calling of a « Convention » — a term inspired by the American republic — to draft and adopt a new Constitution. On the 17th, the Federation delegates in Paris demanded the King's removal.

The « Brunswick Manifesto » caused the situation to explode. Written by the émigré Marquis de Limon, but signed on July 25 by the Prussian marshall, commander of the coalition armies, the Manifesto declared that émigrés and foreigners expected the patriots to surrender under threat of an « exemplary vengeance, which would put Paris under military rule and total suppression and punish accordingly those who revolted... » Once heard, these declarations further motivated the people to mobilize against the foreign armies and their accomplices.

On July 29, at the Jacobin Club, Robespierre asked for the King's dethronement and a Convention chosen by universal suffrage. On the 30th, the National Guards were reinforced and made more democratic by admitting « passive » citizens.

The same day, 500 men of the battalion of Federation delegates battalion from Marseille marched singing into Paris. They also marked their entrance on the political scene by beating up La Fayette's guards during a banquet on the Champs-Elysées.

On August 3rd, Pétion, mayor of Paris representing 47 of the 48 districts, asked the legislature for the dethronement of the King. The majority of the Assemblée still preferred to wait, postponing their decision until the 9th.

The August 10 Insurrection : the Fall of the Monarchy

The time for delay and compromise was over. The decision was in the hands of the armed populace.

On the night of August 9th, the extension granted the Assemblée expired without decisive results. Delegates of the Parisian districts met at the Hôtel de Ville and formed an « Insurrection Commune » to replace the legal Commune.

On the morning of August 10th, the Federation delegates from Marseille arrived at the Tuileries. The guards from the middle class districts defected, leaving the Tuileries guarded only by noblemen and Swiss mercenaries. The latter let the men from Marseille enter the courtyard and reach the great staircase of the palace. Suddenly they opened fire and drove back the Federation delegates. The delegates, reinforced by patriots from the city's outskirts, took the offensive again. The siege raged on until the King ordered a cease-fire.

The Tuileries were taken at the cost of 1,000 dead and wounded. The defenders suffered 600 casualties.

The popular Lacré commented on this day :

LA RÉVOLUTION DU DIX AOÛT 1792
AIR CONNU (sic)

LE dix août, jour saint Laurent,
Paris dans les alarmes,
Tout son peuple bien clairvoyant
S'assemble sous les armes.
Noble, qui ne voulais que sang,
Afin de relever ton rang,
En croyant être triomphant
Tu causes ces vacarmes. (...)

Ô Louis, que t'avons-nous fait,
Pour agir en roi traître ?
Envers un peuple qui t'aimait
Heureux tu devrais être.
Tu dis faire guerre aux tyrans,
Ne soutenant que pour les grands,
Traitant les petits de brigands,
Mais ils se font connaître. (...)

Indigne Suisse, que fais-tu
En criblant la Patrie ?
Les mauvais conseils t'ont perdu.
Et le peuple en furie,
Vils soldats, soutiens de la cour,
On vous massacre tour à tour,
Soyez victimes en ce jour
De votre barbarie.

Plaignons nos frères marseillais
Massacrés par les Suisses,
Ne faisons la guerre qu'aux rois
Et punissons leurs vices.
Bravons leur injuste courroux
Et notre sort deviendra doux.
L'Europe, attentive sur nous,
Concevra nos délices.

That morning the King and his family took refuge at the Assemblée, adjacent to the Salle du Manège. When the insurrection was victorious, the deputies proclaimed not the King's removal from his throne but the abolition of the throne itself. The Commune imprisoned him in the old Château du Temple until the Convention would decide his fate.

For the first time in France, a Convention elected by universal suffrage replaced the Législative. This manner of voting, empowering « passive » citizens, emphasized the Revolution's democratic nature.

The August 10 insurrection marked more than the monarchy's fall. It also signalled the political elimination of the nobility and of a segment of the upper middle class who had helped trigger the Revolution in 1789 but later tried to contain it and, above all, to control it. The insurrection marked the end of La Fayette, the Triumvirate and the efforts of compromise with the monarchy. A last effort by the once popular La Fayette to march his troops on Paris failed dismally. Abandoned by his soldiers, on August 19 he went over to the Austrians who immediately imprisoned him. Dietrich fared no better in his attempt to incite a rebellion in Strasbourg.

[1] In any case, the song has inspired a continual proliferation of new verses since August-September 1792.

This conduct contrasted with that of the federalist patriots, as shown by verses by the Younger Rampalle, of the Marseillais Battalion, published in *Affiches, annonces, et avis divers* on August 20 :

LA LIBERTÉ OU LA MORT

(Air : « Quand le roi fait le... »)

LORSQU'AU gré de son caprice
Un tyran menait l'État,
Pour maintenir l'injustice
Il nous forçait au combat.
Quand notre sang aux batailles
Avait coulé pour les rois,
Seuls ils cueillaient dans Versailles
Le fruit de tous nos exploits.

Après un long esclavage
L'homme a reconquis ses droits,
Et, maître de son courage,
S'il se bat, c'est pour ses Lois.
S'il survit à la victoire,
Le laurier attend son front ;
S'il meurt au champ de la gloire,
Il revit au Panthéon.

D'une aussi haute espérance
Quand nos cœurs sont enivrés,
Que pourraient contre la France
Tous les trônes conjurés ?
Rions de qui s'intimide
Du retour de nos tyrans ;
Le Patriote intrépide
N'a pas peur des revenants. (...)

Sortez d'une nuit profonde,
Peuples, esclaves des Rois ;
La France, aux deux bouts du Monde,
Vient de proclamer vos droits.
Brisez vos vieilles idoles
Et leur culte détesté,
Et plantons sur les deux pôles
L'arbre de la Liberté.

An even more famous song was born of the August 10th events, perhaps inspired by the heroes of the day : *La Carmagnole (The carmagnole dance)* whose composer has remained anonymous despite the piece's immediate and lasting success. The music was most likely taken from the melody of an ancient Provençal dance melody or a tune from the port of Marseille. Neither origin has been confirmed. The same mystery has surrounded the author of the lyrics. Frère published thirteen verses under the title *La Carmagnole des royalistes (The royalists' carmagnole).* But it is still not known whether all the verses were written by the same author.[1]

We have reproduced its handbill version despite its poor spelling and typography. It would seem this was a first edition.

LA CARMAGNOLE des ROYALISTES
Chez Frere Passage du Saumon

47

Madame veto avait promis madame veto
avait promis de faire egorge tout paris de faire egorge
tout paris mais sont coup a manque grace a nos canonie
Dansson la carmagnolle vive le son vive le son
dansson la carmagnolle vive le son du canon

2
Monsieur veto avait promis (bis
Detre fidelle a sa patrie (bis
Mais il ly a manque
Ne faison plus cartie
Dansson la carmagnolle &.c.

3
Antoinette avait resolu... (bis
De nous faire tomber sur cu (bis
Mais son coup est manque
Elle a le nez casse... Dansson &.c.

4
Son mari, se croyant vainqueur. (bis
Connaissait peu notre valeur. (bis
Vas louis gros paour.
Du temple dans la tour. . Dansson &.c.

5
Les suisse avaient tous promis (bis
Qu'ils feraient feu sur nos amis. (bis
Mais comme ils ont saute
Comme ils ont tous danse
Chantons notre victoire, vive le son &.c.

6
Quand antoinette vit la tour. (bis
Elle voulut faire de mi tour. (bis
Elle avait mal au cœur
De se voir sans honneur... Dansson &.c.

7
Lors que louis vit fossoyer. (bis
A ceux qu'il voyait travailler. (bis
Il disait que pour peu
Il etait dans ce lieu Dansson &c.

8
Le patriote a pour amis. (bis
Tout les bonnes jens du pays. (bis
Mais il se soutiendrons
Tous au son des canons. Dansson &.c.

9
Laristocrate a pour amis. (bis
Tout les royalistes a paris. (bis
Il vous les soutiendrons
Tous comme des vrais poltrons. Dansson &.c.

10
La Gandarmrie avait promis (bis
Quelle soutiendrait la patrie. (bis
Mais il non pas manque.
Au sont du canonie. Chantons &.c.

11
Amis restons toujours unis. (bis
Ne craignons pas nos ennemis. (bis
S'ils viennent attaquer.
Nous les ferons sauter. Chantons &.c.

12
Oui je suis sans culote moi. (bis
En depit des amis du roi; (bis
Vivent les Marseillois.
Les Breton et nos lois. Dansson &.c.

13
Ooi nous nous souviendrons toujours. (bis
Des sans culotes des fauxbourgs. (bis
A leur santé buvons
Vivent ces bons lurons. Dansson &.c.

This version of *La Carmagnole* was no doubt the one sung and danced to on August 27, during the ceremony honoring the many casualties of August 10th.

It was not long before Déduit, a clever song-writer, had written his own version in five verses, also published by Frère (No. 48). Here are the first couplets :

LOUIS le traître, dernier roi, *(bis)*
Ne nous fera donc plus la loi, *(bis)*
Il n'est que suspendu,
Mais il sera déchu.
Dansons la Carmagnole,
Vive le son, vive le son
Dansons la Carmagnole,
Vive le son du canon.

Madam' Veto, l'mauvais sujet, *(bis)*
A vu manquer son noir projet. *(bis)*
Lamballe et ses suppôts
Sont entrés dans le [chaos].
Dansons, etc.

The last verse suggested that the author is about to enlist, though he continued to publish songs until 1794.

ADIEU nos femmes nos enfants, *(bis)*
Vous nous reverrez triomphants. *(bis)*
Nous tuerons les Prussiens
Et tous les Autrichiens.
Dansons, etc.

Déduit finished his song by addressing himself « to the Public » :

CITOYENS de la Nation *(bis)*
Vous qui venez au café Yon, *(bis)*
Du patriote auteur
Encouragez l'ardeur,
Chantez la Carmagnole,
etc.

Before leaving *La Carmagnole,* let us note a parody published the following year by Fabien Pillet, then « employed in the office of Accounting and Requisition ». Perhaps his job inspired him to play the part of the « comiques-troupiers » and also to speak of Brotherhood.

LA GAMELLE.
Sur. l'Air, de la Carmagnole.
Chez FRERE Passage du Saumon,

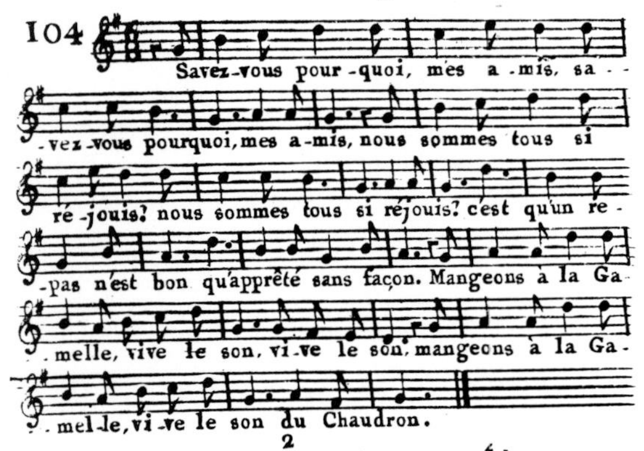
104
Savez-vous pour-quoi, mes a-mis, sa-
-vez-vous pourquoi, mes a-mis, nous sommes tous si
ré-jouis? nous sommes tous si réjouis? c'est qu'un re-
-pas n'est bon qu'apprêté sans façon. Mangeons à la Ga-
-melle, vive le son, vi-ve le son, mangeons à la Ga-
-mel-le, vi-ve le son du Chaudron.

2
Point de froideur, point de hauteur, (bis
L'aménité fait le bonheur. (bis
Oui, sans Fraternité,
Il n'est point de gaieté.
Mangeons à la Gamelle, Vive. &c.

3
Nous faisons fi des bons Repas, (bis
On y veut rire on ne peut pas. (bis
Le Mets le plus friand,
Dans un vase brillant,
Ne vaut pas la Gamelle. Vive. &c.

4
Vous qui baillez dans vos Palais, (bis
Où le plaisir n'entra jamais. (bis
Pour vivre sans souci,
Il faut venir içi,
Manger a la Gamelle, Vive. &c.

On s'affoiblit dans le repos, (bis
Quand on travaille on est dispos. (bis
Que nous sert un grand cœur,
Sans la mâle vigueur
Qu'on gagne à la Gamelle. Vive. &c.

6
Une fille à tempérament, (bis
Qui veut se choisir un Amant. (bis
Aux Faquins du bon ton,
Préfere un bon Garcon,
Qui mange à la Gamelle. Vive. &c.

7
Savez-vous pourquoi les Romains. (bis
Ont subjugué tous les humains? (bis
Amis n'en doutez pas,
C'est que ces fiers Soldats,
Mangeoient à la Gamelle. Vive. &c.

8
Ces Carthaginois si lurons, (bis
A Capone ont fait les Capons, (bis
S'ils ont été vaincus,
C'est qu'ils ne daignoient plus,
Manger à la Gamelle. Vive. &c.

9
Bientôt les Brigands Couronnés (bis
Mourant de faim, Proscrits, Bernés, (bis
Vont envier l'État
Du plus pauvre Soldat,
Qui mange à la Gamelle. Vive. &c.

10
Ah! s'ils avoient le sens commun. (bis
Tous les Peuples n'en feroient qu'un. (bis
Loin de s'entr'égcrger,
Ils viendroient tous manger
A la même Gamelle. Vive. &c.

11
Amis terminons ces Couplets, (bis
Par le Serment des bons Français. (bis
Jurons tous mes Amis;
D'être toujours unis,
Vive la Republique
Vive le son, (bis
Vive la Republique,
Vive le son du Cañon.

The fabulist and dramatist Florian also wrote a homage to fraternity, *Le nom de Frère (The name brother),* sung to the melody of *La Carmagnole.* C. Pierre dated it to the autumn of 1793. The song reappeared under the title *Jolie Chanson (Pretty song)* in *Les Muses sansculottides (The Sans-Culottes muse),* a small collection published in Grenoble on Germinal 30 Year II (April 19, 1794)[1].

1 Jean-Pierre Claris de Florian, born in 1755, was a minor poet elected to the Académie française in 1788. He is mostly known today for his charming *Fables* published in 1792. He was arrested in 1793 while a commander of the National Guards at Sceaux. Freed on Thermidor 9, he died shortly after on September 13th, 1794.

LE NOM DE FRÈRE

SUR ma guitare assez longtemps
J'ai chanté les tendres amans :
Chantons la Liberté,
La sainte Égalité,
Et le doux nom de frère,
Soyons unis, soyons unis,
Et le doux nom de frère,
Soyons unis, mes amis.

Disparaissez, titres si vains
Qu'enfanta l'orgueil des humains :
Le seul que je chéris,
Le seul qui nous suffit,
C'est le doux nom de frère, etc.

Que faut-il au Républicain ?
Une arme, du cœur et du pain ;
L'arme pour l'étranger,
Du cœur pour le danger,
Et du pain pour ses frères ; etc.

The bookseller Charavay published the song, without mentioning Florian's name in his *Chansonnier républicain 1793-1848 (Republican songbook 1793-1848),* and entitled *La Fraternité (Fraternity).* The change in title was explained by this new verse :

FRANÇAIS, que la fraternité
Soit toujours notre déité ;
Que chacun à son tour
Consacre son amour
À secourir ses frères ;
Soyons unis, mes amis.

The First Terreur

The Paris Commune exerted continual pressure on the legislature until finally on August 17 it accepted to create a criminal court to judge counter-revolutionary crimes. It became the responsibility of the municipalities to find and arrest suspects. The Assemblée decreed that clergymen who did not take the oath had fifteen days to leave the country. Also, house searches could be undertaken in order to disarm suspects, and if necessary, imprison them.

Danger from beyond France's borders instigated these exceptional measures. The Coalition army had invaded on August 19 and had advanced with alarming speed. On August 26, Paris learned of the taking of Longwy, and on September 2, of the siege of the large fortress of Verdun which surrendered the same day. The events inspired this call from the Commune : « Aux armes, Citoyens, aux armes, l'ennemi est à nos portes ! » (« To arms, Citizens, to arms ! The enemy is at our gates ! »). The alarm sounded and battalions of infantry formed. In this atmosphere of suspicion and concern, massacres were carried out in Paris prisons.

The first massacres occurred September 2nd at Abbaye and at Carmes. In the next days, there were riots at Force, Conciergerie, Châtelet, Salpêtrière and Bicêtre. It was estimated that 1,000 to 1,200 prisoners were executed, some under atrocious conditions and three-quarters of them by mob action. In the face of these mass executions, the Assemblée was powerless. Danton, as minister of Justice, did nothing to stop them. As for the surveillance committee of the Commune, it tried to justify « this measure of public welfare » by claiming it was necessary « to use terror to control legions of traitors hidden among us, at a time when the nation is preparing to march against the enemy ».

Nevertheless, it is remarkable that no song that I know of glorified the September massacres. They were criticized in the book *La Révolution en Vaudevilles (The Revolution in ballads)* published anonymously in year III. Let us quote only one of the concluding verses sung to the melody of « De vos bontés, de son amour » (« Of your goodness, of his love ») from Dalayrac's *Raoul de Créqui.*

CES jours affreux et détestés,
Jours, supplice de la mémoire,
En traits de sang seront notés
Sur les pages de notre histoire ;
Des meurtriers, sous l'œil des lois,
Trouvant nos frères sans défense,
Contre eux armèrent à la fois
Et leurs bras et notre silence.

September 20, 1792 : End of the Assemblée Législative and Victory at Valmy

The electoral assemblies, enlarged by « passive » citizens, reconvened on September 2 and elected deputies to the national Convention. Their mission : to give France a new Constitution.

The Convention met on September 20 to form its cabinet presided by Pétion and made up of a large majority of Girondins. On the 21st, it held its first meeting in the Salle du Manège.

By a happy coincidence, on September 20, the day the Convention replaced the Assemblée législative, the battle of Valmy halted the invasion of the Coalition army.

Verdun's fall was partly due to the treasonous actions of the royal officers and the murder of the patriot and area commander, Beaurepaire. After Verdun's defeat, the enemy army fought in Argonne. There, they ran up against resistance from Dumouriez' army, which was forced to retreat to Sainte-Ménéhould. While the road to Paris seemed open to the Prussians, the Metz army under Kellermann's command joined Dumouriez's forces, giving the French superiority in numbers.

A. Soboul related this victory decisive for the future of the Revolution :

« Valmy was less a battle than a simple cannonade. But it had immense consequences. Brunswick planned to surround the French by clever maneuvers. But the impatient King of Prussia ordered him to attack immediately. On September 20, after a violent cannonade around noon, the Prussian army arrayed itself, as if it were on maneuvers, around the heights of Valmy occupied by Kellermann. The King of Prussia expected a desperate retreat. The Sans-Culottes held their ground and doubled their fire. Kellermann, brandishing his hat at the end of his sword, shouted *Vive la Nation ! (Long live the nation).* The troops, from battalion to battalion, took up his revolutionary cry. Not one man faltered under the attack of troops considered to be the best trained in Europe. The Prussian infantry was stopped. Brunswick dared not attack. The cannonade continued for some time. At six o'clock that evening, a torrential rain fell. The armies slept in their positions ».

Despite its defeat, the Prussian army remained intact. Valmy was not a strategic victory but a moral victory. The Sans-Culottes army had held its ground against the best army in Europe. The Revolution had demonstrated its strength. The new army, of the nation and of the people, had faced a disciplined professional army and triumphed over it. The Coalition armies realized that revolutionary France would not be defeated easily. Goethe was there. On the Valmy monument were inscribed his words, as reported by Eckermann : « Today, in this place, began a new era in the history of the world ».

Here are two songs celebrating Valmy and the retreat of the Prussian troops, who were demoralized, poorly provisioned and suffering from dysentery :

GAIÉTÉ PATRIOTIQUE SUR LA RETRAITE DES PRUSSIENS

(Air : « C'est la petite Thérèse ». Caveau nº 33)

SAVEZ-VOUS la belle histoire
De ces fameux Prussiens ?
Ils marchaient à la victoire
Avec les Autrichiens ;
Au lieu de *palme* et de gloire
Ils ont cueilli des... *raisins.*

Le raisin donne la foire
Quand on le mange sans pain :
Pas plus de pain que de gloire,
C'est le sort du Prussien.
Il s'en va chantant victoire,
Il s'en va criant la faim.

Le *Grand Frédéric* s'échappe,
Prenant le plus court chemin ;
Mais Dumouriez le rattrape
Et lui chante ce refrain :
N'allez plus mordre à la grappe
Dans la vigne du voisin.

N'ayez peur qu'on m'y rattrape,
Dit le héros prussien,
Je saurai, si j'en réchappe,
Dire au *brave Autrichien* :
Va tout seul *mordre à la grappe*
Dans la vigne du voisin.

AUX SEIGNEURS ARISTOCRATES

(Air : « Tous les bourgeois de Châtres ». Caveau nº 564)

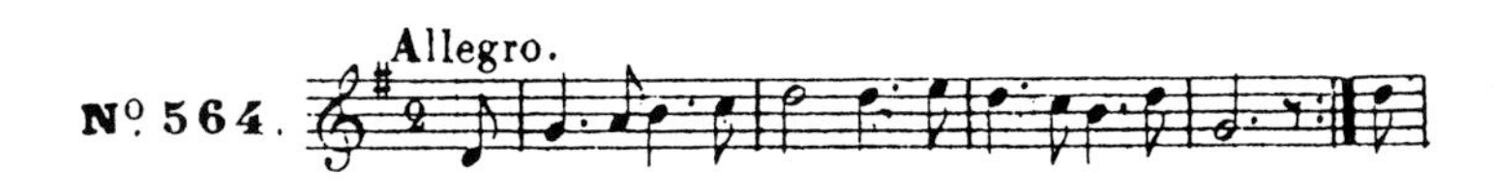

SEIGNEURS aristocrates,
Où est donc le cercueil
Qu'aux bourgeois démocrates
Préparait votre orgueil ?
Nous devions expirer, à vous entendre dire,
Peut-être, nous vous en croyons,
Peut-être, en effet, nous mourrons,
Mais ce sera de rire.

Gonflés d'impertinence,
Comme sont tous les sots,
Vous disiez que la France
Était sans généraux,
Eh bien ! qu'en pensez-vous ? Kellermann et Custine,
De leurs sabres républicains
Quand ils font la chasse aux faquins
N'ont pas mauvaise mine ?

Dédaignez-vous encore
Le brave Dumouriez ?
Vous avez fait éclore
Sur son front des lauriers,
Nous avons un Ajax, nous avons un Ulysse,
Qui prend des villes par raison
Tout en rimant une chanson
Sans rêver à la Suisse.

Brunswick et sa cohorte
Au très vaillant Condé
Devait prêter main forte,
Mais il s'est évadé.
Voyez donc quel malheur en tout vous accompagne !
Nous vendrons vos châteaux jolis,
Vous irez bâtir, mes amis,
Des châteaux en Espagne.

Vos pièces de campagne
Devaient brûler Paris,
Pour le coup, la montagne
Enfante une souris,
Il ne vous restera, pauvres soutiens du trône,
Que des yeux, pour pleurer en vain,
Un sac, et tout juste une main,
Pour demander l'aumône.

The First Meeting of the Convention : Abolition of Royalty

The Convention, the new constitutional assembly elected by universal suffrage, became the supreme authority representing the entire nation. The Girondins held a majority and was backed by an uncommitted centrist group, called the « Plaine » (Plains) or « Marais » (Marsh), in debates against the less influential leftist group, the « Montagne » (Mountain).

At the beginning, the Convention was united on the larger questions. On September 21, it unanimously approved Montagnard Collot d'Herbois' motion, seconded by Grégoire, to abolish royalty. That very night Paris heard the decree proclaimed by torchlight. The Girondin Roland told the administrative authorities that « to proclaim the Republic and to proclaim Fraternity is the same thing ».

Thus, the idea of fraternity became official. Soon the republican triad, *Liberté – Égalité – Fraternité (Liberty – Equality – Fraternity),* first proposed by Robespierre[1] and later by the Cordelier Momoro, would be engraved on the pediments of public buildings all over France.

Among the songs relating the monarchy's fall, let us quote one by « Citizen Widow » Ferrand :

[1] Robespierre coined these words. He first used them in his December 5th, 1790 speech entitled : *Discours sur l'organisation des gardes nationales (Organization of the National Guards).* « The guards will wear on their chest the words *Le Peuple français* and below them, *Liberté, Égalité, Fraternité.* The same words will be written on their flags which will carry the three colors of the Nation.

JOIE DU PEUPLE RÉPUBLICAIN

(Air : « Catiau dans son galetas ». Caveau n° 505, note p. 27)

ENFIN, v'là donc qu'est bâclé !
J'ons pus de roi dans la France,
On les a tous bien raclés
Tous ces biaux seigneurs d'importance.
Je sons libre enfin cheux nous,
Et pis j'sons égaux tretous. *(bis)*

À présent tout ira bien,
À Paris comme à la guerre,
Je n'craindrons pus le venin
Qui gâtait toute c't'affaire.
J'aurons vraiment la liberté
En soutenant l'égalité. *(bis)*

Allons au papa Pétion
Tirer notre révérence,
Quoiqu'avec lui, sans façon,
Je lui devons c'te déférence,
Ménageant la chèvre et les choux,
Il est toujours porté pour nous. *(bis)*

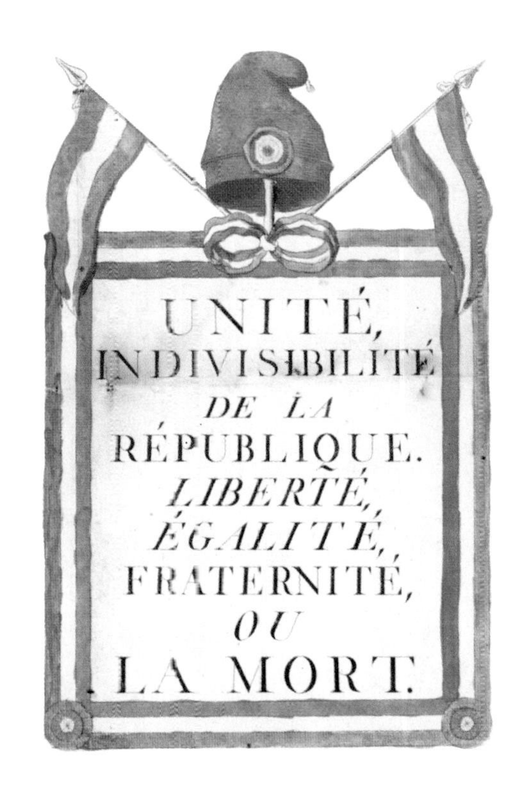

Chapter 5

YEAR I OF THE REPUBLIC

SEPTEMBER 22, 1792 - SEPTEMBER 21, 1793

On September 22, the Convention approved the Billaud-Varenne motion dating all new public laws from the *First Year of the French Republic.*

On the 25th, the Girondin attack on the Montagnard leaders Robespierre, Marat and Danton broke the truce among the factions. Girondins accused them of — already — having as their aim a dictatorship. The debate was eventually laid to rest. Again in unanimity, though after lengthy discussion, the Assemblée adopted Montagnard Couthon's motion : « The French Republic is one and indivisible ».

One month later, in his pamphlet *À tous les Républicains de France (To all French republicans),* Brissot clearly expressed the elitist selfish attitudes of the upper middle class : « The people were made to serve the Revolution, but now that it is finished, they must go home and entrust its direction to others more intelligent ». On October 28, at the Jacobin club, Robespierre put Brissot and the Girondins in their place : « They alter the form of the government according to aristocratic principles, for the benefit of the rich. They believe they are the Revolution's decent and proper men. We are Sans-Culottes and riff-raff ».

The singer Chénard dressed as a Sans-Culotte, a flag-bearer at the Civic Festival of Freedom on October 14, 1792.

The French Army's Success

In late September, the army under Anselme's command entered Nice. Montesquiou's forces easily penetrated Savoie, where they were enthusiastically received, as Montesquiou wrote in a letter to the Convention on September 25 : « Country and city people rush up to us, wearing their tricolored cockades ».

A simple soldier's song retold the event : *Les Français en Savoye, Dialogue sur deux airs, par G**** (The French in Savoie, Dialogue on two melodies by G***).

The French verses were sung to a melody from *Petits Savoyards* by Dalayrac (« Une Petite Fillette », Caveau No. 612), and the Savoie verses, to a popular local melody, *« Dis ga d'Jeanette »* (Caveau No. 152) :

LES FRANÇAIS EN SAVOIE

LES FRANÇAIS

AH ! nos amis et nos frères,
Ne craignez rien des Français ;
Nous arrivons sur vos terres
En vous apportant la paix.
Quoique dans ce pays vainqueurs,
Nous respecterons vos asiles ;
Nous vous apprendrons les douceurs
De la liberté, de nos lois ;
Vous reconnaîtrez tous vos droits
Et vous détesterez les rois. *(bis)*

LES SAVOISIENS

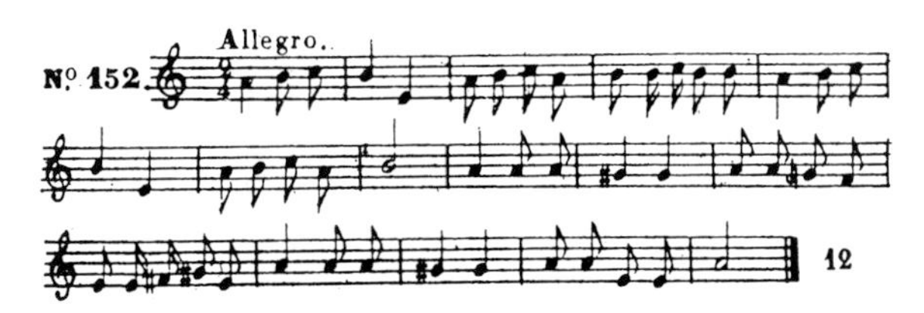

UNE joie secrète
Enflamme nos cœurs, larirette,
Une joie secrète
Enflamme nos cœurs ;
Chacun s'apprête
A goûter les douceurs, larirette,
Que nous apprête
La loi de nos vainqueurs.

LES FRANÇAIS

NOUS sommes tous dans la France
Citoyens frères égaux ;
Le trône est en décadence,
Les rois sont tous des fléaux.
Et hue et haie aux oppresseurs,
Amis, voilà comme il faut faire.
Ne vîtes-vous pas les horreurs
Des farouches Piémontois...
Telle est l'impulsion des rois
Quand le peuple ignore ses droits. *(bis)*
(...)
Embrassons-nous, camarades,
Et soyons toujours unis,
Buvons à pleines rasades,
Ne soyons plus désunis.
Et hue et haie aux oppresseurs,
Nos amis, vivent les droits de l'homme.
R'gardez-nous moins comm'vos vainqueurs
Que comm'vos frères, vos amis ;
Bannissons ce nom d'ennemis ;
De l'homme vivent les droits conquis !

LES SAVOISIENS

C'EST affaire faite,
J'voulons êtr'Français, larirette,
C'est affaire faite,
J'voulons êtr'Français ;
A notr'requête,
Recevez nos souhaits, larirette,
A notr'requête,
Recevez nos souhaits.

LES FRANÇAIS

BRAVES amis, braves frères,
Vos souhaits touchent nos cœurs ;
Nous serons toujours confrères,
Unis par mêmes ardeurs ;
Et hue et haie pour les tyrans,
Allons, amis, soyez tous libres,
Nous vous soutiendrons en tout temps
Pour vous aider à conquérir...
Mais Français vous n'pouvez d'venir,
Not'loi défend de s'agrandir.

(...)

Le Peuple de Paris s'etant rassemblé avec un grand nombre de Savoisiens à la Place de la révolution, ou l'on avoit placé la Statue de la liberté sur le Piedestal de Louix XV. on chanta un Hymne à la liberté en l'honneur de la libération des Savoisiens.

Nevertheless, not until November 27 would the Convention finally grant the Savoyards' request to become again part of France.

During October, the French army was victorious. On the domestic front : on the 7th the Austrians lifted the siege of Lille, which had been heavily bombarded. The Prussians evacuated Verdun on the 14th, then Longwy on the 19th. Custine's army took Spire and Wurms, entering Mayence on the 21st. The people of that city had refused to serve on the ramparts. Instead, they had unfurled the tricolored cockade. On the 25th, came Frankfurt's turn. The revolutionary spirit had by this time won over the people of the Rhine. In their meetings they alternated singing one verse of *La Marseillaise* with one of Schiller's *Ode to Joy*, also set to a melody by Rouget de Lisle. (In October, Beethoven, then in Bonn, first decided to set the *Ode to Joy* to music). On November 9th, Custine entered the Palatinate.

For his part, Dumouriez, now commander of the northern army, entered Belgium in late October. On November 6, after two days' fighting, he had a stunning victory at Jemappes, and *La Marseillaise* resounded throughout the city. The revolutionary army, once considered a « ragtag » army, had proved itself a formidable force even in the countryside. The northern army liberated the nearby city of Mons on November 7th and entered Brussels on the 14th, Liège on the 28th and Antwerp on the 30th. Across the channel England was growing concerned. How far would the revolutionary armies march ? On December 2, Dumouriez entered Namur but, by not pursuing the enemy further, enabled them to regroup.

Battle of Jemappes, won on November 6, 1792 under the command of Dumouriez.

Many songs testify to the enthusiasm aroused by these first victories. Here are two :

LA PRISE DE MONS

(Air de « la Marseillaise »)

L'HEUREUX Français de la Belgique
Vient de briser les premiers fers ;
L'étendard de la République
Maintenant flotte sur Anvers. *(bis)*
Déjà de la Paix ce beau signe
Dans Mons réunit tous les cœurs ;
En vain, Albert, en ses fureurs,
Rugit, se déchire, trépigne.
La victoire est à nous ! vainqueurs, braves guerriers,
Chantons, chantons,
Mais en vainqueurs respectons nos lauriers !

Que Mons admire ! c'est Achille,
C'est Jourdan qui nous conduit,
En vrai soldat, en chef habile,
Il parle, il anime, on le suit. *(bis)*
Sur un mont uni vomit la flamme,
C'est là qu'est la palme à cueillir,
C'est là qu'il faut les assaillir !
Oui ! ce grand coup plaît à notre âme !
La victoire est à nous ! etc.

Au mont Jenap [= Jemappes] est notre amorce ;
C'est aussi là qu'on nous attend ;
On le sait, l'on vole, on le force,
Bientôt la terreur s'y répand. *(bis)*
Notre valeur se multiplie,
La mort vole de rang en rang,
La honte est le prix de leur sang,
Tout fuit, tout cède, enfin tout plie.
La victoire est à nous ! etc.

Alors notre troupe guerrière,
Au chant de l'hymne Marseillais,
S'avance, en montrant la bannière
Qui fait triompher le Français. *(bis)*
Ce n'est plus qu'un peuple de frères
Que Mons accueillit dans ses murs ;
Heureux de ses destins futurs,
Mons n'entend plus que chants prospères !
La victoire est à nous ! etc.

AU GÉNÉRAL DUMOURIEZ
SUR LA PRISE DE MONS

(Air : « Que Pantin serait content ». Caveau n° 491)

DUMOURIEZ vous mène ça
Comme on mène une pucelle ;
Dumouriez vous mène ça
En homme qui veut en venir là.
Du train dont le gaillard va
Toutes les villes qu'il attaquera
Ne feront pas les cruelles
Plus qu'une vierge d'opéra.

The war, however, was becoming more and more costly, as Cambon explained : « The more we advance into enemy country, the more costly the fighting becomes, especially given our principles of philosophy and generosity. We ceaselessly proclaim that we bring freedom to our neighbors. But we also bring our money and our rations... » It became necessary to maintain armies in occupied countries. A struggle for the minds of people progressively became a fight for territory. After the annexation of Savoie and Nice, Danton preached the politics of France's « natural borders » : « I say it is pointless to fear overextending the Republic. Its borders are marked by nature. They reach all four corners of the horizon — along the Rhine, the ocean and the Alps. These are the boundaries of our Republic ».

In March the Convention ratified the annexation of Belgium and the Rhineland.

Louis XVI's Trial

On November 13 the trial of « Louis Capet » began at the Convention. A young Saint-Just made the opening remarks to the court : « I myself say that the King must be judged as an enemy... The men who will pass judgement on Louis are the same men who are responsible for creating a Republic. I myself see no middle ground – this man must reign or die... *No one can reign innocently* ».

This shocking statement will prove true a few days later. The discovery in the Tuileries of documents hidden in an iron chest revealed the King's treason and the venality of Mirabeau, among others.

The deputies' debates demonstrated the great division over the King's sentencing. They continued to drag on until 48 Parisian districts protested on December 2. On the 3rd, Robespierre intervened : « Louis denounced the French people as rebels. To punish them, he summoned armies of his fellow tyrants. Either he is condemned or the Republic is not vindicated... The right to punish a tyrant and to dethrone him is the same thing. The trial of the tyrant is the insurrection. His sentence is his fall from power. His punishment must be whatever the people's freedom requires... I regretfully state this fatal truth. Louis must die because the nation must live ». This speech reflected popular feelings so exactly that Robespierre received an emotional ovation when he repeated it again in his address to the Jacobins.

On December 11, when Louis XVI made his first court appearance before the Assemblée, Ladré was inspired to write a song. Its mocking tone is accentuated by his choice of melody : « Quand la mer Rouge apparut » (When the red sea appeared), a blasphemous tune from the 17th century, also used by Sedaine for « Le saint craignant le pécher » (The saint afraid to sin), Caveau No. 355, see note p. 23).

PREMIÈRE COMPARUTION DE LOUIS CAPET
À LA CONVENTION

VOUS savez que je fus roi
Comme mon grand-père,
Ne faites pas comme moi,
Tyrans de la terre.
Comme un soleil éclipsé,
Je suis bien embarrassé,
Je suis lou lou lou, je suis oui, oui, oui,
Je suis lou, je suis oui,
Je suis Louis Seize
Bien mal à mon aise.

Ce peuple qui m'aimait tant
En me croyant brave,
Moi tout bas, toujours tramant
Pour le rendre esclave,
J'ai fait répandre son sang,
Voulant relever mon rang,
Mais les sans sans sans, mais les cu, cu, cu,
Mais les sans, mais les cu,
Mais les sans-culottes
Ont paré mes bottes.

Les fers que j'avais forgés
C'est moi qui les porte,
Mon procès sera jugé,
Et sous bonne escorte
L'on m'a conduit au Sénat
Comme étant un scélérat,
Pour ma pro pro pro, pour ma cé, cé, cé,
Pour ma pro, pour ma cé,
Pour ma procédure
Entendre lecture.
(...)
J'ai pourtant beaucoup d'amis
Qui n'osent rien dire,
Tout le peuple de Paris
Ne me fait pas rire.
Voyant ma mauvaise foi,
Ils crient tous contre moi
À la gui gui gui, à la liot, liot, liot,
À la gui, à la liot,
À la guillotine
Qu'on rase sa mine !

Despite De Sèze's defense of the King and the King's declaration on December 16, the majority of the Convention members leaned toward condemning Louis. But in Paris, a sorrowful royalist ballad did enjoy a certain success. One journalist admitted in *Les Révolutions de Paris (The revolutions of Paris)* of December 29 that the song was being peddled by hired singers in suburban taverns and was selling by the thousands. It was sung to the melody of « Pauvre Jacques » (Poor Jacques), one of Marie-Antoinette's favorite tunes :

LOUIS XVI AUX FRANÇAIS

Ô mon peuple, que vous ai-je donc fait ?
J'aimais la vertu, la justice,
Votre bonheur fut mon unique objet,
Et vous me traînez au supplice. *(bis)*

Ô mon peuple, ai-je donc mérité
Tant de tourments et tant de peine ?
Quand je vous ai donné la liberté,
Pourquoi me chargez-vous de chaînes ? *(bis)*
(...)
Nommez-les donc, nommez-moi les sujets
Dont ma main signa la sentence,
Un seul jour vit périr plus de Français
Que les vingt ans de ma puissance.

Si ma mort peut faire votre bonheur,
Prenez mes jours, je vous les donne,
Votre bon roi déplorant votre erreur
Meurt innocent et vous pardonne. *(bis)*

Ô mon peuple, recevez mes adieux,
Soyez heureux, je meurs sans peine.
Puisse mon sang en coulant sous vos yeux
Dans vos cœurs éteindre la haine.

This song, however, did not on January 15 prevent the Convention from finding Louis Capet guilty of conspiracy against freedom and condemning him to death, 387 votes to 334 on the 17th. On the 20th, the Convention informed Louis XVI that a reprieve had been denied.

Le Peletier's assassination.

Some hours later a former bodyguard, Pâris, killed the Montagnard Michel Le Peletier de Saint-Fargeau, one of the anti-royalists, who would be considered the Revolution's first martyr. The « republican singer » Leveau dedicated a hymn in his honor to the melody of « Maréchal de Saxe » which was used for almost every lament until the end of the 19th century. (Caveau No. 1375).

PARIS est dans les alarmes,
La république est en deuil
De voir réduit au cercueil,
Citoyens, versons des larmes :
Pour nous quel triste fléau
D'avoir perdu Saint-Fargeau !

Saint-Fargeau perdit la vie
Soutenant l'égalité,
Défendant la liberté
Au milieu de sa patrie ;
Pâris, cruel assassin,
Lui plongea le sabre au sein.
(...)
Va, Pâris, tu n'es qu'un traître,
Lâche valet du tyran ;
Si l'on t'arrête, brigand,
La loi te fera connaître
Que c'est sur un échafaud
Que l'on venge Saint-Fargeau.

Soutiens de la république,
Plaignons son sort à jamais ;
Dans le Panthéon français
Plaçons cet homme héroïque.
Saint-Fargeau n'existe plus,
Il est mort plein de vertus.
(...)

The key event remained the execution of the King, guillotined January 21, 1793. Commenting upon it, the most famous street-singer of the time, Ladré sang to the tune of « Biron » :

LA MORT DE LOUIS CAPET

Le vingt et un janvier
Dix sept cent quatre vingt treize,
Capet, tyran dernier,
Qu'on nommait Louis Seize,
A reçu ses étrennes
Pour avoir conspiré.
Ce fuyard de Varennes
Est donc guillotiné.

Avoir prémédité
La perte de la France
Contre la liberté
Fut la plus grande offense.
La raison souveraine
Diminuant son rang,
Par conseil de la Reine,
Fit répandre le sang.

Louis Capet était
Héros du fanatisme,
Des prêtres, soutenait
Le sanglant catéchisme.
Ce parjure despote
Pour le peuple jurait :
Le blason, la calotte
Ce tyran soutenait.

Les nobles orgueilleux,
Ses parents et ses frères,
Et de la part des cieux
Les prêtres réfractaires
Lui disaient de mal faire.
Les ayant écoutés,
La loi le met en terre :
Il l'a bien mérité.

Les tyrans couronnés
Et tous leurs satellites,
Les nobles enragés,
Qu'ils cessent leurs poursuites.
Ce grand chef des despotes
Est mort sur l'échafaud,
Les dévots et dévotes
N'osent plus dire un mot.

À Rome, que diront
Ses tantes, vieilles sottes,
Comme elles jureront
Contre les patriotes !
Et le pape de Rome
Nous excommuniera,
Et bientôt, un Saint Homme
Du tyran on fera.

Il pouvait être heureux
Étant roi sur la terre,
Pour lui, c'est malheureux
Qu'il fût sans caractère :
Faut avoir une tête
Pour être couronné,
Étant faible et trop bête,
Il fut guillotiné.

Ah ! que le nom de roi
Soit hors de nos mémoires,
Pour soutenir la loi
Remportons des victoires.
Le bonnet et la pique
Conservons bien, Français.
Vive la République,
Crions tous à jamais !

The Reinforcement of the Republican Army

The execution of the King of France provoked extreme reactions among the other European rulers. By February-March, France was to be challenged by a first Coalition at a time when the republic's armies no longer had numerical advantage. Instead of the 400,000 men of 1792, the army now had only 228,000. Many volunteers recruited for the campaign had already returned home. The soldiers were poorly equipped and malnourished, although army suppliers, protected by generals like Dumouriez, profiteered shamelessly.

Another weakness was the different organization and unequal status of volunteer battalions compared with the line regiments. Despite the Girondin opposition to the « amalgamation » decree, the Convention unified the army into one single national system on February 21. In addition, on the 24th the Convention ordered the drafting of 300,000 soldiers. The results were at first disappointing because of the decree's vagueness. Conscription of new recruits varied widely from one region to another.

Hébert tried to revive enthusiasm by writing a very patriotic song set to a traditional 17th century melody « Aussitôt que la lumière » (As quickly as the light), Caveau No. 50.

LE RÉVEIL DU PÈRE DUCHÊNE

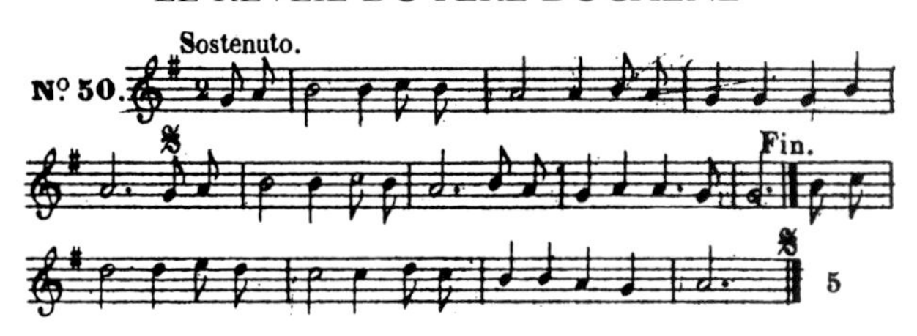
Sostenuto.
Nº 50.
Fin.
5

LEVONS-NOUS, nom d'un tonnerre !
Levons-nous, braves guerriers,
Patriotisons la terre
En mourant sous les lauriers.
Foutre de l'ancien usage
Et de tous ces sacrés fous
Qui, pour montrer leur courage,
Allaient mourir pour cinq sous.

Au noble, dans sa giberne,
Présentons la liberté.
Que le bougre se prosterne,
Au nom de l'égalité !
Sacrés mill' dieux, tous ensemble,
Tirons et brisons nos fers ;
Que dans le fracas tout tremble
Pour affranchir l'univers.

Allons, avec la cocarde,
Aux tyrans foutre malheur ;
Puis allons à l'accolade,
Foutons-nous là de bon cœur.
Au diable toutes les frontières
Qui nous tenaient désunis,
Foutre, il n'est point de barrière
Sur la terre des amis.

A nos fusils, à nos piques
Courons, Français ! il est temps.
Plantons des rameaux civiques
A la barbe des tyrans.
Ne semons plus la mitraille
En signe d'hostilité ;
Faisons d'un champ de bataille
Un champ de fraternité. (...)

A song from the streets, L'Hymne des Français (Hymn of the French) *was fairly successful. Published by Frère (No. 77), the words were republished by Gorriet. It was sufficiently well-known that it was revised during the course of the next years in several patriotic songs, under different names : « Valeureux Français » (Valiant French), « Valeureux Liégeois » (Valiant people of Liège), « Valeureux soldats » (Valiant soldiers).*

HYMNE DES FRANCAIS
Chez FRERE Passage du Saumon
77
Cé-le-brons par nos ac-
-cords les droits sa-crés d'u-
-ne si belle cause et ri-ons des
vains ef-forts que lénne-mi nous op-
-po-se va-leu-reux Fran-çais
Marchez à ma voix vo-lez à
la vic-toire la li-ber-té

dans vos foy-ers vous cou-vri-
-ra de gloi-re,

2,

Jeunes époux tendres amants
Pour un instant quittez vos belles
Reparaissés triomphants
Et vous serés plus dignes délles
Valeureux Français &c,

3,

Mesdames ce n'est que pour vous
Que nous voulons porter des chaines
Ecrasons ces tyrans jaloux
Seules soyés nos Souveraines
Valeureux Français, &c,

FIN,

Poirier, a songwriter from the Panthéon district, even suggested the enlisting of women, to the melody of « Vous aimables fillettes » (You friendly girls), from the *Ronde du Camp de Grand-Pré.*

LE DÉPART DES FILLES DE PARIS POUR L'ARMÉE

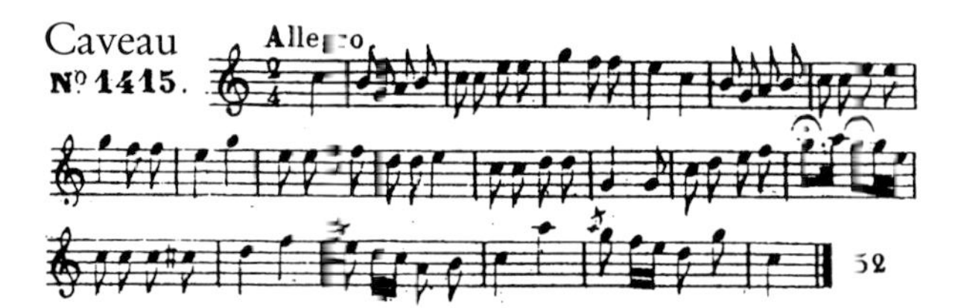

DÉPUTÉS de la France,
Lancez votre décret,
Acceptez d'importance
Des femmes le projet.
Marchons, puisqu'il faut vaincre
Nos fougueux ennemis ;
Défendons nos provinces
Et conservons Paris. *(bis)*
(...)
Ouvrez donc vos annales,
Voyez qu'en plusieurs temps
Femmes ont valu des mâles
Dans les combats sanglants.
Marchons, etc.
(...)

Vous, belles blanchisseuses,
Et couturières aussi,
Vous n'êtes point peureuses
De prendre un bon parti.
Marchons, etc.

Quittez vos pères et mères,
Suivez nos bataillons,
Votre noble colère
Fait que nous vaincrons.
Marchons, etc.
(...)

LES FILLES

Pour vaincre les despotes,
Adieu nos chers parents,
Nous portons la culotte,
C'est les femmes d'à présent.
Marchons, puisqu'il faut vaincre
Ces fougueux ennemis ;
Défendons nos provinces
Et conservons Paris. *(bis)*

The women played an important role in the Revolution and one not to be forgotten. Women participated in major demonstrations and in the people's committees. Their civic courage inspired the Montagnard Romme to ask the Convention to approve female suffrage the following April. It would be a century and a half before this request became a reality.

Most provinces were prepared to defend the Republic. Here is a letter sent in February to the Convention from the First Volunteer Battalion of Corrèze : « Citizen Legislators, some cowards announced Louis Capet's death as an extraordinary event, likely to start a civil uprising and cause a thousand miseries. We are in the most anti-revolutionary region in France and this act of justice has not caused the slightest sensation. The armies are unshakable in their principles. Free men accept only victory and scorn every danger ».

This letter was perhaps the inspiration for a patriotic song sometimes written in Limousin argot and, in Corrèze, called *La Marseillaise des paysans (Peasants' Marseillaise).* The song also spoke of the bitterness of the poorer peasants who supported the Republic, though they would be deprived of much needed manpower by the draft.

LOUS PAISANS

Its translation... LES PAYSANS

(Air : « Allant à la prairie, Isabeau »)

QUI travaille la terre ?
C'est bien toi.
Qui souffre la misère ?
Toujours toi.
Quand le soleil se lève,
Que le riche est au lit,
Qui travaille dans les champs ?
C'est bien toi, paysan !

Qui travaille la vigne ?
C'est bien toi.
Le soleil sur l'échine ?
Toujours toi.
Du vin tu n'en tâtes guère ;
Mais qui fait tous les ans
Le vin rouge et le vin blanc ?
C'est bien toi, paysan !

Qui va à la frontière ?
C'est bien toi.
Quand le drapeau se lève
Et qu'on crie : « En avant ! »
Qui marche en galopant ?
C'est bien toi, paysan !

There was also a 1793 « Marseillaise from Tulle » by Anne Vialle, a member of the Revolutionary Tribunal of Tulle, written on the occasion of the looting of an émigré's house, *Peschobilher lou noble (Puyhobilier le noble).*

François Célor published the words and music in his *Chansons populaires et bourrées recueillies en Limousin,* Brive 1904, p. 186-188.

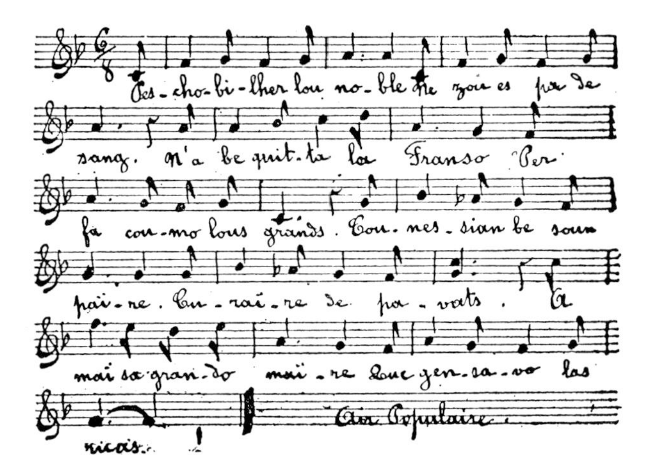

This satire also spoke of the people's resolution : « We shall make them see that we are no longer tenant farmers. We shall keep the grain in our granaries. If scarcity comes, we shall have grain and bread ; we shall not need to beg. We no longer fear their titles. We are now the masters — they no longer are. Nobility, tithing, rents — they are all gone. Nobility, clergy, our old enemies shall no longer be our masters. For them, it is over ».

The Vendée War

The Vendée countrymen felt completely different. Let us try to explain the motives which led them into a long, tragic civil war. The peasants were generally very religious and faithful to the King. For them, the urban middle class had seized national wealth and had profiteered in the Revolution. The draft brought back memories of forced conscription by the drawing of lots practiced during the Ancien Régime and it triggered an inflammatory reaction from the Vendée countrymen. It also encouraged counter-revolutionary propaganda by non-pledging priests and by the royalist party. To these factions, an attack by a foreign coalition gave hope for revenge. To cries of « Peace ! No shooting ! », the first anti-draft uprisings occurred in March 1793 at Cholet, Bressuire and Machecoul.

The Vendée war extended to neighboring regions. From the beginning it took on the terrible characteristic of a civil war. The countryside's scattered habitats and sunken roads facilitated surprise attacks and quick retreats. Though reluctant to fight far from their dairies, the Vendée rebels scored quick victories against the republican middle class and the National Guards, the « Bleus », sent to fight them.

Although the first Vendée leaders — Cathelineau and Stofflet — were humble people, by earl April, former officers of the nobility had joined their ranks. The most famous of these included Charette, Bonchamp, d'Elbée, Sapinaud and La Rochejacquelein.

On April 4th, the rebel leaders met at Sapinaud's house in the Bocage and formed a council of the royal Catholic army. On the 6th, the very day the Prussians laid siege to Mayence, this newly formed army blocked 20,000 French troops under Kléber's command. D'Elbée and Sapinaud turned to England and Spain : « For a month, there has been a state of counter-revolution. Our armies, led by God and sustained by our valiant country folk, have already conquered southern Anjou and Poitou. Calm would reign there, if our main cities did not have such a cursed Revolutionary spirit — which we could break if we received gun powder soon... »

Happily for France, the rebels were not able to seize the ports. Republicans from Sables-d'Olonne pushed them back. This made the support of British vessels and massive landings of émigrés difficult. During several months the Vendéens had major victories in the west. After Bressaire, Cholet, Machecoul and Parthenay, they seized Thouars on May 5th. Defeated outside Fontenay on the 16th, they captured the city on the 25th. On June 9th, they took Saumur, and by the 18th they threatened Angers. They failed on the 29th at Nantes, where Cathelineau was fatally wounded.

Armée Des Chouans,
Chant Du Départ,
Sur L'air ; Vous qui d'amoureuse Avanture

Vous qui Déchirez La france
ne perdez jamais Le dessein ;
Vous auteurs de notre Souffrance
Suppôts d'un regime assassin
fuyez,
décampez

Nantes under attack by the Vendéens, June 29, 1793.

Some songs made the Vendéens' real objectives very clear. Here is one selected from Charette's correspondence :

(Air : « Vous qui d'amoureuse aventure », sur lequel les Bleus chantaient : « Veillons au salut de l'empire »...)

ARMÉE DES CHOUANS
CHANT DU DÉPART

VOUS, qui de déchirer la France
Ne perdez jamais le dessein,
Vous, auteurs de notre souffrance,
Suppôts d'un régime assassin,
Fuyez,
Décampez,
Disparaissez, horde sauvage.
Cédez, cédez, aux enfants, aux vengeurs du pays
De ses forfaits, par le courage,
Déloyauté reçoit le prix.

Mais Dieu, dont la bonté suprême
Veille sur l'empire des lys,
Ne veut point qu'un peuple qu'il aime
Périsse par ses ennemis.
L'espoir,
Le devoir,
Le devoir des Français fidèles,
En tous les temps est de combattre pour les lois.
En exterminant les rebelles,
Vengeons Dieu, l'honneur et nos droits.

Que la même horreur pour le crime
Embrase tous les bons Français.
Que sous notre chef magnanime
Leurs bras partagent nos succès.
Venez,
Accourez,
Accourez, amis de la victoire,
Que de l'honneur la flamme échauffe les esprits,
De la valeur par la victoire
Avec nous méritez le prix.

A nos vœux bientôt va paraître
D'Henri Quatre l'auguste sang,
De notre légitime maître
Provence est le représentant
D'Artois,
A ta voix,
Secondant ton noble courage,
Nos cœurs, nos bras, t'aideront à relever les lys ;
De longs malheurs pour tendre hommage
Constance recevra le prix.

Noblesse illustre et malheureuse,
Qui perdiez, loin de vos soldats,
Une existence précieuse,
Venez, guidez-nous aux combats.
Les droits
De nos rois
Seront assurés par les nôtres,
Et par devoir et par un mutuel retour,
Nous vous garantissons les vôtres
Par nos respects et notre amour.

This other song was discovered in the wallet of a parish leader killed on May 16 during a patrol incident, probably at the Fontenay skirmish. Reproduced here in its original patois, note that the Poitevin rebels also used the melody of La Marseillaise.

LE CHANT DES BLANCS

ALLONS armée catholique
Le jour de gloire est arrivé
Contre nous de la République
L'étendard sanglant est levé *(bis)*
Otendez vés dans quiés campagnes
Les cris impurs des scélérats ?
Gle nenans jusque dans vos bras
Prendre vos feilles et vos femmes.
Aux armes Poitevins ! formez vos bataillons,
Marchez, marchez, le sang des Bleus rogira vos seillons.

(...)

On March 19, the Convention unanimously proclaimed the death penalty for armed rebels. But only on April 27 did Danton decide to send Parisian battalions to Vendée. These soldiers left us two songs expressing their fury. The first song was anonymous. The second was by Pierre Colau of the Bonne-Nouvelle district :

LA CHASSE AUX REBELLES
DANS LE DÉPARTEMENT DE LA VENDÉE
ET AUTRES

(Air : « Vous aimables fillettes ». Cav. n° 1415)

PARTONS pour la Vendée,
Chassons tous ces brigands,
Qu'une puissante armée
Écrase ces tyrans,
Que tous ces infidèles
Périssent par nos mains ;
Poursuivons ces rebelles
En vrais républicains.

(...)

Au combat pleins de charmes
En braves Parisiens,
Volons tous sous les armes
En vaillants citoyens. Etc.

(...)

Vous, fiers aristocrates,
Ah ! redoutez nos bras,
Chassons nos automates
De moines, de prélats. Etc.

(...)

bis Oui, le sang crie vengeance
De nos braves héros ;
Punissons l'insolence
De tous ces noirs bigots. Etc.

(...)

Vive la République,
Vive l'Égalité,
Point de loi tyrannique,
Vive la Liberté.

HIMNE AUX PARISIENS
Qui partent pour la Vendée.
Air, des Marseillais.
Chez FRERE Passage du Saumon,
Pa-ri-siens, la trom-pette son- -
-ne, par-tout on en-tend le tam- -bour,
partez, c'est la Loi qui l'or-don-ne al-lez
lui prouver vottre a-mour, al-lez lui prou-
-ver vottre a-mour, de la Li-berté mena-
-cé-e vous seuls raffermirez l'autel, a
venger son Culte immor-tel montrez
vottre ardeur em-pres- -sé- -e; Aux
ar- -mes Pa ri siens! malgré les intri-
-gans Marchez, mar-chez, que vot-tre
nom, soit l'ef-froi des bri-gands.

2,
Oui de l'amour de la Patrie
Le feu Sacré brule en vos cœurs,
Par lui d'une horde flétrie,
Citoyens vous serez vainqueurs. (bis
Que tous ceux qui veulent des maitres
Des Rois! pour vous objet d'horreur,
Déployant en vain leur fureur
Expire de la mort des traitres;
Aux armes Parisiens! &c.

3.
Puisse la paix dans la Vendée
Renaitre a vottre seul aspect,
Que la ligue déconcertée,
Soumise et pleine de respect, (bis
Sortant de l'état de démence,
Cessant d'être rébelle aux Loix,
Au lieu de braver vos Exploits
S'abbandonne a vottre clémence;
Aux armes Parisiens! &c.

4
Vive a jamais la République!
Vive a jamais ses Défenseurs,
Ceux dont le sentiment s'explique,
Qui ne veulent plus d'oppresseurs: (bis
Vous de Dumouriez les complices,
Tremblez infames scélérats,
L'égalité lève son bras!
Monstres redoutez les suplices!
Aux armes Parisiens! &c.

Par le Citoyen Pierre Colau

In May, the Assemblée decided to transfer regular border troops to Vendée. For several more months, the « Bleus » suffered defeats. In these difficult months of 1793, a printer from Blois, J.-F. Billault, published a song which I have not found elsewhere.

The melody was « Salut de l'Empire » (The empire's health). The lyrics were written by a young patriot, Vialla, who called himself Brutus after Junius Brutus, who put an end to the tyranny of the Tarquins and founded the Roman Republic in 500 B.C.

RECUEIL

DE CHANSONS PATRIOTIQUES.

RÉSOLUTION

DU VRAI PATRIOTE.

Aux Républicains qui combattent les ennemis de la Vendée.

Même air.

Suivons le sentier de la gloire,
Qu'elle précipite nos pas ;
Déjà j'entrevois la victoire
Voler et nous tendre les bras :
Avançons, avançons, que tout cede à notre courage ;
Écrasons, sous nos coups, le fanatisme révolté,
Et que la mort soit le partage
De qui combat la Liberté. (*bis.*)

Au seul nom de la République,
Que tous nos cœurs soient embrâsés ;
De cette horde despotique
Sappons les projets insensés.
Avançons, avançons, &c.

Si quelqu'un de nous rétrograde,
Et s'enfuit devant l'ennemi,
Qu'à l'instant de tout camarade
Il reçoive la mort pour prix.
Avançons, avançons, &c.

C'est à nos bras que la Patrie
A confié ses intérêts ;
Amis, notre gloire est flétrie,
Si nous n'atteignons aux succès.
Avançons, poursuivons, redoublons d'efforts et de courage ;
Écrasons sous nos coups le fanatisme révolté ;
Allons trouver, dans le carnage,
La mort ou bien la Liberté. (*bis.*)

Par Brutus Vialla.

On July 19, the « Great Vendée army » reorganized. D'Elbée has himself elected commander-in-chief and Stofflet, major-general. Charette continued to remain unaligned. His army had a special song praising its own leaders. Many versions exist. One variation was published by Abbé Deniau in his *Histoire de la Vendée (History of the Vendée).*

This original song should not be mistaken for the famous Chanson de M. de Charette, *a showpiece composed by Paul Favé... in 1853 and not in 1793 !*

« Monsieur d'Charette
a dit à ceux d'Anc'nis : *(bis)*
Mes amis !
Le Roi va ramener les fleurs de lys.
Prends ton fusil, Grégoire,
Prends ta gourde pour boire,
Prends ta Vierge d'ivoire.
Nos Messieurs sont partis
Pour chasser la perdrix ».

CHANSON DE L'ARMÉE DE CHARETTE

LA Vendée pour défense
A ses divisions :
Les soutiens de la France
Battront la Nation.
En avant, bombardiers,
Artillerie
Sont tout prêts à danser
La symphonie.

Ce Canclaux, général
De ces Républicains
Avec son air brutal,
Croit battre les chrétiens.
Mais son coup est manqué,
Pour le certain
Nous l'avons bien chassé
De ce terrain.

Dans toutes les provinces,
Vous savez que l'on dit
Qu'un vengeur de nos princes
Commande le pays.
Il se nomme Charette !
Vive son cœur !
Chantons tous à tue-tête :
« Gloire et honneur ».

Cet ami du Monarque
A déjà grand renom :
Lui seul, il fait obstacle
A tout'la Nation
Jusques en Angleterre
On l'applaudit,
Aussi sur la frontière,
Même à Paris.

Dans les jours de bataille,
Sans penser au trépas,
Il brave la mitraille,
Comme un simple soldat.
Que toute notre armée
Chante avec moi :
Dieu nous l'a conservé...
« Vive le Roy ».

Il court avant l'attaque,
A tous ses commandants :
« Que chacun le remarque,
« Mettez-vous sur huit rangs.
« En avant, grenadiers,
« Ne craignez rien,
« Au galop : cavaliers,
« Le sabre en main ! »

Parlons des renommées...
Commençons par Guérin
En tête des armées,
Le drapeau dans la main :
« En avant, Maraichins,
« Mes cavaliers
« Mettez le sabre au poing
« Et me suivez.

A Louis Guérin la gloire
De la division.
Avec lui la victoire
N'est jamais en question.
Ajoutons-y Rezeau.
N'oublions pas
Le valeureux Caillaud
Dans les combats.

La parole inspirée
Du plus jeun' des Guérin
Faisant rire l'armée
Chantait aux citoyens :
« Vous crevez dans vos villes,
« Maudits patauds,
« Tout comme les chenilles ;
« Les patt' en haut ! »

Joly commande en maître
Dans les champs de Légé ;
C'est un grand caractère,
Qui n'a jamais tremblé !
Qui pourrait demeurer
Dans ce pays
Sans les soldats de Retz,
Sans vous, Joly ?

Du jeune La Robrie
Chantons le beau chapeau,
Sa plumette jolie
Qui brave les patauds
Comme un foudre de guerre,
Le sabre en main
Il fout les bleus par terre
Comme des chiens.

Savin et La Robrie
Sont deux hommes de cœur
Chargeant avec furie
Suivis de Lecouvreur.
Quand on les voit en tête
Portant le drapeau
Ils vont comme à la fête :
Rien de si beau !

Desnorois, le grand homme !
Jamais sous le soleil
On n'verra dans le monde
Paraître son pareil.
Crions tous à outrance
Vive Launay !
Ce soutien de la France
Est bon Français.

Pajot est à la tête
De sa division.
Il dit : « Vive Charette !
À bas, la Nation ! »
Ériau crie aux bleus,
Montrant le poing :
« Au diable tous ces gueux !
L'enfer les tient ».

C'est le brave Lemoëlle
Et sa division,
Livrant souvent bataille
À l'entour de Luçon.
Il brave tout danger
Sous ses drapeaux,
Ne fait aucun quartier
À tous patauds.

Le brave de Couëtus
A la tête des siens
Avec Monsieur de Bruc
Excite les chrétiens,
Comme les siens fidèle
À la vraie foi.
Il crie à pleine tête :
« Vive le Roy ! »

Dans notre belle armée
Tout y est bien conduit,
Il y a garde montée
Tant le jour que la nuit.
Le clairon, la trompette,
Tambourinier,
Tous battent la retraite
Après souper.

C'est là la symphonie
D'un jeune officier,
Première compagnie
Des braves cavaliers.
Est-elle à votre gré ?
J'en suis content,
Et que chaque officier
En fasse autant.

This period was full of threats to the « one and indivisible » Republic. We will talk later about the foreign coalition's successes and the threat of Girondin federalism. Let us briefly recall here the defeats sustained in Belgium and in the Rhineland, and the risk of other Vendées. Lyon rebelled at the end of May. Toulon fell into royalist hands. (They would hand over the port to the British on August 27th). The concern expressed by the Convention in July was easily understandable, as was the highly criticized speech given by Barère : « The Vendée is the foreign enemy's hope and the rallying point for our internal enemies... We must strike here with a single blow to defeat them. Destroy the Vendée, Valenciennes and Condé shall no longer be in Austria's grasp... The Rhine shall be freed from the Prussians... Destroy the Vendée ! And Lyon shall hold out no longer ».

On August 1st the Convention ordered the French army, who had had to evacuate Mayence, to fight in the Vendée. On August 14 outside Luçon, after adapting to the ambush fighting in the Vendée, the Republic soldiers defeated the Vendée's « Grande Armée » and Charette's reinforcements. Then they routed Charette's army at Montaigu on September 16. This frightful war was still not over and would for a long time drag on, with all its atrocities and the calls for revenge.

Brusle sang a « Carmagnole » on September 28 at the Conseil général de la Commune in Paris and later published it in his *Affiches :*

LA CARMAGNOLE DE LA VENDÉE

PATRIOTES, réjouissons-nous,
L'armée d'Mayence est avec nous ;
Elle est v'nue nous aider
À purger la Vendée.

Dansons la Carmagnole,
Vive le son, vive le son,
Dansons la Carmagnole,
Vive le son du canon.

Puisque nous sommes réunis,
Tuons les brigands du pays ;
Ne faisons pas d'quartier,
Tuons jusqu'au dernier.

Camarades, il nous faut venger
Nos frères qui sont égorgés ;
Ne perdons pas de temps,
Tombons sur les brigands.

Oui, dès demain nous commençons ;
C'est pour arroser nos sillons
Que le sang des brigands
Va couler à l'instant.

Non, nous ne reculerons pas,
Il faut en finir c'te fois-là ;
Malheur à qui fuira
Ou qui nous trahira.

Quand il n'y aura plus d'brigands,
Nous nous en irons en chantant,
Au nord et au midi
Tuer nos ennemis.

La République nous jurons,
Son unité nous maintiendrons ;
Mort aux fédéralistes,
A tous les royalistes.
Dansons la Carmagnole, etc.

Dumouriez's Treason

Let us examine some of the other events which followed the decision to raise 300,000 volunteers.

In March, Dumouriez, acting as a proconsul in Belgium, ventured into Holland, as far as Breda. He then had to retreat and was defeated by Saxe-Cobourg at Neer-Winden on March 18 and at Louvain on the 21st. Dumouriez was backed by the Girondins but was criticized by Robespierre and Marat. Like La Fayette not long before him, he spoke of marching on Paris to rid the city of the Jacobins. On the 30th, the Convention sent the minister of War Beurnonville, and four commissioners to meet with Dumouriez. Dumouriez arrested them and handed them over to the Austrians. When the Convention declared him a criminal, Dumouriez deserted. This ambitious soldier, famous for his heroism at Valmy and Jemapps, deserted the northern army which he had not been able to lead against Paris. On April 5th, he defected to the enemy.

Bread rationing.

The Law of the Maximum

In Paris and other cities, the people were crushed by economic hardships. They complained about the high cost of living and the racketeers who created shortages for their profit. As Jean-Bon Saint-André wrote in his March 26 letter to Barère, financial unrest affected people of every class and every political persuasion. « The holy enthusiasm for Freedom is stifled in every heart. Everywhere people are tired of the Revolution. The rich hate it, the poor lack bread and they have been convinced that they should blame us... The poor have no bread. Grain is abundant but locked away. It is imperative that the poor be fed if they are expected to help complete the Revolution. In exceptional cases, one need only follow the greater dictate of public welfare ».

In a much less political vein, a street-singer echoed the people's discontent in the melody « Riches chanoines » (Rich canons) and « La Lanterne » (The lantern).

LA GRANDE COLÈRE DU PEUPLE CONTRE LES ACCAPAREURS EN TOUT GENRE

FAISONS la guerre à ces accapareurs,
Qui sur la terre commettent tant d'horreurs ;
Puisque tous ces coquins,
Ces monstres inhumains,
Causent notre ruine,
Qu'ils aient pour destin la guillotine.

Notre cité, que l'on nomme Paris,
Est ravagée par beaucoup d'ennemis ;
Oui, ce sont ces trompeurs
Qui font tous nos malheurs :
Ils sont nos plus grands traîtres,
Tâchons de ces voleurs d'être les maîtres.
(...)

Chacun pratique cet infâme métier,
Gens de boutique, ci-devant financiers ;
L'arrogant épicier
Après lui faut crier,
Voyant que par malice
Il vous fait payer à son caprice.
(...)

Quelle est l'excuse d'un marchand boulanger,
Ce n'est que ruse qu'il peut nous alléguer ;
Le fourbe, le sournois,
Vend son pain à faux poids,
Et d'un air équitable
Il nous met aux abois, le misérable.
(...)

Marchands pour bouche, que je viens de nommer,
Comme Cartouche vous ont pillés, volés ;
Parlons présentement
De ceux pour vêtement ;
Si j'en crois l'étiquette,
Ils ne sont sûrement pas plus honnêtes.
(...)

Vous, vénérables messieurs les cordonniers,
C'est détestable de payer des souliers
De dix à douze francs ;
Comment les pauvres gens
Y pourraient-ils atteindre ?
Quel fâcheux contre-temps, qu'on est à plaindre !

On May 1st, the Sans-Culottes of the Saint-Antoine faubourg and women from Versailles came to the Convention to present their demands. The Convention finally admitted the petitioners to the meeting.

Feeling that the people were justified, la Montagne decreed a price ceiling on grain, later called the *Premier maximum (the first maximum)*. Ever alert for a timely topic, Ladré produced these optimistic verses :

CHANSON SUR LE MAXIMUM

(Air : « Qu'en voulez-vous dire ? ». Caveau n° 456)

BRAVES Français, consolons-nous,
A juste prix nous allons boire,
Et sur les tigres et les loups
Nous remporterons la victoire.
La vraie justice est nobseum,
Calotins, chantez Te Deum,
Moi, je chante le Maximum
Que l'on voit en France,
J'en ris quand j'y pense,
De la loi c'est un beau factum
Que ce bienfaisant Maximum.
(...)
Le blason est enfin vaincu.
Le rabat branle dans la manche,
La théologie est à cul,
La loi ne veut plus de dimanche.
Tout leur fanatique opium
Et leur Dominus vobiscum,
Ne valent pas le Maximum
Que l'on voit en France,
J'en ris quand j'y pense,
Les décades nous fêterons,
Et les calotins nous fuirons.

Vous, avides négociants
Qui cherchiez à nous faire battre,
Et vous, Messieurs les gros marchands,
Notre loi vous force à rabattre.
Des magasins vous entassiez
Et toujours vous renchérissiez,
Mais vous voilà bien attrapés.
Qu'en voulez-vous dire ?
Vous n'en pouvez rire ;
Il faut suivre le Maximum,
Ah ! de la loi quel beau factum !

Et vous, Messieurs les gros fermiers
Qui murmurez de la loi sage,
Il faudra de vos pleins greniers
Par force en faire un bon usage.
Sachez que la terre est à nous !
Si vous travaillez, c'est pour tous !
Et non pas seulement pour vous.
L'homme qui spécule
Est un ridicule
Qui ne veut enrichir que lui,
Mais la loi du peuple est l'appui.

On verra, sur tous les chemins,
L'armée révolutionnaire
Qui rangera tous les mutins
En les obligeant à bien faire.
La guillotine la suivra,
Les magasins on fouillera,
Celui qui se mutinera
On fera sa fête
En coupant sa tête.
Il vaut beaucoup mieux obéir,
Que de se faire raccourcir.

Eh bien, Français, que dirons-nous
Des hommes de notre Montagne ?
Ne travaillent-ils pas pour tous ?
La justice les accompagne,
Ils soutiennent l'égalité,
Ils veulent la fraternité
En abolissant la cherté,
Frappent sur le riche,
Qui trop fort nous triche,
Peut-on voir un plus beau factum
Que le bienfaisant Maximum ?

1. June 2, 1793.

The Days of May 31st and June 2nd

More serious political disagreements divided the Girondins and the Montagnards, the latter supporting the Sans-Culottes.

On May 31, the Commune and the districts of Paris decided to re-enact the insurrection of August 10, 1792. The alarm was sounded and a general call made. Petitioners crowded around the gates of the Convention. Thousands of demonstrators circled the area. The Girondins, still influential in the Assemblée, defeated on that day the principal public welfare measures under discussion. For the Sans-Culottes, it was a partial defeat.

2. Marat's triumph.

On Sunday, June 2nd, having gathered more support, the rebellion was better prepared. At the head of 80,000 National Guards, Henriot surrounded the Convention. A delegation demanded the arrest of the Gironde leaders. The deputies were not able to hold back the armed insurgents. Henriot cried, « Gunners, to your canons ! » The Convention members were forced to resume their meeting. There a majority of Montagne and Plaine deputies voted for the arrest of 29 deputies and 2 Girondin ministers. While under house arrest, another twenty would escape to the provinces.

Ladré spoke of the insurrection in a sort of allegory in honor of Marat, whom the Girondins had attempted to condemn sometime earlier.

L'INSURRECTION DU 31 MAI

(Air : « Valeureux Français » = « Hymne des Français », noté p. 116)

VOUS, traîtres Français,
Tremblez à ma voix,
Malgré votre grimoire,
La Liberté saura braver
Votre malice noire.

Parmi nous est un malin rat,
Qu'enfanta la sainte Montagne,
Il sait vaincre le plus gros chat,
En ville ainsi qu'à la campagne.
Vous...

Sur la montagne ou dans son trou
Il découvre toutes vos trames ;
Quoique l'on dise qu'il est fou,
Il est soutenu de nos lames.
Vous...

On voit jusque dans le sénat
Régner l'intrigue et la discorde ;
Ils voudraient détruire le rat,
Mais il ne craint pas qu'on le morde.
Vous...

Tous les tyrans et leurs suppôts
Auront beau faire, auront beau dire,
En déjouant tous leurs complots
Le peuple uni n'en fait que rire.
Vous...

P. Lelu del. et Sculp.

LE TRIOMPHE DE LA MONTAGNE

Sur un Char civique sont placées LA LIBERTÉ ET L'EGALITÉ, la Liberté porte l'emblême de la Montagne sur la quelle est écrit VIVRE LIBRES OU MOURIR, derriere elle est un jeune Chêne portant cette inscription, VERITÉ ET RAISON. la FELICITÉ PUBLIQUE, tenant une Corne d'abondance et un Rameau d'olivier est assise en avant dans le même Char, Sur le Faisceau National; Mercure symbole de l'intelligence et de l'activité, conduit les Coursiers, et dirige leur marche; tandis qu'Hercule et Minerve exterminent les monstres divers, qui sous différents masques vouloient nous ravir la Liberté. Le fond du tableau represente un Soleil levant.

Ce vend à Paris chez l'auteur, Rue St. Jacques vis-à-vis le Collége de l'Egalité N° 6:4.

The Girondins Fight Against the Convention

The Girondins still enjoyed support from the upper middle class in the provinces and from those who feared for their property and their profits. Moderate deputies who had protested against the June 2nd arrests soon joined their twenty escaped colleagues.

The Girondins strove to have the departments rise up against Paris, creating a dangerous federalist movement. Caen served as its provisory capital. Committees formed in Normandy, Brittany, the South West, the Midi and the Franche-Comté. They created special courts to judge Jacobin patriots. They took control of entire districts. They closed the societies and even tried to raise troops.

Bordeaux, Caen, Nîmes and Marseilles fell into Girondin hands after Lyon and Toulon. In one month, sixty departments rebelled against the Convention. Still, Toulouse and the border departments remained loyal to it.

One of the most famous episodes of this period was the death of Joseph Agricol Viala, a 13 year old Avignon patriot and nephew of the Jacobin Agricol Moreau. The boy had joined the army when the Marseille federalists menaced Avignon, still loyal to the Convention. The people of Vaucluse had not had enough time to destroy the Bonpas ferry. On July 8, the Marseille soldiers, under cover, were using it to cross the Durance.

As young Viala tried to cut the ferry cables, the Federalists shot him and when they crossed the river bayoneted him to death.

In February 1794, news of the boy's heroic act, already well known locally, spread to Paris via a letter from Moureau to Robespierre. At this point Viala became linked to another young hero, Bara, who had been massacred by the Chouans in December, 1793. On May 7, 1794, the Convention voted the Panthéon honors for Viala and Bara. We will say more about this later. Here is the ballad written by Devienne to lyrics by Coupigny of the Naval Office :

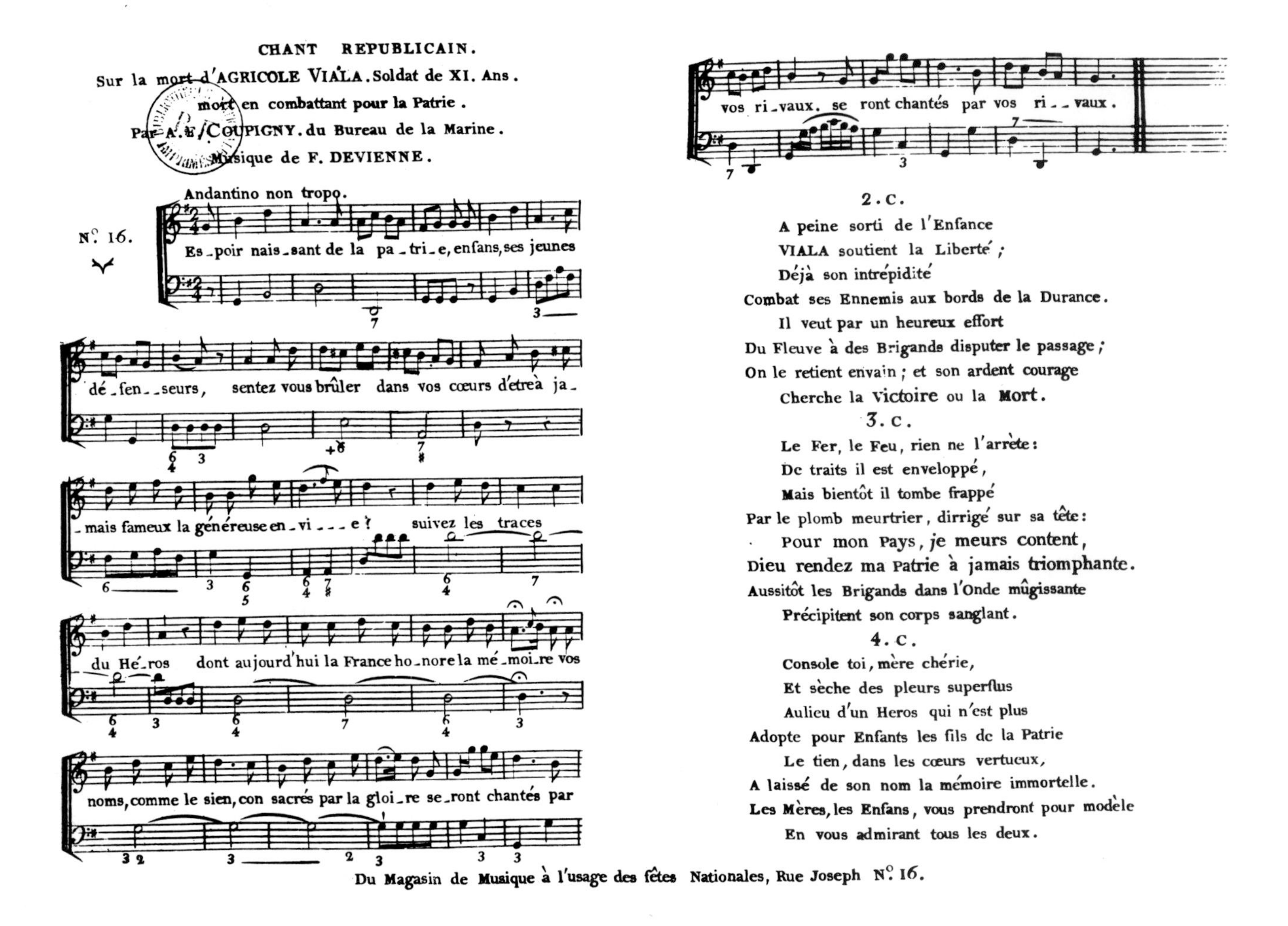

CHANT REPUBLICAIN.
Sur la mort d'AGRICOLE VIALA. Soldat de XI. Ans.
mort en combattant pour la Patrie.
Par A. E. COUPIGNY. du Bureau de la Marine.
Musique de F. DEVIENNE.
Andantino non tropo.
N°. 16.
Es_poir nais_sant de la pa_tri_e, enfans, ses jeunes dé_fen__seurs, sentez vous brûler dans vos cœurs d'être à ja_mais fameux la généreuse en_vi___e? suivez les traces du Hé_ros dont aujourd'hui la France ho_nore la mé_moi_re vos noms, comme le sien, con sacrés par la gloi_re se_ront chantés par vos ri_vaux. se ront chantés par vos ri__vaux.
2. C.
A peine sorti de l'Enfance
VIALA soutient la Liberté;
Déjà son intrépidité
Combat ses Ennemis aux bords de la Durance.
Il veut par un heureux effort
Du Fleuve à des Brigands disputer le passage;
On le retient envain; et son ardent courage
Cherche la Victoire ou la Mort.
3. C.
Le Fer, le Feu, rien ne l'arrète:
Dc traits il est enveloppé,
Mais bientôt il tombe frappé
Par le plomb meurtrier, dirrigé sur sa tête:
Pour mon Pays, je meurs content,
Dieu rendez ma Patrie à jamais triomphante.
Aussitôt les Brigands dans l'Onde mûgissante
Précipitent son corps sanglant.
4. C.
Console toi, mère chérie,
Et sèche des pleurs superflus
Aulieu d'un Heros qui n'est plus
Adopte pour Enfants les fils dc la Patrie
Le tien, dans les cœurs vertueux,
A laissé de son nom la mémoire immortelle.
Les Mères, les Enfans, vous prendront pour modèle
En vous admirant tous les deux.
Du Magasin de Musique à l'usage des fêtes Nationales, Rue Joseph N°. 16.

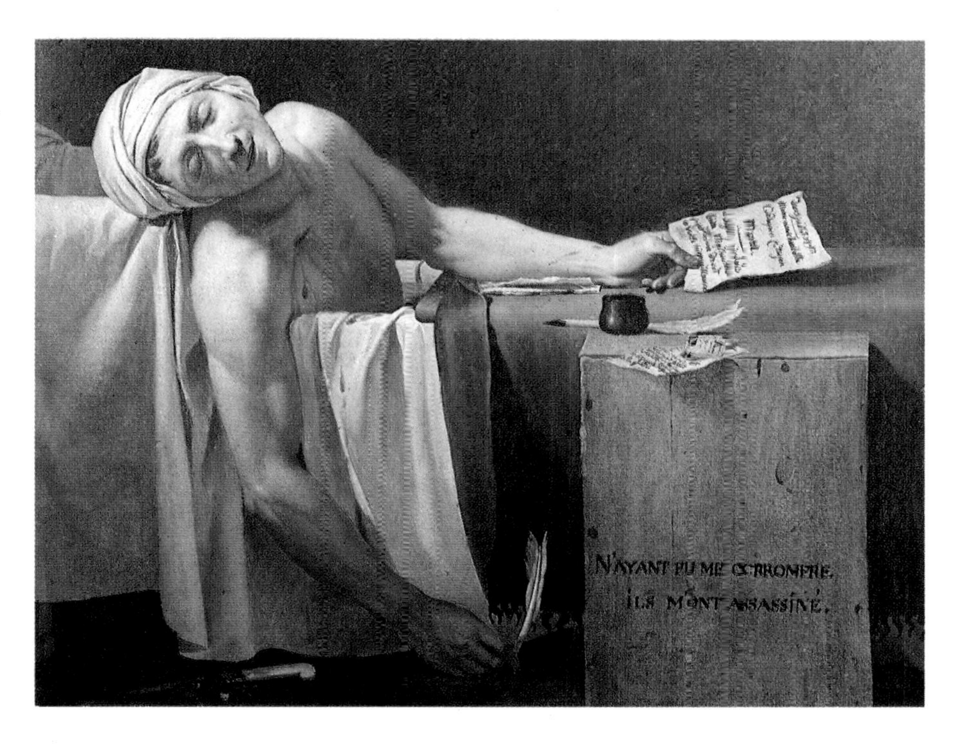

Marat's death by Louis David.

In July, the Revolution honored another pair of martyrs as the songs of Lepeletier-Saint-Fargeau testify : Chalier, beheaded on the 17th by counter-revolutionaries in Lyon ; and Marat, stabbed on the 13th by Charlotte Corday, a young royalist from Caen.

The Girondins of Caen had persistently demanded the « monster's » death. The funeral of the « People's Friend » was quietly celebrated. Marat's death inspired many songs, among them an anonymous lament, sung to the melody of « Pauvre Jacques » :

COMPLAINTE
SUR LA MORT DE MARAT
Air Du Pauvre Jacques
Chez FRERE Passage du Saumon
94
Peuple, pleu-rons, notre a-mi ne vit
plus, cé-toit l'appui de l'in-di-gen-ce,
pleurons Ma-rat, pleurons sur ses ver-tus,
pleu-rons notre seule es-pé-ran-ce.
pleu-rons notre seule es-pé-ran-ce.
Le pauvre en lui trouvoit un bien-fai-teur,
il ne faisoit d'autre dé-pen-se, il en é-
-toit toujours le défen-seur, il trouvoit là sa
ré-com-pen-se.

Il étoit chaud, ardent Républicain,
Ne soutenant que sa Patrie.
Il denonçoit l'intriguant, le coquin,
En dévoilant sa perfidie. (bis)
A la tribune on voyoit l'Orateur

Il instruisait chaque jour son pays
Par ses sentiments intrépides ;
Il démasquait les traîtres à Paris
Et leurs complots les plus perfides. *(bis)*
Oui, c'est de Caen, pour ce fatal projet,
Qu'exprès une fille est venue
Exécuter à Paris son forfait,
Même à la première entrevue.

Elle arriva, vit Marat dans son bain,
Et là, d'une main meurtrière,
Elle enfonça son couteau dans son sein ;
Sitôt il ferma la paupière. *(bis)*
On la saisit, puis on l'interrogea,
En lui faisant voir sa victime ;
Elle répondit qu'il le mérita,
Qu'elle se vengeait par ce crime.

Cinq jours après ce fut sur l'échafaud
Qu'elle fit voir son âme altière,
Elle mourut de la main du bourreau,
Ne démentant point son caractère. *(bis)*
Faut-il périr près d'arriver au port ?
Marat termine sa carrière
Quand l'attendait un agréable sort,
L'honneur pour prix de son salaire.

[1] « A Jacobin schoolmaster : Germain Le Normand... » See Dominique Julia's article in *L'État de la France pendant la Révolution,* p. 126-128, La Découverte, Paris, 1988.

Fortunately, the opponents of the Montagne divided quickly. The most honest ones refused royalist support and feared the Vendée rebellion as much as they did a foreign invasion. In July, they might have expected the worst. The Duke of York at the head of 35,000 men attempted the siege of Dunkerque, and Cobourg. Austrian troops battered the strongholds of the North – Condé, Valenciennes, Le Quesnoy and Mauberge. Custine immobilized the northern army. The Prussians secured Mayence. All of the Republic's armies were in retreat.

The Convention and patriots reacted strongly. The Girondin army threatened Paris from their position in Normandy. On July 13, the day Marat was assassinated, several thousand men raised from the Parisian districts scattered the Girondin army at Pacy-sur-Eure. The Girondin leaders quickly abandoned Caen.

Reconquering other areas was sometimes long and costly. Loyal troops liberated Avignon and Marseille on August 25th. Bordeaux was not retaken until September 18. Only after real sieges did Lyon fall on October 9th and Toulon on December 19th. With the fate of the nation at stake, the repression was all the more terrible. In Lyon, royalists called upon the King of Sardinia to reoccupy the Savoie. In Toulon, royalists gave the city and armory to the British.

The Constitution of Year I

These political and military events were taking place while the Convention, having modified a version of Condorcet's draft, adopted on June 24 a new constitutional act that would be submitted to popular ratification. The 1793 Constitution or Constitution of Year I has been considered the most democratic of the Republic's constitutions. The new Declaration of the Rights of Man and of Citizen served as the preamble which contained two articles not in the 1789 document :

– *Article I.* The purpose of society is shared joy. The Government is created to guarantee man the pleasure of his natural and unalienable rights.

– *Article XXXV.* When the government violates the rights of the people, rebellion is the most sacred and indisputable of duties of the people, and of each segment of the people.

Discussion of the Constitution all across France naturally gave birth to songs.

Here is one by Germain Le Normand[1], secretary of the Society of the Friends of the Constitution and principal of Rouen's public schools :

HYMNE

*Sur l'acceptation de l'*Acte constitutionnel *du* 24 *Juin* 1793,

L'an ſecond de la République une & indivisible des François.

Chant des Marseillais.

JE vous annonce la nouvelle
De notre Constitution !
Amis, cessons toute querelle,
Chantons la paix et l'union. *(bis)*

Nous voilà sûrs de la victoire :
Vive la sainte Égalité !
Sans elle notre Liberté
N'eût eu qu'un vain nom dans l'histoire.

Rendons-nous, Citoyens, dans notre Section ;
Signons *(bis)*, signons-y TOUS la Constitution.

Pour terminer l'affreuse guerre
Qui désole notre Pays,
Pour rendre la paix à la terre,
Soyons frères, soyons unis.
Nous voilà... etc.

Soldats français, Peuple de braves,
Notre Patrie est en danger ;
Des millions de vils esclaves
Sont tous armés pour l'outrager.
Nous voilà... etc.

(...)

Ô nous que la Patrie appelle,
Nous en qui seuls elle a recours !
Sachons nous rendre dignes d'elle,
Marchons, volons à son secours.
Nous voilà... etc.

Discorde, en vain jette ta pomme,
Nous ne connaissons plus ta voix :
Tout homme est l'égal d'un autre homme
Par sa nature et par ses droits.
Nous voilà... etc.

(...)

Républicains, rendons hommage
A nos sages Législateurs,
Notre Loi, leur sublime ouvrage,
Nous prépare mille douceurs.
Nous voilà... etc.

On July 5 at the Convention, Chénard of the Opéra-Comique and Narbonne of the Comédie Italienne sang this verse to the tune of « La Marseillaise » :

CITOYENS chers à la patrie,
Nous venons vous offrir nos cœurs,
Montagne ! Montagne chérie,
Du peuple les vrais défenseurs, *(bis)*
De vos travaux la République
Reçoit sa Constitution,
Notre libre acceptation
Vous sert de couronne civique.
Victoire, citoyens, gloire aux législateurs,
Chantons *(bis)*, leurs noms chéris sont les noms des vainqueurs.

Homages to the Montagne and the Sans-Culottes multiplied. The actor, Aristide Valcour, performed this one on July 7 at the Société des Jacobins :

CHANSON DES SANS-CULOTTES

(Air : « C'est ce qui me console ». Caveau n° 428, note p. 53)

AMIS, assez et trop longtemps.
Sous le règne affreux des tyrans,
On chanta les despotes, *(bis)*
Sous celui de la Liberté,
Des lois et de l'Égalité,
Chantons les sans-culottes. *(bis)*

Si l'on ne voit plus à Paris
Les insolents petits marquis,
Ni tyrans à calottes, *(bis)*
En brisant ce joug infernal,
Si le pauvre au riche est égal,
C'est grâce aux sans-culottes. *(bis)*

Leurs fronts à la terre attachés,
Dans la poussière étaient cachés
A l'aspect des despotes. *(bis)*
Levons-nous ! ont-ils dit un jour,
A bas, Messieurs ! chacun son tour,
Vivent les sans-culottes ! *(bis)*

Malgré le Quatorze Juillet,
Nous étions trompés, en effet,
Par de faux patriotes. *(bis)*
Il nous fallait la Saint-Laurent,
Et de ce jour l'événement
N'est dû qu'aux sans-culottes. *(bis)*

Ce jour fit reculer Brunswick,
Donna la chasse à Frédéric,
A tous les nulsifrottes : *(bis)*
Adieu leur voyage à Paris !
Mais pourquoi n'avaient-ils pas pris
Conseil des sans-culottes ? *(bis)*

La tête de Capet tomba.
Son sceptre d'airain se courba
Devant les patriotes ; *(bis)*
Au règne désastreux des rois
Succéda le règne des lois
De par les sans-culottes. *(bis)*

Dumouriez voulut à son tour
À Paris venir faire un tour
Contre les patriotes. *(bis)*
C'est que Dumouriez n'avait pas
Prévu que ses braves soldats
Étaient des sans-culottes. *(bis)*

Des traîtres siégeaient au Sénat,
On les nommait hommes d'État,
Ils servaient les despotes. *(bis)*
Paris en masse se leva,
Tout disparut ; il ne resta
Que les vrais sans-culottes. *(bis)*

De la Montagne sans effort
Sortit à l'instant ce trésor,
L'espoir des patriotes. *(bis)*
Car, mes amis, à qui doit-on
Enfin la constitution ?
Aux membres sans-culottes. *(bis)*

La première offerte à nos yeux
Était faite pour ces messieurs,
Bas valets des despotes. *(bis)*
Celle-ci veut l'Égalité,
Consolide la Liberté,
Et tout est sans-culottes. *(bis)*

Nous l'acceptons avec transport,
La maintiendrons jusqu'à la mort,
En dépit des despotes. *(bis)*
Amis, leur règne va cesser,
Et le nôtre va commencer :
Vivent les sans-culottes ! *(bis)*

Valcour's performance prompted an ironic retort using the same tune with lyrics probably by Despréaux, songwriter from the théatre du Vaudeville :

REMETTEZ VOS CULOTTES

R'HABILLEZ-VOUS, peuple français,
Ne donnez plus dans les excès
De nos faux patriotes, *(bis)*
Ne croyez plus qu'aller tout nus
Soit une preuve de vertu,
Remettez vos culottes !

Méfiez-vous de l'intrigant
Vantant le costume indécent
De nos faux patriotes, *(bis)*
Ne poussez plus la liberté
Au point d'être déculottés,
Remettez vos culottes !

Distinguez de l'homme de bien
Le paresseux et le vaurien
Et les faux patriotes. *(bis)*
Gens habiles, laborieux,
Ne vous déguisez plus en gueux,
Remettez vos culottes.

Jamais ne jugez sur l'habit
Du sot, ou de l'homme d'esprit
Et des faux patriotes, *(bis)*
Banquiers rentiers, riches marchands,
Feraient périr mille artisans,
S'ils allaient sans culottes.

N'imitez plus, il en est temps,
Ces populaires charlatans
Pillant les patriotes. *(bis)*
Dieu fit l'industrie et les mains
Pour faire vivre les humains
Et gagner des culottes.

De l'homme défendez les droits,
Surtout, obéissez aux lois,
Comme bons patriotes, *(bis)*
Concitoyens, sans vous fâcher,
Cachez ce que l'on doit cacher,
Remettez vos culottes !

The armies also studied the Constitution. The July 12 letter of General Houchard, commander of the Moselle army, was typical : « All the camps, billets and garrisons have had meetings to read the Constitution. Satisfaction and joy marked every face. Cries of *Vive la République, la Convention, la Montagne ! (Long live the Republic, the Convention, the Montagne)* filled the air... I think no one will object to our celebrating the reason for our happiness except perhaps deserters (an allusion to Dumouriez ?), the federalists, and those of their friends who are still tumbling down the Montagne sainte (sacred mountain) ».

Popular ratification of the Constitution resulted in its passage by 1,800,000 votes to 18,000 on August 4. It was enacted on the holiday-anniversary of August 10th.

For the occasion, the poet Varon and composer Gossec wrote *L'Hymne à la statue de la Liberté (Hymn to statue of Liberty)*, and sang it at the place de la Révolution. The hymn consisted of a chorus of three male voices, accompanied by harmonized instrumental music. (C. Pierre transcribed the piece in his *Musique des fêtes,* No. 8, p. 61 to 63). The lyrics : « Auguste et consolante image, Liberté descend des cieux... » (Elevated and august Freedom, descend from the heavens... ») were published in *Hymnes qui seront chantés le 10 août l'an II de la République, à la fête de la Réunion (Hymns to be sung on August 10th, Year II of the Republic, at the celebration of the reunion).*

An extraordinary citizen, Claude Royer[1] also penned a song. Citizens of Chalon-sur-Saône sent him to Paris to pledge their acceptance of the Constitution. Though less ambitious than the work of Varon and Gossec, the song had a more lasting popular success. In fact, Babeuf's colleagues used it three years later in their struggle against the Directoire :

LA NOUVELLE

CARMAGNOLE

POUR LA GRANDE RÉUNION

DES FRANÇAIS A PARIS,

Le 10 août 1793, l'an 2e de la République française, une et indivisible;

Par le citoyen CLAUDE ROYER, envoyé de Châlons-sur-Saône, département de Saône et Loire.

FRANÇAIS, volons tous à Paris, *(bis)*
Pour embrasser nos bons amis. *(bis)*
Vive la Liberté !
Chantons l'Égalité !
Dansons la Carmagnole, etc.

Salut, braves Parisiens,
Ce jour va resserrer nos liens :
Périssent les tyrans
Et leurs projets sanglants !
(...)
La Montagne nous a sauvés ;
Que son nom soit partout loué !
Au diable les crapauds,
Les Brissot, les Vergniaud.

Tremblez, traîtres, conspirateurs,
Fédéralistes imposteurs !
Vos projets sont connus ;
Vous êtes tous foutus.

Fuyez, fuyez, il en est temps,
La guillotine vous attend :
Nous vous raccourcirons,
Vos têtes tomberont.

Sans-culottes, rassurez-vous,
La victoire sera pour nous :
Oui, certes ! ça ira ;
Toujours l'on chantera :
Chantons la Carmagnole, etc.

[1] Claude Royer, born in 1764 at Pagny-la-Ville (Côte d'Or), was named vicar of St. Vincent at Chalon on September 1. In 1791, he was elected constitutional priest of this parish. Soon after, he left the Church and married. He came to Paris for the August 10 celebrations in 1793. He became known at the Convention as the spokesperson for the delegation of the primary assemblies. On September 28, he was named substitute public prosecutor of the Tribunal révolutionnaire. He acted as such until 9 Thermidor. After he returned to Chalon, he was arrested there in May 1795 for terrorism. Freed on October 13, he set himself up as a broker in Paris. He died there in 1810.

Enactment of the republican Constitution, August 10, 1793.

On August 12, in the name of the Federation delegates, Claude Royer asked the Convention to decree another massive conscription. This proposal was passed by 48 Parisian districts on August 16th. On the 23rd, the Convention decreed *La levée en masse du Peuple français (the massive raising of French troops) :*

« From this moment until such time as our enemies have been chased from the Republic's territories, every Frenchman is in permanent requisition to serve in the army. Young men shall go into combat. Married men shall forge arms and transport supplies. Women shall make tents and work in hospitals. Children shall cut old linen into bandages. The old shall be brought to public places to build the soldiers' courage, and to preach the Republic's unity and contempt for Kings. The nation's homes shall be turned into barracks, public places into arms repair shops, and cellar floors shall be scraped to extract nitrate... »

Young men aged 18 to 25 years old, single, childless or widowed, made up the first draft category and marched first. Soon they were grouped into a battalion under a banner bearing this inscription : *Le peuple français debout contre les tyrans (The French people stand against tyrants).*

Its epic tone may make us smile today, but this decree had a wide reaching and positive psychological effect. It inspired the printer Gouriet to write this song :

MARCHE DES JEUNES GENS DE LA Ière RÉQUISITION

(Air : « Valeureux Français »)

ON rappelle, on bat...
Volons au combat,
Montrons notre courage,
Despotes, tyrans,
Tombez... Il est temps
Que cesse cet orage.
(...)
Chacun de nous va s'empresser,
Ô Patrie ! à sécher tes larmes !
Ta vengeance va commencer,
Et tu recouvreras tes charmes.
On rappelle, etc.
(...)
Si ce fer vient d'armer nos mains,
C'est pour toi, Liberté chérie,
Qu'il perce les rois inhumains
Et toute leur séquelle impie...
On rappelle, etc.

Quoi ! de nouveau, par ces pervers
La France serait asservie !
Quoi ! de maux déjà trop soufferts
Ils chargeraient notre Patrie...
On rappelle, etc.

Quel tourbillon près ce pays !
Quelle poussière ! quels vacarmes !
Ce sont les soldats ennemis...
Aux armes ! vite, amis, aux armes !
On rappelle, etc.

The Comité du Salut public of Year II in the « green hall » of the pavillon de Flore.

The entire nation was affected. The Marseille Sans-Culottes who had rebelled when the British invaded their city, enabled the republican army to recapture Marseille on August 25th. On the 28th, Houchard retook Tourcoing. On September 6th, he had a victory at Hondschoote on the Belgian border, after three days of battle against York's army. However, Houchard let York and his troops escape. As a result, he was defeated at Menen some days later.

The unsuccessful war effort made coercive measures necessary. The revolutionary tribunal condemned Ancien Régime generals who were hesitant or lukewarm in their support. Custine had already been discharged when he was condemned to the guillotine on August 28th. Houchard was dismissed on September 20th. He was replaced by Jourdan, a young Sans-Culottes general. He was promoted to commander-in-chief of the northern army on September 24. One month later, he would justify the Convention's confidence in him by defeating Cobourg at Vattignies.

The Comité de Salut Public

The first « Comité de Salut public » had been formed on April 6th. After the Girondins were expelled, the committee was reformed on July 10 without Danton. The latter was elected president of the Convention on the 25th. Robespierre joined the committee on the 27th. On August 13th, all the members of the committee were re-elected despite opposition by Danton's followers. The next day, the « techniciens » Carnot and Prieur from the Côte-d'Or joined the committee and further reinforced it.

September 5 saw the beginning of greater pressure from the people. The Sans-Culottes, led by Pache and Chaumette, pressured the Convention to accept some of their proposed measures : to arrest suspects, to purge certain committees, to reform the revolutionary tribunal and to create a revolutionary army of 6,000 soldiers and 1,200 gunners. Finally, the Assemblée promised to standardize the price ceiling decree, « le maximum ». It passed a general *maximum* decree on September 29, taxing goods and also salaries, which later would create serious problems.

On September 13, the *Comité de Sûreté générale* was re-established on the recommendation of the Comité de Salut public.

On the 17th, the Convention adopted the *Loi des suspects (Suspect's law),* a prelude to the practical application of the Terreur.

Finally, on September 20, the so-called « Grand Comité de l'An II », made up of a dozen proven men, was formed. Some of them rejoined the Montagnards to ensure victory for the Republic.

They included Barère, Billaud-Varenne, Carnot, Collot d'Herbois, Couthon, Hérault de Sechelles, Robert Lindet, Prieur de la Côte-d'Or, Prieur de la Marne, Maximilien Robespierre, Jean-Bon Saint-André and Saint-Just.

Robespierre became the group's driving force, its thinker and leader. He would become the head of the revolutionary government.

« Because of his reputation as a true revolutionary, Robespierre imposed the Comité's policies on the Convention and the Jacobins. He proved he was farseeing and courageous during his solitary fight against the events which led to the declaration of war. Eloquent, selfless, he was called « the incorruptible one » and was trusted by the Sans-Culottes. While steadfast in his principles, he nevertheless was flexible, able to adapt to events and acted as a representative of the State. He placed all the authority of the revolution in the Convention. He considered the Convention a symbol of the nation's will. He believed that to be strong and efficient, the government must depend on its people and remain closely linked to it ». (A. Soboul).

AUX ARMES !

QU'UNE juste et sainte vengeance
Brûle nos cœurs, arme nos bras;
Partons, les bourreaux de la France
Sur nous s'avancent à grands pas. *(bis)*
Partons, leurs hordes sanguinaires
Dévorent nos braves guerriers...
Changeons nos cyprès en lauriers,
Vengeons les mânes de nos frères !
Aux armes, citoyens ! formez vos bataillons,
Marchez, marchez, qu'un sang impur abreuve nos sillons.

Eh quoi ! par des mains infâmantes,
Français, vos femmes, vos enfants,
Vos mains tant de fois triomphantes,
Seraient esclaves des tyrans ! *(bis)*
Quoi ! dans leur rage meurtrière
Ils osent, ces lâches brigands,
Ils osent déchirer les flancs
De notre déplorable mère ?
Aux armes, etc.
(...)
Ciel ! que vois-je ! un ramas impie
De prêtres, nourris de forfaits,
Prêche le meurtre et l'incendie,
Au nom d'un Dieu qui veut la paix ! *(bis)*
Ah ! c'en est trop... point de clémence !
La pitié nous rendrait cruels,
Étouffons-les sous leurs autels,
Et nous aurons sauvé la France.
Aux armes, etc.
(...)
Vous apprendrez, cruel despotes,
Vils fléaux de l'humanité,
Ce que peuvent des sans-culottes
Qui s'arment pour la Liberté. *(bis)*
Ils se lèvent... la France entière
Ne compte plus que des héros,
Et les tyrans et leurs suppôts
Roulent déjà dans la poussière.
Aux armes, etc.
(...)
Montagne ! ô toi dont l'énergie
Prépare la mort des tyrans,
Des Français rendus à la vie,
Reçois, garantis les serments ; *(bis)*
Ah ! que ta voix se fasse entendre,
Et fort de tes mâles vertus,
Montagne ! un peuple de Brutus
Va s'immoler pour te défendre.
Aux armes, etc.

We end the Republic's Year I with a hymn written by François Le Gall, a « young Sans-Culottes from South Brittany and citizen of the Ière réquisition » and dedicated to the Parisian Jacobins. He sang it at the Commune's session of September 21, 1793 to the tune of « La Marseillaise ».

Chapter 6

YEAR II, FROM THE GIRONDE'S DEFEAT TO ROBESPIERRE'S FALL

SEPTEMBER 22, 1793 TO JULY 28, 1794

The first day of year II, September 22, began a new phase of the de-Christianization process. Convention member Fouché unveiled a bust of Brutus in the Cathedral of Nevers. He was assisted by Chaumette, one of the heroes of August 10, and now the public prosecutor of the Paris Commune which was already decorated with the busts of Brutus and of J.-J. Rousseau.

For political and philosophical reasons, the Commune and some Parisian districts manifested more than ever before their hostility towards the Church's religion and the clergy. Because of its Gironde and Federalist leanings, even the Constitution's clergy was suspect in the eyes of the Sans-Culottes. Already, on September 12, the Assemblée of the Panthéon-Français district had declared an « open war » against fanaticism, « the greatest tyranny on earth ! » and had demanded that each district or canton open an « École de liberté » (school for freedom) to teach the people to hate fanaticism. This resolution was apparently approved under the influence of Sérieys, vice-president of the district.

The same Sérieys wrote a republican hymn entitled *Insurrection du peuple français contre les tyrans (French people's rise against the tyrants)* and sang it at the Commune's general council on September 24. The song was reprinted in newspapers, collections, and pamphlets.

A large part of the revolutionary middle class shared the people's hostility towards the clergy. As a result, on October 5th the Convention adopted Romme's proposal to replace the Gregorian era with a Republican era. On October 24th, it also adopted Fabre d'Églantine's proposal for a new calendar. On November 24 the Assemblée ratified the names recommended by Fabre.

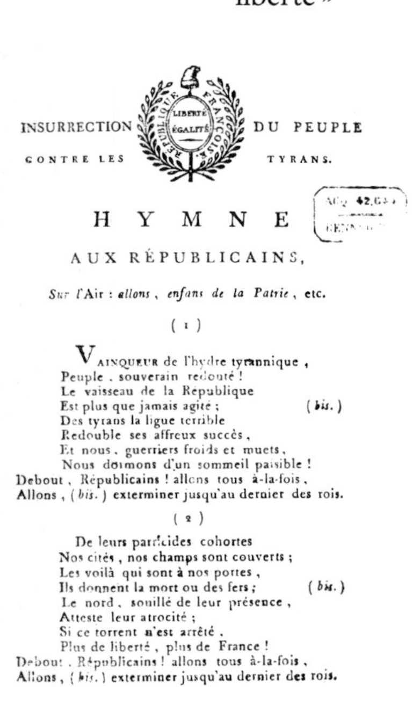

INSURRECTION DU PEUPLE CONTRE LES TYRANS.

HYMNE AUX RÉPUBLICAINS,

Sur l'Air : allons, enfans de la Patrie, etc.

(1)

VAINQUEUR de l'hydre tyrannique,
Peuple, souverain redouté !
Le vaisseau de la République
Est plus que jamais agité ; (*bis.*)
Des tyrans la ligue terrible
Redouble ses affreux succès,
Et nous, guerriers froids et muets,
Nous dormons d'un sommeil paisible !
Debout, Républicains ! allons tous à-la-fois,
Allons, (*bis.*) exterminer jusqu'au dernier des rois.

(2)

De leurs parricides cohortes
Nos cités, nos champs sont couverts ;
Les voilà qui sont à nos portes,
Ils donnent la mort ou des fers ; (*bis.*)
Le nord, souillé de leur présence,
Atteste leur atrocité ;
Si ce torrent n'est arrêté,
Plus de liberté, plus de France !
Debout, Républicains ! allons tous à-la-fois,
Allons, (*bis.*) exterminer jusqu'au dernier des rois.

(3)

Du haut de la Sainte-Montagne,
Qu'au loin s'élancent des volcans,
Qui d'Italie et d'Allemagne
Qu'ils brûlent les trônes chancelans ; (*bis.*)
Qu'ils pulvérisent les despotes
De Londres, Madrid et Berlin ;
Que le monde, pour souverain,
N'ait qu'un peuple de sans-culottes
Debout, Républicains ! allons tous à-la-fois,
Allons, (*bis*) exterminer jusqu'au dernier des rois.

(4)

C'est peu de purger la frontière
De ces esclaves forcenés :
Il faut purger la terre entière
De tous les tygres couronnés (*bis.*)
Il faut anéantir la race
Des cannibales conquérans :
Du souvenir de ces brigands
Que rien ne conserve la trace !
Debout, Républicains ! allons tous à-la-fois,
Allons, (*bis.*) exterminer jusqu'au dernier des rois.

(5)

Sans la liberté qu'est la vie ?
Un long, un pénible trépas ;
Et sans l'amour de la patrie,
Que sont les plus vastes états ? (*bis.*)
Un bois, où des monstres sauvages
S'enyvrent du sang des humains,
Et nous tomberions dans les mains
De ces monstres antropophages !
Debout, Républicains ! allons tous à-la-fois,
Allons, (*bis.*) exterminer jusqu'au dernier des rois.

(6)

Fanatiques de la Vendée,
Et toi, déplorable Lyon,
Voyez l'affreuse destinée
D'une aveugle rébellion : (*bis.*)
La République vous invite
Au partage de ses lauriers,
Accourez, ou sur vos foyers
Le peuple entier se précipite !
Debout, Républicains ! allons tous à-la-fois,
Allons, (*bis.*) exterminer jusqu'au dernier des rois.

(7)

Souvent on a juré sans gloire
Ou la mort ou la liberté ;
Ne jurons plus que la victoire,
C'est jurer l'immortalité ; (*bis.*)
Du Tanaïs aux bords du Tibre,
Tout imitera ce serment,
Pour le monde entier renaissant,
Etre debout c'est être libre.
Debout, Républicains ! allons tous à la fois
Allons, (*bis*) exterminer jusqu'au dernier des rois.

(8)

A nos côtés s'il marche un traître,
Qui recule au bruit du canon,
Parmi nous s'il ose paraître
Un soldat de Pitt, de Bourbon, (*bis.*)
Qu'à l'instant l'infame périsse !
Les traîtres sont trop pardonnés :
Par eux vendus, assassinés,
Faut-il leur être encore propice ?
Non, non, Républicains ! allons tous à la fois,
Sachons, (*bis.*) exterminer les traîtres et les rois.

(9)

Guerriers, soutiens de la patrie,
Des tyrans illustres fléaux,
Vous qu'une horrible perficie
Mit sous le fer de ses bourreaux, (*bis.*)
N'accusez plus notre indolence
A profiter de vos leçons ;
Nous l'avons tous juré, nous partons
Pour le triomphe et la vengeance.
Debout, Republicains ! allons tous à la fois,
Allons, (*bis.*) exterminer jusqu'au dernier des rois.

(10)

Oui la victoire impatiente,
Amis, nous appelle aux combats ;
Sous la montagne triomphante,
Titres vains, autel, trône à bas ; (*bis.*)
La loi, voilà le diadême
D'un peuple libre et généreux ;
La liberté, voilà ses dieux,
Et sa grandeur est dans lui-même.
Debout, Républicains ! allons tous-à-la-fois,
Allons, (*bis.*) exterminer jusqu'au dernier des rois.

(11)

Fils des Gaulois, race d'Alcide,
Au combat volez les premiers ;
Vous allez, jeunesse intrépide,
Les premiers cueillir des lauriers : (*bis.*)
C'est pour vous que brille l'aurore
Des bienfaits de la liberté
Sur tout le globe racheté ;
C'est par vous qu'elle doit éclore.
Debout, Républicains ! allez tous à-la-fois,
Allez, (*bis.*) exterminer jusqu'au dernier des rois.

(10)

De toutes parts le tocsin sonne,
Hâtons-nous de nous réunir ;
Se montrer aux champs de Bellone,
Ce sera vaincre et revenir ; (*bis.*)
Dès lors plus de rois, plus de guerre ;
Le monde affranchi pour jamais
Jouit d'une éternelle paix ;
C'est un paradis que la terre.
Debout, Républicains ! allons tous à-la-fois,
Allons, (*bis.*) exterminer jusqu'au dernier des rois.

Signé SERIEYS.

De l'Imprimerie des 86 départemens et de la Société aux Jacobins.

The historian Aulard considered this the most anti-Christian act of the Revolution !

Newspapers, almanacs and engravings all popularized the republican calendar. An anonymous song celebrated the benefits of the calendar and underscored the poetry of its names. The calendar immortalized Fabre d'Églantine more than any of his previous works with the exception perhaps of *Il pleut, bergère... (It's raining, shepherdess...).*

LE NOUVEAU CALENDRIER
COUPLETS SUR TOUS LES MOIS DE L'ANNÉE

(Air : « On compterait les diamants ». Caveau n° 423)

LES jours, les mois et les saisons,
Tout cède aux lois de l'harmonie ;
De l'erreur les combinaisons
Font place au compas du génie :
Il trace le cours du destin,
Détruit celui de l'imposture,
Et calque l'an républicain
Sur la marche de la nature.

À la voix des législateurs
Un nouveau monde vient d'éclore,
Mensonges, préjugés, erreurs,
Tout disparoît à son aurore.
Le vieux cadran change soudain,
L'aiguille est perfectionnée,
Et le temps d'un pas plus certain
Marque les jours, les mois, l'année.

Autour de ce cercle parfait
Le bonheur va tourner sans cesse.
Que l'œil contemple ce bienfait,
Le chef-d'œuvre de la sagesse.
Brisons le monument grossier
Du mensonge et de l'ignorance,
Et du nouveau calendrier
Chantons le père et la naissance.

VENDÉMIAIRE

L'aimable automne ouvre, en riant,
La porte de la destinée,
Et sa gaîté sonne, en chantant,
La première heure de l'année :
Les ris, les jeux, l'amour, le vin,
Animent la nature entière,
Et Bacchus, le verre à la main,
Proclame le Vendémiaire.

BRUMAIRE

De la terre l'exhalaison
Vient épaissir notre atmosphère ;
Le brouillard cache l'horizon :
Voilà d'où naquit le Brumaire.
Alors le sage agriculteur
Caresse la terre amoureuse,
Et jette en son sein créateur
L'espoir d'une récolte heureuse.

FRIMAIRE

Bientôt la nature vieillit,
L'aquilon chasse sa parure ;
Aussitôt sa beauté s'enfuit,
Et frimas blanchit la verdure.
Chacun, auprès de son tison,
Se console avec sa bergère ;
L'amour adoucit la saison
Et fait oublier le Frimaire.

NIVÔSE

La neige tombe, et l'horizon
Eblouit l'œil de la tristesse ;
Tout vient refroidir la raison,
Tout paralyse la tendresse.
Cette monotone blancheur
Vieillit jusqu'à la moindre chose ;
Elle imprime un ton de douleur
Sur la nature et sur Nivôse.

PLUVIÔSE

Bientôt le fluide élément,
En se mariant à la terre,
Féconde le germe naissant
Qui, dans peu, doit la rendre mère,
Fleuve, mer, fontaine et ruisseau,
De l'eau tout reçoit l'existence,
Pluviôse est l'enfant de l'eau,
Et le père de l'abondance.

VENTÔSE

Éole, en déchaînant les vents,
Détruit l'empire de Neptune ;
De leurs souffles froids et bruyants
Tout ressent l'atteinte importune.
L'arbre gémit, crie et se rompt ;
L'oiseau fuit d'une aile légère,
Et l'homme répare l'affront
Fait par Ventôse à sa chaumière.

GERMINAL

L'hiver fuit, le printemps renaît,
La glace fond, le ruisseau coule,
La terre agit, l'herbe paraît
Et la nature se déroule.
Germinal qui s'épanouit
Du jeune âge paraît l'emblème ;
Oui, l'âge, comme lui, s'enfuit ;
Mais, hélas ! revient-il de même ?

FLORÉAL

Alors le caressant zéphir
Vient éveiller l'aimable Flore,
Et le fruit heureux du plaisir
Est la rose qui vient d'éclore.
À la raison offrons des fleurs,
C'est l'offrande de l'innocence ;
Que Floréal soit, pour les cœurs,
Le mois de la reconnaissance.

PRAIRIAL

Les prés offrent au laboureur
Le fruit direct de la nature ;
Son bras nerveux, avec ardeur,
Fauche la fleur et la verdure.
L'heureux mois de la fenaison
Est aussi celui de l'ivresse,
Et Prairial, sur le gazon,
A vu renverser la sagesse.

MESSIDOR

Cérès, écoute les accents
D'un grand peuple, puissant et juste ;
Fais naître tes riches présents
Sous son bras fier, libre et robuste.
Il dédaigne l'argent et l'or ;
Fer et blé sont les vœux du sage :
Qu'il trouve l'un dans Messidor,
L'autre sera dans son courage.

THERMIDOR

L'éclair brille, le vent mugit,
L'air s'enflamme, l'orage gronde ;
Le nuage s'évanouit,
Et le soleil brûle le monde.
Thermidor, enfant de Vulcain,
N'offre que tempête et qu'orage ;
Mais l'homme se console au bain,
Ou sous la fraîcheur d'un ombrage.

FRUCTIDOR

Pomone vient offrir le fruit
Que va cueillir la gratitude,
Et la république applaudit
À sa tendre sollicitude.
Ainsi sa bienfaisante main
Remplit nos greniers d'abondance
Et de ce mois forme la fin,
En assurant notre existence.

LES SANS-CULOTIDES

Trop orgueilleuse antiquité,
Tu vantais tes jeux olympiques ;
Ose aux yeux de la vanité
Comparer nos fêtes civiques.
Là, tes histrions corrompus
Corrompaient des peuples timides ;
Ici, la fête des vertus
Consacre nos sans-culotides.

For the sake of convenience, we have sometimes used both dating systems : the new calendar and the older one, sometimes called « old style » or « vulgar period » calendar. The reader may always refer to La Concordance des calendriers grégorien et républicain, *preface by A. Soboul, Librairie historique Clavreuil, Paris.*

Autumn 1793 was marked by several important political and military events.

At the Convention, on September 25, 1793, Robespierre reacted to a Dantonist maneuver against the Comité de Salut public. Robespierre began — already — attacking the « indulgents » : « The most difficult thing for a patriot to accept is that for two years, 100,000 men have been slaughtered because of treason and weakness. It is our weakness towards traitors which is our undoing. Pity is felt for the most criminal individuals, for those who handed our nation over to enemy guns... As for me, I pity only unfortunate virtue, oppressed innocence. I pity only the fate of a generous people slaughtered by such infamy ».

The revolutionary tribunal was reinstated at the urging of the two committees.

Although on the 29th the Convention agreed to decree a « maximum général » for essential foodstuffs, Robespierre and the Jacobins remained steadfast when they met with extremists from the Commune and certain districts.

The Revolutionary Government's First Victories

Based on Saint-Just's report, the Convention decided on October 10 to postpone putting the Constitution into effect until peace had been restored and to place ministers, generals and divisions under the supervision of the Comité de Salut public.

The army recruited by Couthon in Auvergne had made possible the blockade of Lyon in September. By October 9, the Lyon rebels surrendered to the republican army, although their royalist leader, Précy, managed to escape to Switzerland. When Collot and Fouché arrived in Lyon, the repression escalated. From November to March, 1,667 executions were ordered there.

The siege and taking of Lyon.

Here are two songs about the long siege and eventual surrender of Lyon.

The musicologist Julien Tiersot discovered the first song a century later — evidence that the memory of this painful episode had endured in areas as distant as the Savoie and Dauphiné :

LE SIÈGE DE LYON

— QUE vois-je autour de mes remparts
Dans ce beau jour ?
Je vois des soldats en bataille,
Canons autour.
Je voudrais savoir aujourd'hui
Ce qu'ils demandent.
Je suis en peine et en souci,
S'ils viennent pour me prendre.

— Lyon, c'est les soldats de France,
Ne vois-tu pas
Qu'ils viennent te donner la danse ?
N'en doute pas,
Ce sont grenadiers et chasseurs
Au moins cent mille,
Ils te feront marcher au pas
Malgré toi et ta ville.

— Oh ! j'ai bien de quoi vous répondre,
Mes beaux messieurs !
J'ai des muscadins en grand nombre
Remplis de cœur,
Des muscadins, des Lyonnais,
Au moins vingt mille ;
Mon fort Saint-Jean et mes hauteurs
Défendront bien ma ville.

— Lyon, tu fais la difficile,
Tu ne l'es pas,
Nous te ferons sauter ta ville
Et tes remparts ;
Nos canonniers et bombardiers
Sont sans relâche,
Te brûleront, t'écraseront,
Sans faire aucune grâce.

— Puisque je suis abandonnée,
Ma foi, il faut
Ne pas faire comme la Vendée,
Subir l'assaut.
Grand général, épargnez-moi,
Je vais me rendre,
Défendez à tous vos soldats
De brûler et de pendre.

The other song was written by Sérieys of the Panthéon district. Printed by the Parisian publisher Frère (No. 124), its first three verses reflected Parisian opinion :

LA REDDITION DE LYON

(Air de « la Carmagnole »)

LES Lyonnais nous sont rendus, *(bis)* Les muscadins sont abattus, *(bis)* Ces crapauds du marais Sont pris dans nos filets.	REFRAIN	Vive la République Et la leçon, *(bis)* Vive la République Et la leçon De Lyon.

Les muscadins s'étaient promis *(bis)* De ressusciter le gros Louis, *(bis)* Pour les désabuser, Faut les capétiser. *(Refrain)*	Et tous ces tartufes mitrés, *(bis)* Les bons amis des émigrés *(bis)* Iront, comme Denis, Sans tête au paradis. *(Refrain)*	C'est ainsi que seront traités *(bis)* Tous les mannequins révoltés, *(bis)* Tous les mangeurs d'humains, Grands rois et calotins. *(Refrain)*.

The Comité de Salut public ended the 1793 campaign victoriously thanks to troops reinforced by the requisition of 300,000 men and to leaders born out of the Revolution.

In the North, on October 16, the « Carmagnoles », commanded by Jourdan and aided by Carnot, pushed back Cobourg's British-Hanoverian troops to Wattignies. These were the same troops that Houchard had let slip through. This battle also freed Maubeuge.

Hoche, who had already distinguished himself at Dunkerque, became commander of the Moselle army. Wurmser's Austrians had invaded Alsace. Saint-Just and Lebas led a mission to the threatened city of Strasbourg. Hoche reached the Vosges, chased Wurmser past Wissembourg, freed Landau and occupied Spire.

The invasion was also pushed back on other fronts. The Spanish were driven south of Bayonne and behind the Tech. Kellerman chased the Piedmontese out of Savoie.

The fall of Lyon enabled the transfer of troops to reinforce the siege of Toulon. On December 15, General Dugommier attacked, assisted by Buonaparte[1], a young artillery captain. On the 19th, the British fled and the republican troops entered the city, where several hundred rebels were executed. Chénier and Catel celebrated this victory :

[1] Napoléon Bonaparte had already expressed his Jacobin sympathies and his loyalty to the conservatives of Paoli, during several visits to Corsica. At the end of 1793, in the pamphlet *Le souper de Beaucaire,* he supported the Montagnards over the federalists. Bonaparte's plan of attack was adopted thanks to the support of Saliceti, Ricord and Augustin Robespierre, Convention representatives to the army of Provence. The military genius of Bonaparte was first recognized when Toulon was recaptured. Several days later, on December 22, he was promoted to brigadier general at the age of 24. The following year, on February 7th, he was named artillery commander of the Italian army...

The End of the First Vendée War

In the Vendée, the Mayence garrison reinforced the « Bleus » who struck a strong blow against the Catholic royal army.

Le Chansonnier de la Montagne (The Montagne songbook) published a song by Couret, possibly a soldier from the battalions. The song declared October 16 as the day of victory over priests and rebels of the Vendée :

CHANSON PATRIOTIQUE

(Air : « Aussitôt que la lumière ». Caveau n° 50)

LIBERTÉ, qui nous enflammes,
Divinité des Français !...
Ton saint temple est dans nos âmes ;
Il ne croulera jamais.
Effrayés par le courage
Que tu sus nous inspirer,
Les tyrans, bouffis de rage,
Y viendront tous expirer.
(...)

Toi, brigand de la Vendée,
Qu'un prêtre mène au combat,
Ta dernière heure est sonnée,
La France a levé son bras.
Le feu vengeur étincelle
Sur la trace de tes pas ;
Ton sang à grands flots ruisselle,
L'airain vomit ton trépas.

Soldats, foncez sur ces prêtres
La bayonnette à la main :
Point de quartier pour ces traîtres,
Bourreaux-nés du genre humain.
Que leur croix, ce signe antique
De leur superstition,
Soit le manche d'une pique,
Ou serve d'écouvillon.

(Air : « Que ne suis-je la fougère ? ». Caveau n° 490)

Vous, innocentes victimes,
Qu'égarent des imposteurs,
Qui, sans partager leurs crimes,
Prenez part à leurs fureurs ;
De vos maux quelle est la source ?
Vos *oremus,* vos répons :
Changez-les donc en gargousse
Pour en charger nos canons.

Faut-il qu'au bruit de ta cloche
Je me rende à leurs leçons ?
Pour éviter tout reproche
J'en veux fondre des canons.
Ce signal du fanatisme
Ne peut plus sonner pour moi ;
Qu'il serve au patriotisme
Pour tuer le dernier roi.

This timely songbook proved prophetic. The young republican generals, Kléber and Marceau, crushed the « Blancs » at Cholet on October 17th. There, the Vendée lost many leaders such as d'Elbée, wounded in combat, and Bonchamp.

La Rochejaquelein, elected commander-in-chief, and Stofflet crossed the Loire and massacred the population of Château-Gontier. Reinforced by the troops of Cottereau, also known as Jean Chouan, they pushed the republicans to Laval. On November 13th and 14th, they halted outside of Granville where they hoped to join the British and the émigrés, and later ended up at Angers. They decided to head for Le Mans.

At the same time, skirmishes broke out south of the Loire. On December 7, near the outskirts of Cholet, a group of Vendéens surprised a youngster named Joseph Bara, born in Palaiseau in 1779. Too young to enlist in the regular army, the child had dressed as a hussar and was accompanying a family friend, adjutant-general Desmarnes, commander of the Bressuire division since November. As the youngster led a team of horses, rebels surrounded him, demanding that he shout : « Long live the King ! ». Bara refused and was shouting : « Long live the Republic ! » when they struck him down. His heroism was cited by Barère on December 15, then by Robespierre on the 28th. On May 7, 1794, the Convention decided to transfer Bara's remains and those of the hero Viala to the Panthéon. In early April, Auguste (Dossion) of the Théâtre du Vaudeville and the composer Devienne dedicated a touching ballad to Bara.

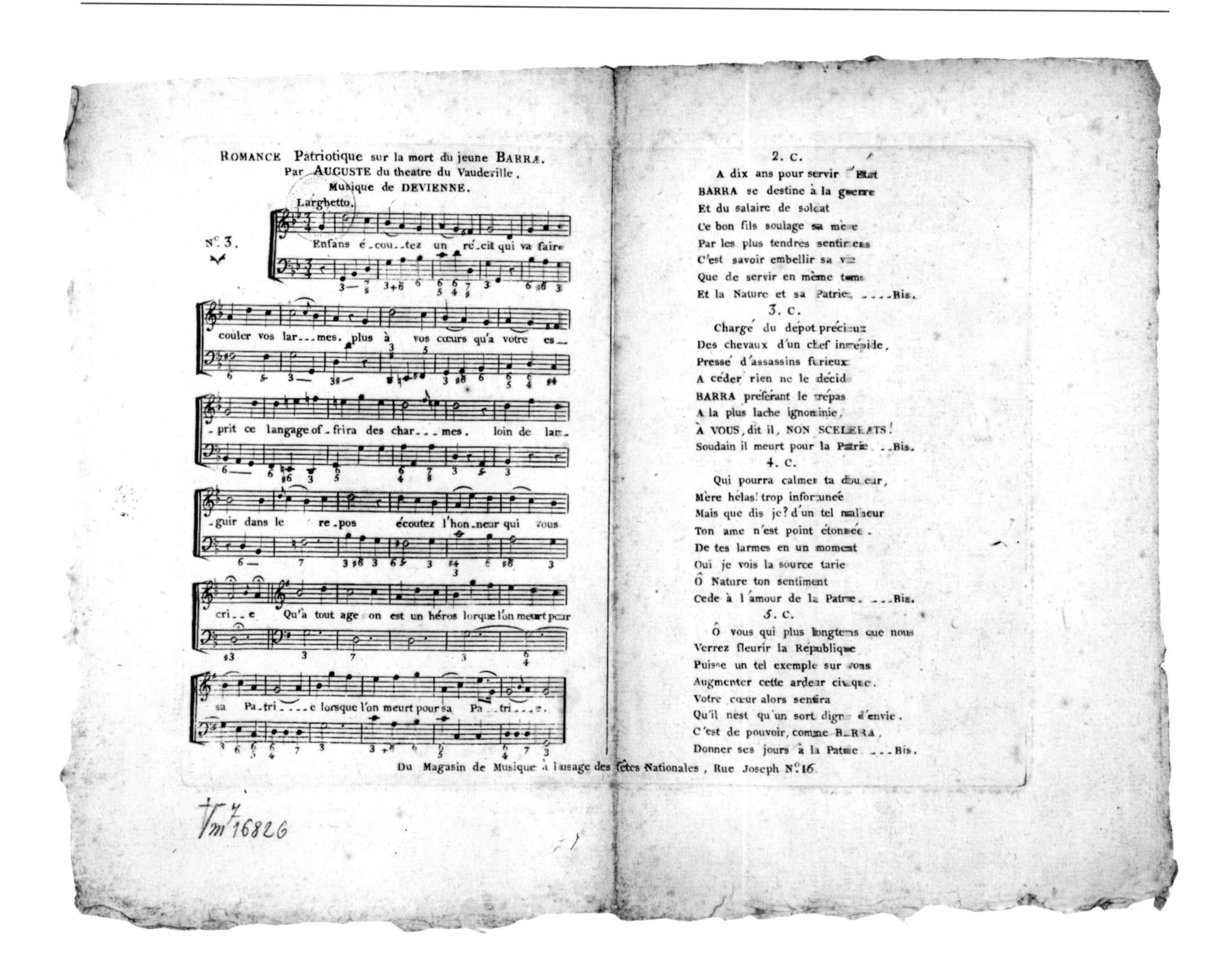

On December 12, Marceau decimated La Rochejaquelein's army in bloody street-to-street fighting at Le Mans then annihilated the remainder of his troops on the 23rd at Savenay.

These victories were considered to mark the end of the great Vendée uprising. However, they did not put a stop to the guerrilla skirmishes. Still in the Marais, Charette managed to secure Noirmoutier. Haxo was not able to reclaim the city until January 3rd.

On January 29, La Rochejaquelein was killed in an ambush after he had crossed back over the Loire. The survivors of the « Grande Armée » chose Stofflet to replace him.

Starting in mid-January, Turreau's « Infernal Columns » travelled through the Vendée. These troops devastated and terrorized the entire region. Military commanders condemned several thousand renegades to death. At Nantes, the accused were drowned in the Loire river to speed up the executions. The Convention member Carrier, in Nantes since the end of September, either was responsible for – or, at the very least covered up – these executions. Others, like Levasseur de la Sarthe, asked that the repression be mitigated.

The Terreur

In the fall of 1793 many political trials and executions took place.

On October 12, the revolutionary tribunal arraigned Marie-Antoinette. Her trial progressed far more rapidly than the King's. She was convicted of treason and sentenced to death by the guillotine on the 16th. The Queen had always been very unpopular. Her image had been further tarnished by the « Necklace Affair » which had surfaced on the eve of the Revolution. Her disdain for the people and her counter-revolutionary ties, both French and foreign, were well known. Her influence on Louis XVI was seen as dangerous. Her execution, though later often deplored by the right, did not provoke the same reaction as the King's execution.

Few contemporary songs were written about her trial and beheading. Here are verses from two rather clumsy ones, the first printed in Paris by the younger Gouriet, the second by Poirier of the Panthéon district.

Marie-Antoinette's trial, October 12, 1793. To the left : Hébert and Fouquier-Tinville.

CRIMES DE MARIE-ANTOINETTE, VEUVE CAPET

(Air du « Malheureux Lisandre ». Caveau n° 590)

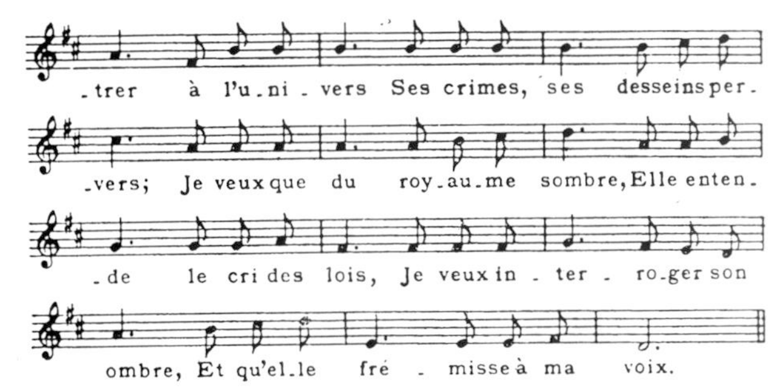

(...)
Tu nous fais déclarer la guerre
Et, par tes mouvements secrets,
De la Belgique, des Français
Se fait la retraite première :
Aux rois et brigands conjurés
Nos plans par toi sont envoyés.
Si quelquefois sur nos armées
Triomphèrent les ennemis,
C'est à tes perfides menées
Que, par eux, en est dû le prix.
(...)
Si Capet se souilla de crimes
Et s'il fut digne de la mort,
S'il a trop mérité son sort
Et fait tomber tant de victimes,
C'est toi-même qui le perdis,
Abusant d'un cœur trop épris,
Qui, profitant de sa faiblesse,
Fit servir son crédule amour
Aux complots machinés sans cesse
Par ton noir esprit et ta cour.

INTERROGATOIRE DE L'INFÂME MARIE-ANTOINETTE

ALLANT À LA GUILLOTINE LE 16 OCTOBRE 1793

(Air : « Me voilà conduite au supplice »)

LE JUGE

CRUELLE Marie-Antoinette,
Véritable auteur de tout mal,
Approche-toi, viens et respecte
Ce redoutable tribunal.
Suivant la justice et la loi, je suis ton juge,
Il faut déclarer désormais tous tes forfaits. (...)

ANTOINETTE

Je ne puis tenir de colère
D'entendre ainsi parler à moi.
Je n'entends point votre mystère
Et ne connais point votre loi.
Ah, si vous me faites mourir, tremblez d'avance,
Craignez mon frère, l'empereur, et sa valeur.

LE JUGE

Voilà vos termes de despotes
Que nous ne craignons nullement,
Respectez les vrais sans-culottes
Qui vous écoutent en ce moment.
Ils n'ont déjà que trop souffert par vos caprices,
C'est par eux que nous condamnons vos actions.
(...)

ANTOINETTE

J'appelle à toi, citoyen juge,
Contre un peuple fier et mutin,
Si vers lui je n'ai de refuge
J'entrevois mon fatal destin.
Prouve-moi, fier audacieux, quels sont mes crimes,
Je ne dois point souffrir la mort sans aucun tort.

LE JUGE

Vous vous vantiez par injustice,
Étant dans un suprême rang,
De vouloir par votre malice
Vous baigner dans notre sang.
Attendant l'arrêt sans appel, levons séance ;
Ramenez ce cœur de lion dans la prison.

ANTOINETTE

Ciel ! que mes cris se fassent entendre
En Allemagne et d'autres lieux,
Qu'ils puissent vous réduire en cendre,
Mon sort est assez malheureux !
Venez, Anglais, à mon secours, aussi l'Espagne !
Mais tous mes cris sont superflus.
Je n'en puis plus.

The revolutionary tribunal condemns to death twenty Gironde deputies, October 30, 1793.

The trial of the Girondins followed soon after the Queen's execution. Twenty-one deputies were summoned to the court on October 24. The proceedings were speedy. The Girondins were sentenced on the 30th and guillotined on the 31st. Among those executed were the eminent Gironde leaders Brissot, Vergniaud, Gensonné, Carra, Fauchet and Lasource. The journalist Gorsas, a fugitive deputy, had been captured and executed on October 7th.

On October 25, at the height of the persecution of the Girondins, Cadet-Gassicourt[1] sang *La*

LA MONTAGNE.
CHANSON PATRIOTIQUE.
Avec Accompt. de Guittare.
Air: de la Croisée.
Chez FRERE Passage du Saumon.

103

On a mil-le goûts différents, on fait mille choix dans le mon-de, l'un veut toujours courir les champs, et l'autre voya-ger sur l'on-de; l'un de la ville ai-me le bruit, l'autre la paix de la cam-pa-gne, tel court la plaine et tel la fuit, moi j'aime la mon-ta-gne, moi j'aime la mon-ta-gne.

Vm7 16602

2.
Qui de ce bienfaisant ruisseau,
Peut arrêter le cours rapide?
Qui peut corrompre ainsi son eau,
Si ce n'est un marais fétide?
Il le change en bourbier fatal
Pour l'habitant de la campagne;
Son onde était comme un crystal,
Sortant de la montagne. (bis

3.
La vertu nous place très haut;
Le vice abaisse, il humilie;
On rampe quand on est un sot;
On s'éleve avec du génie.
Au Parnasse un auteur gravit.
S'il veut la gloire pour compagne;
Le Dieu du Goût et de l'esprit.
Siège sur la Montagne. (bis

4.
Quand Dieu fit entendre sa voix
A l'Hébreu rébelle et volage;
Quand l'Eternel donna des Loix
Qui devaient le rendre plus sage,
Pour prononcer de tels arrêts,
Il ne s'est pas mis en campagne;
Mais il a dicté ses Décrets
Du haut de la Montagne. (bis

5.
Tous les traitres seront punis,
Leurs remords nous vangent davance;
Tous les Despotes réunis
Respecteront bientôt la France
Marchons pour les terasser tous
De puis le Nord jusqu'à l'Espagne;
Républicains rassamblons nous
Au tour de la Montagne. (bis

[1] Son of a well-known pharmacist, Charles-Louis Cadet de Gassicourt (1769-1821) chose to become a lawyer in 1787. Taken with the ideas of the Revolution, he became president of the Mont-Blanc district. In year IV this « Montagnard » song did not keep him from taking active part in the Vendémiaire 13 rebellion against the Convention. Condemned to death in absentia, Cadet-Gassicourt was pardoned a few months later. He set up as a pharmacist. Appointed first pharmacist to Napoleon, he accompanied the Emperor during the campaign of 1809. Under the Restoration, he was a member of the Société des Amis de la Liberté de la Presse (Friends of the freedom of the press).

Montagne in both of Madame Citizen Montansier's theaters, « at performances given this day by and for the people, to celebrate the republican army's military victories in the Vendée ». Sung to the familiar melody of « la Croisée » by Ducray-Duminil, this song enjoyed great popularity, was scored to new music by three other composers and appeared in several collections and almanacs.

Other executions took place in Paris and the provinces : Philippe-Égalité, former Duc d'Orléans and regicide, on November 7; Manon Roland on the 8th. Roland's husband, in hiding near Rouen, killed himself on the 10th after he learned of her death. Buzot and Pétion also took their own lives[1]. Former Feuillants like Bailly, Barnave, and Dietrich were guillotined, as were suspect generals such as Biron and Lückner...

[1] Later, the philosopher Condorcet, arrested by chance on March 27, 1794, poisoned himself to avoid a trial and the guillotine. He left behind an admirable work « Tableau historique des progrès de l'esprit humain » (Historical profile of the progress of the human spirit), written in hiding, in which he affirms his faith in man.

During the last four months of 1793, 177 executions were carried out in France. Arrests and imprisonments continued in 1794.

On December 5, Camille Desmoulins presented *Le Vieux Cordelier (The old Franciscan).* In it, influenced by Danton, he launched an extensive campaign calling for indulgence. The campaign's goals were to replace the Comité, revise the Constitution, defuse the Sans-Culottes, and negotiate a peaceful compromise with foreign forces.

Despite material shortages, the « Jacobin dictatorship » in the Comité de Salut public was approved by most Sans-Culottes. Others wanted to go to even further extremes. Thus G.T.***, a « Jacobin of the rehabilitated district of Beau Repaire », sang :

L'ÉNERGIE DE LA MONTAGNE
OU
LE TRIOMPHE DE LA RÉPUBLIQUE FRANÇAISE

(Air : « Qu'en voulez-vous dire ». Caveau n° 496, air noté p. 00)

LONGTEMPS sous les rois oppresseurs
Nous Français nous étions esclaves,
Mais nos Montagnards défenseurs
Ont bientôt brisé nos entraves,
Le peuple français est sauvé,
Le glaive des lois est levé
Pour punir tout cœur dépravé :
Sainte guillotine, *(bis)*
Tu frappes sans distinction
Les traîtres à la nation.

Après quatre mois de blocus,
Condé, Valenciennes, Mayence
Pour nous n'existent déjà plus :
Par la plus affreuse indigence
A quels maux tu livres, dieu Mars,
Tes enfants sous les étendards ?
Peut-on vaincre tant de hasards
Sans poudre et sans vivres ? *(bis)*
Des généraux c'étaient les coups,
Voit-on s'entre-manger les loups ?

Cent fois Marat, les Jacobins,
Ont selon leur docte grimoire
Dénoncé tous ces francs coquins ;
Mais on ne voulait point les croire.
Mais par quelle fatalité
Aucun d'eux ne fut écouté ?
C'était du Marais infecté
Qu'en venait la cause. *(bis)*
Si ce marais n'existe plus
Il existe encore de son flux.

Ciel, que d'espèces d'intrigants,
Roturiers, nobles et calottes,
Pour mieux dire, que de brigands,
Vrais fléaux des vrais sans-culottes.
Mais leur règne enfin est passé,
Leur fier orgueil est terrassé,
Pour jamais tout est éclipsé
Grâce à la Montagne. *(bis)*
Ils allaient un trop grand galop,
Chacun son tour ce n'est pas trop.
(...)

Rappelez-vous les Montesquiou,
Les Dumouriez, les Lafayette,
Qui sont passés je ne sais où
Après leur crime, sans trompette.
Contemplez les vexations
Et les dilapidations,
Perte d'hommes, munitions.
Pauvre République, *(bis)*
À des loups tu te confias
Et tes maux tu multiplias.
(...)

Extirpez la contagion
Par un scrutin épuratoire,
Et que devant la nation
L'épuration soit notoire.
Commencez par les généraux,
Officiers, sergents, caporaux,
Sénat, Jacobins et bureaux ;
Qu'enfin l'on punisse *(bis)*
Jusques au moindre scélérat,
Suivant l'avis du bon Marat.

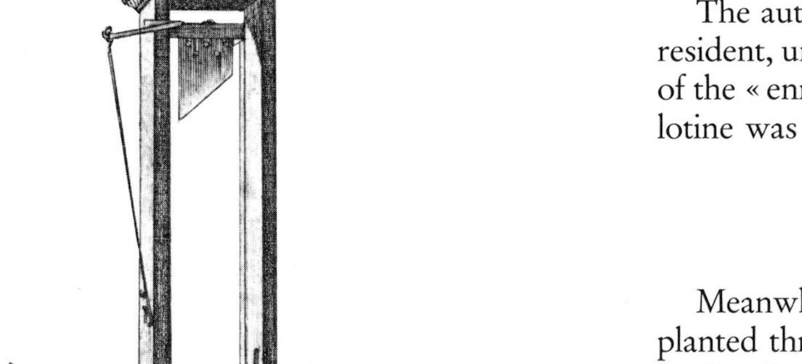

The author of this song, most likely a district resident, unskilled in his verse, was doubtless one of the « enragés » who thought a permanent guillotine was a cure-all.

Liberty Trees

Meanwhile, Liberty trees continued to be planted throughout France.

On October 21, for example, Duverger celebrated the planting of a tree at the Maison de la Guerre, to the melody of « Calpigi ».

Patriots dance and sing around a Liberty tree while enemy troops are forced to retreat.

PLANTATION DE L'ARBRE DE LA LIBERTÉ

PENSAIS-TU que les sans-culottes
Chasseraient bientôt les despotes,
Et que le peuple souverain
Briserait leurs sceptres d'airain ? *(bis)*
Pensais-tu qu'enfin pour éteindre
Cette race toujours à craindre,
On placerait sur son chemin
La machine de Guillotin ? *(bis)*

Pour venger la mort de ces traîtres,
Soumis à leurs féroces maîtres,
On voit s'armer tous nos voisins
Ahi ! povero monarchiens ! *(bis)*
Pour les punir de leur audace,
Les Français se lèvent en masse
Et leur font rebrousser chemin.
Bravo ! peuple républicain ! *(bis)*

Pour servir leurs projets perfides
On voit des Français parricides
De leur mère entrouvrant le sein
Diriger le fer assassin. *(bis)*
Mais calmons notre inquiétude
Et rions de leur turpitude,
Ce ne sont que des muscadins
Et nous sommes républicains. *(bis)*

In December, a patriot from Dole, in the Jura, Ch. L. Tissot, sang *Ronde autour de l'Arbre de la Liberté après sa plantation (Rondo for the planting of a Liberty tree)*[1] to the melody of « Curé de Pomponne » (Priest from Pomponne), Caveau No. 745.

EN tout pays l'on portera
Le nœud patriotique ;
Dans peu le Français entrera
Dans l'État britannique ;
Alors Pitt chantera
La lira
Vive la République !

Partout où le Français ira
Plus de loi despotique ;
Pour toute couronne on verra
La couronne civique,
Et l'on ne formera
La lira
Plus qu'une République.

Bientôt le Français entrera
Dans cette Rome antique ;
Notre Saint-Père enragera
En ce moment critique,
Malgré lui chantera
La lira
Vive la République !

Le bonheur du Français sera
Dans l'union publique ;
Tout l'univers ne formera
Qu'une famille unique,
Et chacun chantera
La lira
Vive la République !

[1] This song also appeared in the *Nouveau Chansonnier patriote (New patriotic songbook)* published in Lille .

The Marat and Lepeletier Cults

It was not by accident that the late Marat and Lepeletier were remembered with posthumous honors and statues. The three republican martyrs, Lepeletier, Marat and Chalier, were expected to counter the image of revolutionaries who had failed and had been executed, as well as to counter the idols of Catholicism.

Original music by Gossec was composed for Coupigny's *Un Chant patriotique (Patriotic song)* first written to the popular melody « Aussitôt que la lumière » (Quickly as the light). The song was performed at the Théâtre des Arts on October 27. The Magasin de la Musique published it. The « Recueil des Époques » republished it for voice and small orchestra in a volume entitled *Chant en l'honneur des martyrs de la liberté (Song in honor of freedom's martyrs)*[1].

On November 4th, the Office of general accounting declared a civic holiday to unveil the busts of Lepeletier and Marat. A special hymn was performed. It was written for the occasion by Delrieu, a professor of rhetoric from Versailles, and by his fellow citizen, Giroust. Called *L'Hymne des Versaillais* because of its composer's origin, the song was very successful.[2]

Other cities and districts also held similar ceremonies. The Société Fraternelle du Panthéon Français, for example, unveiled the two busts on November 21. A hymn by Sérieys was sung during a pause in the procession on the place de l'Estrapade :

HYMNE EN L'HONNEUR
DE LEPELETIER ET DE MARAT

(Air : « Avec les jeux dans le village ».
Caveau n° 53, noté p. 23)

AMI du peuple, ami fidèle,
Marat, arrête ici tes pas,
Marat, le Panthéon t'appelle,
Lepeletier te tend les bras.
Là, que l'Univers vous contemple !
À vos accents ressuscité,
Que le monde entier soit le temple
Des martyrs de la liberté.

Pères d'une famille immense
Qui va peupler tout l'univers,
Vos travaux ont leur récompense :
Nous avons brisé tous nos fers.
Loin de nous, idoles du Tibre,
Loin de nous, Panthéon vénal ;
Quand tout est dieu chez l'homme libre,
Garde-t-on des dieux de métal ?

The memories of these martyrs of the Republic merged into the new religion honoring Liberty and Reason.

[1] Constant Pierre transcribed it for voice and piano in *« Musique des fêtes et cérémonies »*, No. 77, p. 366.

[2] L'*Hymne des Versaillais's* music was used as the melody for twenty other songs.

Festivals of Liberty and Reason

A Fête de la Liberté et de la Raison was celebrated on the 20th of Brumaire (November 10) in the Cathedral of Notre-Dame, renamed the Temple of Reason. The Commune invited Convention members to attend this civic festival. A young actress dressed in a tricolored flag represented Liberty. *Hymne à la Liberté (Hymn to Liberty)* by Chénier and Gossec, was performed : « Descends, ô Liberté, fille de la nature... » (« Descend O Liberty, Nature's daughter »). The music has since been lost.

In Rouen, the Commune's general council ordered the celebration of a Fête de la Raison on November 19. *Hymne à la Liberté* for three bass voices and orchestra was premiered. The music was composed by Punto, a famous horn player. The lyrics were written by Lainé, a bank clerk. Here is the version for solo voice, published in Paris by Frère :

The Notre-Dame de Paris Celebration (Satiric print engraved in Germany).

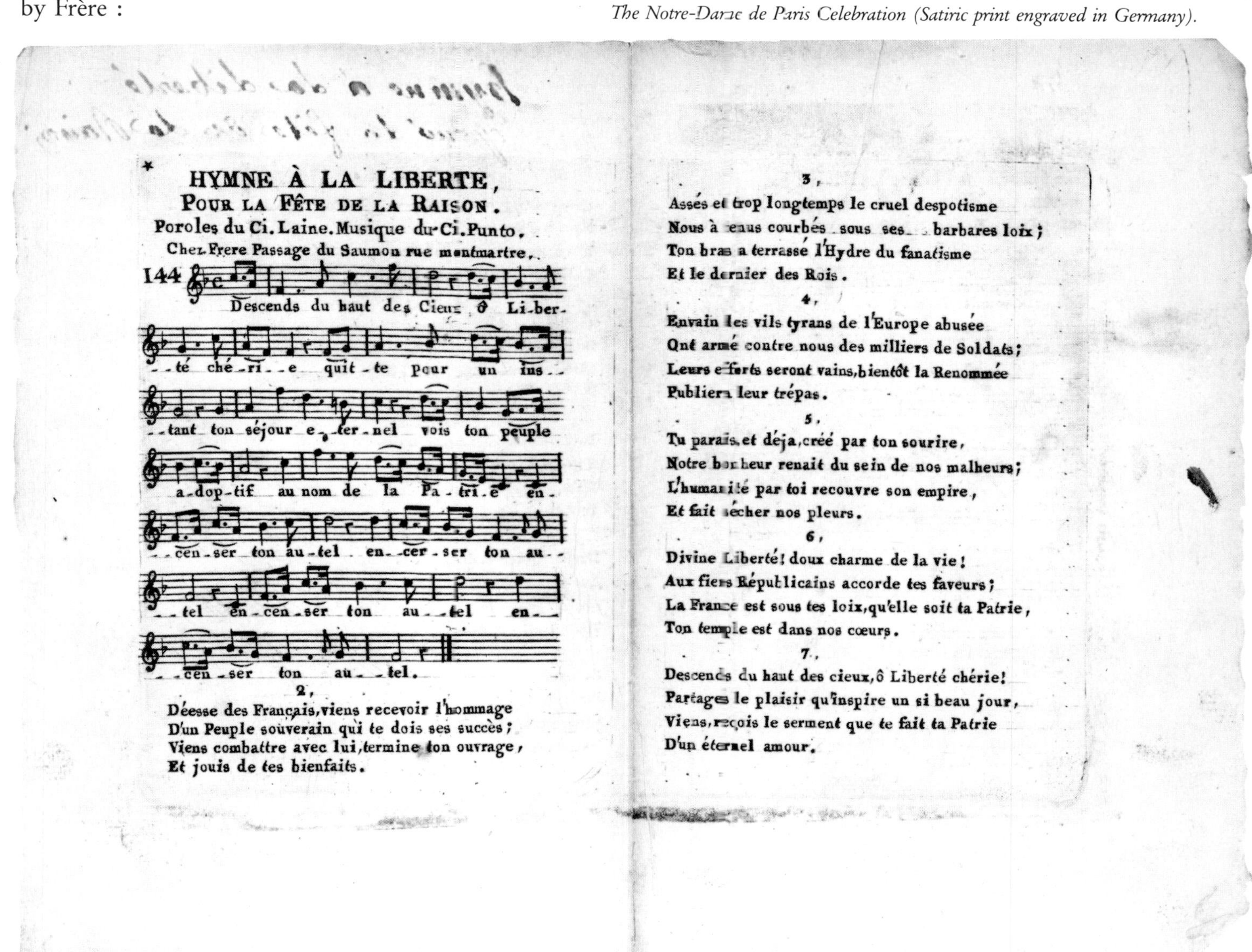

N. François, from Neufchâteau, who would play an important role under the Directoire, composed another *Hymne à la Liberté* based on the melody « Veillons au salut de l'empire » (Let us watch over the empire's health). The song was written for the November 16th inauguration of a temple to Liberty, in what was the Church of St. Jacques, in the Observatoire district. Chéron of the Opéra sang it.

HYMNE À LA LIBERTÉ

Ô Liberté ! Liberté sainte !
Déesse d'un peuple éclairé ;
Règne aujourd'hui dans cette enceinte,
Par toi ce Temple est épuré.
Liberté ! devant toi
La Raison chasse l'Imposture ;
L'Erreur s'enfuit,
Le Fanatisme est abattu ;
Notre Évangile est la Nature,
Et notre Culte est la Vertu.
(...)
Longtemps nos crédules Ancêtres
Laissèrent usurper leurs droits,
Liés de l'étole des Prêtres,
Courbés sous le sceptre des Rois.
Qu'aux accents de ta voix
Tombent les sceptres et les mîtres !
Du genre humain
Que les droits partout soient gravés !
Le monde avait perdu ses titres ;
La France les a retrouvés.
(...)

Ô quelle riante espérance
Du monde embellit l'horizon !
Le vieux bandeau de l'Ignorance
Est déchiré par la Raison.
A ta voix, Liberté,
Le Prêtre s'éclaire lui-même ;
Il devient homme,
Il veut se rendre Citoyen.
La Tiare et le Diadème
Devant ce titre ne sont rien.

Quels tributs à l'Être suprême
Sont les plus dignes d'être offerts ?
Ceux d'un peuple que le Ciel aime,
Puisqu'il a su briser ses fers,
Liberté, sous tes Lois,
Oui, la Morale est plus auguste,
De sa lumière
Un cœur libre est plus pénétré.
Pour être bienfaisant et juste,
Il ne faut ni Roi, ni Curé.

Aimer sa Patrie et ses frères,
Servir le Peuple souverain,
Voilà les sacrés caractères
Et la foi d'un Républicain.
D'un Enfer chimérique
Il ne craint point la vaine flamme ;
D'un Ciel menteur
Il n'attend point les faux trésors ;
Le Ciel est dans la paix de l'âme,
Et l'enfer est dans les remords.
(...)
Sur la Montagne indestructible,
Dont les Oracles nous sont chers,
Le Patriote incorruptible
Dicte la Loi de l'Univers.
Liberté, c'est de là
Que sonne le Tocsin du monde.
Tyrans, tremblez !
Fuyez, ô Superstitions !
Sur cette Montagne se fonde
La Liberté des Nations.

This piece was performed again on December 10 in front of the Saint-Gatien Church in Tours for the opening of a temple to Liberty. Later, Lesueur composed a beautiful melody for the song. It eventually was included in *Recueil des Chants républicains (Collection of republican songs)*,[1] undertaken by François de Neufchâteau, then Minister of the Interior[2].

Other districts or communes also sponsored celebrations of these kinds, sometimes even accompanied by anti-religious demonstrations. But on the 6th of Frimaire (November 26), having returned to Paris, Danton objected to these religious travesties. On the 8th, Robespierre spoke of the dangers of de-christianization. However, this did not keep Piis from writing the verses sung at the Fête de la Raison organized by the Tuileries district on the 10th of Frimaire :

1 Also called « Recueil des Époques » (Collection of the epochs).

2 See the transcription in C. Pierre, « Musiques des fêtes et cérémonies », No. 93, pages 452-453.

L'INUTILITÉ DES PRÊTRES,
Par le Citoyen. Piis,
Air du Vaudeville des Visitandines.
Chez FRERE Passage du Saumon Rue Montmartre.
Allegretto.
107

Va, va mon pè-re je te ju-re, que par la mort des pré-ju-gés, Les sen-ti-mens de la Na-tu-re, sont loin d'a-voir é-té chan-gés, sont loin d'a-voir é-té changés: pour ché-rir l'Auteur de mon ê-tre, et vo-ter son par-fait bon-heur, il me suf-fi-ra de mon coeur, je n'aurai pas be-soin de prê-tre, je n'au-rai pas be-soin de prê-tre.

2,
Victime faible, quoique sage,
Des religieuses erreurs,
O ma mère, sur ton visage,
Pourquoi vois-je couler des pleurs?b
La routine te fait peut être
Regretter un sot confesseur.
Verse tes chagrins dans mon cœur.
Un fils console mieux qu'un prêtre.b

3,
O mon épouse, ô ma compagne,
Tu vois combien j'avais raison.
Tu sentiras tout ce qu'on gagne
A régler seule sa maison. bis
Etait-il un guide plus traitre
Que ce qu'on nommait directeur?
Il te suffira de mon cœur...
Nous n'aurons pas besoin de prêtre.b

4,
Viens: mon fils, viens aussi ma fille,
Ne craignez plus qu'un précepteur,
En se glissant dans ma famille,
Vous soufle un venin corrupteur.b
Pour vous faire à tous deux coñaitre
Les vrais principes de l'honneur,
Il me suffira de mon cœur.
Je n'aurai pas besoin de prêtre. b

5,
O vous que j'aime et que j'honore,
Des campagnes bons habitans:
On voudrait vous tromper encore
Mais attendez jusqu'au printems.b
Quand vous verrez les bleds renaitre,
Quand vous verrez la vigne en fleur,
Avec nous vous direz en chœur:
Et tout ça vient pourtant sans prêtre b

6.
Je suis homme, et de mon semblable
Rien ne saurait m'être étranger;
Dès que j'entends un misérable
Demander à boire à manger: bis
Pour l'abreuver pour le repaitre.
Sans mettre à cela de valeur.
Je ne consulte que mon cœur.
Et je n'ai pas besoin de prêtre. bis

7.
Examinez ce fin lévite
Et ce gros docteur de la loi:
Tous les deux comme ils passent vite
Près d'un blessé qui crie: à moi. bis
Mais il survient un pauvre reître
Qui le secourt dans son malheur:
Jésus veut dire qu'un bon cœur
N'est ni d'un riche, ni d'un prêtre. bis

8
Engeance adroite et fanatique
Qui viviez jadis de l'autel,
Voulez-vous de la République
Obtenir un pardon formel: bis
En uniforme, en casque, en guêtres
Armez vos bras d'un fer vengeur
Et perdez, en prenant du cœur,
Votre caractère de prêtes. bis

9,
Adieu pseaumes, prières vaines,
Faites place à nos chants guerrier.
Loin des troupes Républicaines
Les capucins, les aumoniers: bis
Pour ne pas recevoir de maitre,
Et pour nous battre avec valeur,
Il nous suffit de notre cœur,
Nous n'avons pas besoin de prêtre. b

10.
Liberté, pour sauver la terre
Tu mis au jour l'Egalité.
De l'Egalité, sans mystère,
Procède la Fraternité. bis
O Trinité de nos ancêtres,
Vaudrais-tu celle aux trois couleur.
Son culte est fait pour tous les cœur
Les français sont ses premiers prêtre. b

11.
Alors qu'il me faudra descendre
Au champ d'un éternel repos:
O mes amis, portez ma cendre
Sous l'herbe des riants coteaux: bis
Et puisse l'écorce d'un hêtre
Près de la dire aux voyageur:
En ces lieux repose un bon cœur.
Qui n'y fut pas mis par un prêtre. bis

12.
Et si l'on connait l'existence
Par-delà ce terme fatal:
Si Dieu, contre toute apparence,
Me traduit à son tribunal. bis
Je ne craindrai point d'y paraitre,
Et de lui dire en ma faveur:
Jamais je ne t'ai dans mon cœur,
Cru semblable au dieu d'aucun prêtre. bis

On the 16th of Frimaire (December 6), the Convention restored freedom of religious observance. On December 25, in his report on the principles of revolutionary government[1], Robespierre chastised the extremists : « The fanaticism of monks and nuns atheism have much in common in some cases revolutionaries are more like nobility than one might have thought ».

Let us look at la *Fête de la Raison (The festival of Reason)*, a one-act opera by Sylvain Maréchal[2] and Grétry. It was one among many of the period's pieces which combined the concepts of Reason and Liberty. According to the score, the piece was performed at the Opéra the day after Christmas 1793. Laÿs, well-known for his Jacobinism, sang the role of the priest. *Hymne à la Raison (Hymn to Reason)* was sung by a chorus of villagers, where the priest comes to declare his convictions.

DIVINITÉ de tous les âges !
Toi qu'on adore sans rougir,
Raison ! que nos aïeux peu sages
Sous le joug de l'erreur firent longtemps gémir ;
Sois le guide de nos campagnes,
Purge-les de tous les abus.
Inspire au cœur de nos compagnes
L'amour de l'ordre et des vertus.

The libretto tells us : « He arrives in the middle of the Festival... tears up his prayerbook... He takes off his long habit and appears dressed as a Sans-Culotte ». He sings :

DANS le temple de la Raison,
Aux yeux de la nature,
Je viens me mettre à l'unisson,
Abjurer l'imposture.
Oui, je reprends ma dignité
D'homme libre et pensant ; je veux qu'à cette fête
On place sur ma tête
Le bonnet de la liberté.
Au diable la calotte !
Au diable la marotte
Je me fais sans-culotte, moi. *(bis)*

The mayor, who probably embodies Maréchal's own atheistic suspicions, forbids the villagers to give the priest a red bonnet to wear, explaining :

« Un prêtre est toujours prêtre. Aimons pourtant à croire
Que le vœu de sa bouche est dicté par son cœur... »

In the opera's finale, the chorus proclaims :

De bonnes mœurs, de sages lois,
Pas plus de prêtres que de rois !

Days later, on December 31, Rouen's citizens held a civic festival « on the occasion of the happy announcement of Toulon's capture ». Germain Lenormand contributed several verses, including this *Invocation à la Liberté (Invocation to Liberty) :*

(Air : « Ô ma tendre Musette », noté p. 62)

Ô Liberté chérie !
Nous t'adressons nos vœux !
Délivre la Patrie
De ses jours nébuleux !
Éloigne les alarmes
De tous les cœurs français ;
Fais-leur goûter les charmes
D'une durable paix.

Ô Liberté chérie !
Déesse des mortels,
Tout Français se rallie
Autour de tes Autels :
Pour donner un exemple
A la postérité,
Nous venons dans ton Temple
Fêter l'Égalité.

[1] He stated these principles as follows : « The responsibility of the constitutional government is to preserve the Republic ; the responsibility of the revolutionary government is to create the Republic. The Revolution is freedom's struggle against its enemies ; the Constitution is the law of a victorious and peaceful freedom. The Revolutionary government... must protect its good citizens ; it owes the enemy of the people nothing but death ».

[2] The libretto was a response to « L'Homme sans Dieu » (Man without God). The latter piece included *L'Almanach des honnêtes gens,* of « year I of the age of the Reason », which had been condemned and burned in Parliament on the eve of the Revolution. S. Maréchal had just won tremendous acclaim for his piece *Jugement dernier des Rois (Last judgment of Kings)* produced October 17, 1793 by the Théâtre de la République (Théâtre Français) and later performed in several cities of the provinces.

Denunciation of the treatment of Blacks in French colonies.

The Abolition of Slavery

On the 16th of Pluviôse (February 4, 1794), following a motion by Levasseur de la Sarthe, the Convention decreed the abolition of slavery in the French colonies. Opposition of the colonists and the hardships of war would quickly act to limit the effect of this humane and political decision. Soon after the vote, Danton declared : « Having granted the blessing of freedom, we must now counsel moderation, so to speak ! ». Although the Sans-Culottes celebrated this first abolition of slavery in the Temple de la Raison, few songs were written to commemorate it. Piis wrote one of them, a very moving one, to the charming melody « Daignez m'épargner le reste » (Please spare me from the rest), Caveau No. 12. It was first sung on February 8 in the Tuileries district :

LA LIBERTÉ DE NOS COLONIES

LE saviez-vous, Républicains,
Quel sort était le sort du nègre ?
Qu'à son rang, parmi les humains
Un sage décret réintègre ;
Il était esclave en naissant,
Puni de mort, pour un seul geste...
On vendait jusqu'à son enfant.
Le sucre était teint de son sang,
Daignez m'épargner tout le reste... *(bis)*

De vrais bourreaux, altérés d'or,
Promettant d'alléger ses chaînes,
Faisaient, pour les serrer encor,
Des tentatives inhumaines.
Mais, contre leurs complots pervers,
C'est la nature qui proteste
Et deux peuples, brisant leurs fers,
Ont, malgré la distance des mers,
Fini par s'entendre de reste. *(bis)*
(...)

Quand dans votre sol échauffé,
Il leur a semblé bon de naître,
La canne à sucre et le café
N'ont choisi ni gérant ni maître.
Cette mine est dans votre champ,
Nul aujourd'hui ne le conteste,
Plus vous peinez en l'exploitant,
Plus il est juste, assurément,
Que le produit net vous en reste. *(bis)*

(...)

Américains[1], l'égalité
Vous proclame aujourd'hui nos frères.
Vous aviez à la liberté
Les mêmes droits héréditaires.
Vous êtes noirs, mais le bon sens
Repousse un préjugé funeste...
Seriez-vous moins intéressants,
Aux yeux des républicains blancs ?
La couleur tombe, et l'homme reste ! *(bis)*

A Struggle on Two Fronts : the Exagérés and the Indulgents

Economic difficulties among the poor provoked increasing unrest and even looting during Pluviôse and Ventôse. The Cordeliers fanned the flames of unrest. Ronsin even expected an insurrection.

Robespierre, who was taken ill, was unable to participate in the Comité after February 15. On February 26 and March 2, Saint-Just presented to the Convention reports which led to the passing of the Lois de Ventôse. These decrees outlined a social policy, never applied because of strong opposition from the right of the Grand Comité : Carnot, Lindet, Barère, Prieur de la Côte-d'Or. On the other hand, Billaud and Collot tried to reach a compromise with the Cordeliers. The Cordeliers' moves against the Jacobin government became obvious March 11th. On the 12th, Robespierre, barely recovered from his illness, gathered the Comité de Salut public and the Comité de Sûreté générale and had them approve Saint-Just's proposal concerning « the plots against the French people and against Freedom ». The next day Saint-Just presented his report to the Convention, charging both the Exagérés and the Indulgents of being parties to the same foreign plot[1].

That night, some of the most influential Cordeliers, Ronsin, Hébert, Vincent and Momoro, were arrested. On the 18th, Chaumette was taken into custody. An arrest warrant was issued even for General Hoche, whose allegiance was suspect. Called to Paris and imprisoned at Carmes, Hoche would not be released until August 4th.

On March 14, Desmoulin's *Vieux Cordelier (Old Franciscan)* was closed down as a blow against the Indulgents. The next day Robespierre declared to the Convention : « All factions must perish at the same time ». Still, Robespierre continued to defend Danton against Billaud's accusations. However, Danton's attitude during their last meetings at the beginning of Germinal forced Robespierre to treat him as he did the other Indulgents.

On Germinal 1 (March 21) began the trial of the « Hébertistes », to which other accused totally unrelated to the Cordeliers had been added. Except for one informer all of them were executed on the 24th. Though the Sans-Culottes did not intervene, many deeply resented the brutal end of those whom they had considered their defenders.

This did not prevent the street singer Leveau from composing *Impromptu sur le raccourcissement du Père Duchesne et de ses complices (Impromptu on the cutting down of Père Duchesne and his accomplices)* to the melody of « Cadet Rousselle ». In this song and in his unique way he offered his comments on Hébert being a British spy :

Il est bougrement en Colère le Père Duchene.

foi guil-lo - ti - né, Comme il sa - cre, jure et tem -
- pê - te De voir tom-ber sa pau - vre tê - te, Ah!

Pour tous ses projets infernaux,
Il faisait chauffer ses fourneaux
Avec du bon charbon de terre
Qu'il recevait de l'Angleterre,
Ah ah ah, mais vraiment,
Hébert fume vilainement.

Son foutu mâtin de journal
Nous a bougrement fait de mal,
Qu'on le foute à la guillotine
Et toute sa clique coquine,
Ah ah ah, mais vraiment,
Guillotinez-les proprement.

1 One of the heads of the Enragés, the « red priest » Jacques Roux had already been arrested. He committed suicide in his prison cell on February 10.

Danton and Camille Desmoulins on the gallows. Romanticized print by Tony Johannot.

This accusation was repeated by a well-known vaudevillian, Jean-Joseph Dussault, future contributor to *Journal des débats* and curator of the Bibliothèque Sainte-Geneviève :

LE PÈRE DUCHESNE
COMPLAINTE

(Air : «Je l'ai planté, je l'ai vu naître». Caveau n° 261)

No. 261. Andante.

Allegretto. 19

CIEL ! il était si patriote,
Il faisait des discours si beaux !
Pourquoi siffle-t-il la linotte
Le fameux marchand de fourneaux ? *(bis)*
(...)

On assure que l'Angleterre
Qui nous prenait pour des nigauds,
Envoyait le charbon de terre
Dont il allumait ses fourneaux. *(bis)*
(...)

Quoi ! ne savais-tu pas, grand maître,
Célèbre diseur de bons mots,
Qu'on met la tête à la fenêtre
Quand on chauffe trop ses fourneaux ? *(bis)*

Seven days later, on the night of Germinal 9, the people were shocked once again when the Indulgent leaders, Danton and his friends Desmoulins, Delacroix and Philippeaux, were arrested.

Their trial began on the 13th of Germinal (April 2). They were prosecuted along with the profiteers implicated in the India Company scandal : Fabre d'Églantine, Basire and Chabot... Danton defended himself in his usual fiery, eloquent style. The Court used a ruse to silence him. Finding him guilty of « insulting national justice », it excluded him from the debate. On April 5, the trial ended. All of the accused were condemned and sentenced to immediate execution.

Was the physical removal of Danton (Robespierre called him a « rotted idol ») less well received or less understood by the Sans-Culottes than previous executions ? It is revealing to note that apparently no song was written for the occasion.

Nor did any song commemorate April 13th, the day nineteen condemned prisoners, including Chaumette, Lucile Desmoulins, Hébert's widow, the former Constitutional bishop Cobel and two generals were carted away to their execution. The repression had reached the militant section members. Paralyzing fear struck many of the Sans-Culottes. Saint-Just said : « The Revolution is frozen ». In this atmosphere of terror, it is hardly surprising that street singers and songwriters hesitated to express themselves as they had before. Why would they be more brave or bold than deputies, journalists or other political professionals ?

The hymn performed on the 10th of Germinal (March 30) at the Lycée des Arts seemed to have no connection to the Comité's fight against the Hébertists and the Dantonists. The lyrics by Faro (supposedly) and music by Convention member Nicolas Haussman, then an assistant with the northern army's mission, had probably been written several days before. The hymn was performed again on May 5, then on the 9th at the Opéra Comique. It was remembered by the patriots since it was sung several times more by Babeuf's group during their Vendôme trial in March 1797.

The song was composed by the prolific writer Buard and sung on April 9 a few days after Danton's execution. It was loosely based on the execution. The following lines were perhaps a rather discreet allusion to Danton :

« Peuple, par ta surveillance,
Démasque les scélérats »
(Citizens by your vigilance,
Unmask the criminals)

The Comité de Salut public did not hesitate to disown representatives guilty of abuse or embezzlement such as Fouché, Tallien and Carrier. They were recalled from Lyon, Bordeaux and Nantes, respectively. On the 30th of Germinal, a total of twenty-one representatives were recalled, in what constituted a repudiation of their terrorist activities. Many of them would never forgive the Robespierre supporters for this action.

Germinal's icy silence was a prelude to the tragedy of Thermidor.

HYMNE A L'INDÉPENDANCE.

Paroles du Citoyen FARO.

Musique du Cit. HAUSSMANN.

Chanté au Lycée des Arts, le 10. Germinal, l'An 2. de la R.F.

Allegro. Violon.

Chantons chantons a_vec courage vive vive l'E_ga_li_té chas_ _sons chassons partout l'Escla_vage vi_ve vive la Liber_té

La na_ture in_fi_ni_ment sa_ge nous a_ni_ma des mê_mes feux, Justice, A_mour, Plai_sir, Ou_vra_ge tout devait rendre l'homme heu_reux, Violon.

Mais des mé_chants pour enchai_ner leurs frè_ _res les ont sou_mis a de per_fi_ _des Loix. au nom des Dieux ils ont trompé nos pères aux pieds ils ont fou_lés nos Droits ô jours heureux, ô sié_cle de lu_ _mieres, le Peuple a ren_ver_sé ses Rois. Chantons &c.

2. C.

C'est envain qu'on nous fait la guerre,
Nos cœurs sont pris au même nœud,
Apprenés Tirans de la terre
Qu'un Peuple est libre quand il veut :
Lancés, lancés vos Bombes meurtrieres,
Et contre nous raliés vos voisins,
Faites marcher vos troupes sanguinaires,
Brigands titrés, Rois inhumains ;
Venés, venez apprendre téméraires
Que votre sort est dans nos mains.
Chantons &c.

3. C.

Reste avec nous chere Espérance,
Abandonne nos ennemis,
Jette un doux regard sur la France,
N'y vois que des mortels unis :
Dieu des combats, soutiens notre vaillance,
Livre en nos mains jusqu'au dernier Tiran ;
Législateurs, guidez notre vengeance
Républicains, voici l'instant,
Vaincre ou mourir, pour notre Indépendance,
Tel est notre dernier serment.
Chantons &c.

A PARIS.

Chez H. NADERMAN. Éditeur, Luthier, Facteur de Harpe, et autres instruments, rue d'Argenteuil butte des moulins À APOLLON.

N.B. On trouve à la même adresse, la Partition en grand Orchestre.

PRIX 3.tt

LE TRIOMPHE DE LA RAISON ET DE LA LIBERTÉ.

Hymne Patriotique.

Air: Aussitôt que la lumiere, Ou air: de Raimonde,

Chez Frere Passage du Saumon rue montmartre,

146

France, ô ma chè_re pa_trie: per_mets qu'un de tes en_fans, de la Li_ber_té ché_ _rie, fasse en_ten_dre les ac_cens: et que la Vé_ri_té pu_re, en s'exprimant par ma voix, fa_se ché_rir la na_tu_re, et dé_ _tes_ter tous les Rois.

2.

Tyrans assis sur le trône,
Monstres couverts de forfaits,
L'éclat qui vous environne,
Va disparaitre à jamais:
Pensez vous dans sa vengeance
Du Peuple arrêter les coups?
Non... le salut de la France,
Veut que vous périssiez tous.

3

Peuple, par ta surveillance,
Démasque les Scélérats.
Que la Raison, la prudence
Dirige toujours tes pas.
Qu'au près de toi l'hypocrite,
Ne trouvant aucun accès,
Fasse enfin place au mérite,
Seul digne de tes bienfaits.

4,

Pour être heureux sur la terre
Il faut respecter les loix
Les aimer d'amour sincère
Connaître surtout ses droits
Les deffendre avec courage
N'agir qu'en bon Citoyen,
Tels sont les devoirs du sage
Et du vrai Républicain.

(Hommage à la Liberté)

Reçois notre juste hommage
Pure et sainte Liberté
Qui t'aime sent d'avantage
Le prix de l'Égalité
Un peuple que rien n'étonne
Libre et maître de son sort
Que peut il craindre?.. Personne.
La liberté ou la mort.

6

Viens, descens, Liberté sainte
Règne à jamais dans nos cœurs
Fais qu'insensible à la crainte
Nous soyons toujours vainqueurs
Protège un peuple de frères
Qui, fidèle à ses Sermens
Sait respecter les chaumières
Même en frappant les tyrans.

(Invocation a l'Éternel)

Souverain de la Nature
Pere de l'humanité :
Confonds l'erreur l'imposture,
L'Intrigue et l'iniquité.
Plus de nobles plus de Prêtres,
Libres, sans chef, et sans Rois:
Nous ne voulons d'autres maîtres,
Que nos vertus et nos loix.

FIN,

Composée et chantée par le Citoyen Buard fils. dans le temple de la Raison, Section de Bon-Conseil, le. Décady 20. Germinal l'an 2me, de la République.

Dissent Within the Comité de Salut Public

In his report to the Convention on Germinal 12 (April 1), Carnot launched a motion against Robespierre : « Unhappy a Republic which becomes dependent on a man's worth or his virtue even ». On April 20, Billaud cautioned the Convention against hero worship. « When one has a dozen armies under one's command, defections are not the only things to fear and to be prevented. Equally to be feared are the influence of the military and the ambition of an enterprising leader who deviates suddenly from his line of duty. History teaches us how all republics perish... A warrior people becomes a nation of slaves ».

On the 18th of Floréal (May 7), Robespierre reported to the Convention on « the principles of political morality that must guide the Convention ». He declared that « virtue is the essence of the republic... The concept of a Supreme Being and of the soul's immortality is a constant reminder of justice. Thus, it belongs both to society and to the Republic... » The Assemblée agreed with him, decreeing that « the French people recognize the existence of a Supreme Being and of the soul's immortality ».

This official position, both philosophical and political, earned Robespierre the respect of those who were shocked by anti-religious excesses. It alienated, however, the revolutionary free-thinkers. They did not agree with the need to « call men back to thoughts of the Divine », nor did they agree with the decision to dedicate a great festival to the Supreme Being whom they saw as a substitute for the Judeo-Christian god.

The Festival of the Supreme Being

Under the direction of the painter Louis David, Convention deputy and member of the Comité de Sûreté générale, Paris celebrated the great festival on the 20th of Prairial (June 8). By then, Robespierre had been elected president of the Convention. He seemed to rule from the top of the « Montagne » raised on the Champ-de-Mars, a sort of pope of the new cult.

A long procession extended from the Jardin national (Tuileries) to the Champ de la Réunion (Champ-de-Mars).

Many hymns and songs were written for the occasion. More than one hundred hymns were dedicated « to the Supreme Being », « to the Eternal One », « to the Creator »...

The most famous, and doubtless the most majestic of these hymns, was written by Desorgues[1] and Gossec. On the 16th of Floréal, Robespierre had rejected Gossec's first composition written to a Chénier poem. Gossec quickly composed a second version with lyrics by Desorgue. On the very next day, the 17th, the Comité de Salut public adopted this second composition. This hymn was meant to be sung by the people. The Institut National de Musique quickly printed copies which were distributed to schools and all the Parisian districts. On the night of the 19th, in an unprecedented group teaching effort, Institut musicians and students from the École Nationale de Chant taught the song to 2,400 singers, male and female (fifty to a district). On the 20th of Prairial, they sang the hymn after Robespierre's speech[2].

1 As a result, Théodore Gossec (1763-1808), salon poet from Aix-en-Provence, found himself promoted to official poet. He wrote other hymns for civic celebrations, then works in verse until peacetime in 1801. He refused to write under Bonaparte. He even flaunted his Republicanism in a satiric song « Oui, le grand Napoléon / Est un grand Caméléon » (Yes the great Napoleon / Is a great chameleon). Some people saw proof of insanity in this opposition to the Empire ! In May 1805 the poet was sent to a clinic in Charenton (as Sade had been), where he died three years later.

Autoportrait de David.

Celebration of the Supreme Being by Demachy.

2

Ton temple est sur les monts, dans les airs, sur les ondes;
Tu n'as point de passé, tu n'as point d'avenir,
Et sans les occuper tu remplis tous les mondes,
Qui ne peuvent te contenir.

Tout émane de toi, grande et première cause;
Tout s'épure aux rayons de ta divinité;
Sur ton culte immortel la morale repose,
Et sur les mœurs la Liberté.

Pour venger leur outrage et ta gloire offensée,
L'auguste Liberté, ce fléau des pervers,
Sortit au même instant de ta vaste pensée,
Avec le plan de l'univers.

Dieu puissant! elle seule a vengé ton injure;
De ton culte elle-même instruisant les mortels,
Leva le voile épais qui couvroit la Nature,
Et vint absoudre tes autels.

O toi! qui du néant, ainsi qu'une étincelle,
Fis jaillir dans les airs l'astre éclatant du jour!
Fais plus...... verse en nos cœurs ta sagesse immortelle,
Embrâse-nous de ton amour.

3

De la haine des rois anime la Patrie,
Chasse les vains desirs, l'injuste orgueil des rangs,
Le luxe corrupteur, la basse flaterie,
Plus fatale que les tyrans.

Dissipe nos erreurs, rends-nous bons, rends-nous justes,
Règne, règne au-delà du tout illimité;
Enchaîne la Nature à tes décrets augustes,
Laisse à l'homme la Liberté.

TH DESORGUES.

Conforme à l'original envoyé par le Comité de Salut Public à l'Institut National de Musique, pour être chanté à la fête du 20 Prairial, et envoyé dans les Départemens.

VENY, *Secrétaire de l'Institut.*

Du magasin de Musique à l'usage des Fêtes Nationales, rue Joseph, Section de Brutus.

[2] Reproduced here is the popular version (16 measures in 6/8 rhythm in C major) sung in unison by the people, as Robespierre had wished, on June 8 at the Tuileries. Gossec used the same words for his earlier music in E flat for four voices and orchestra. (C. Pierre reprinted it in *Musiques des fêtes et cérémonies...*, No. 36, pages 232 to 238). The music could not be performed in the afternoon, during the second part of the celebration. According to James Guillaume, the participants standing on the « Mountain » sang the new verses by Desorgues which replaced the Chénier verses, to the tune of *La Marseillaise,* which all knew obviously. Gossec heard his hymn « with full chorus » of professionals on the following 14th of July and August 10th. This more sophisticated version is less well-known than the one which inspired the amateur voices on Prairial 19 and 20.

HYMNE
A L'ÊTRE SUPRÊME.

Imprimée par ordre de la Commission de l'instruction publique.

PRINCIPE créateur, pure et sublime essence,
Qui du monde et des temps réglas l'ordre éternel,
Un peuple souverain, digne de sa puissance,
T'honore en ce jour solemnel !

PORTE un regard d'amour sur ce spectacle auguste
Tout plein de ta grandeur, de ta divinité !
Les parfums de la terre et les vœux du cœur juste
Sont l'encens qui t'est présenté.

QUE versant dans les airs une clarté nouvelle,
L'astre brillant du jour, dans sa course entraîné,
Ne puisse contempler une pompe plus belle,
Un empire plus fortuné !

A ce feu révéré par le Guèbre et le Mage
L'erreur dans l'Orient éleva des autels ;
A des dieux imposteurs elle offrit un hommage
Souillé par le sang des mortels.

L'IMPIE audacieux, levant sa tête altière,
S'écriait : « Tu n'es pas le père des humains ;
» Tu n'as point fait les cieux ; ce globe de lumière
» N'est point une œuvre de tes mains.

(17)

» LA matière éternelle à tout donna naissance ;
» Mortel foible et trompé, rougis, ouvre les yeux :
» Tout pér't sans retour, le crime et l'innocence ;
» C'est la crainte qui fit les dieux. »

C'EST ainsi qu'étouffant une voix importune,
De son cœur sur nos maux il répandait le fiel ;
Barbare, il aigrissait les pleurs de l'infortune,
Levant ses regards vers le ciel !

LA raison, éveillée au cri de la nature,
Du trône de l'orgueil précipite les rois,
Et des prêtres menteurs éclairant l'imposture,
Rétablit ton culte et nos droits.

L'ATHÉISME, frappé par nos loix salutaires,
Exhale ses poisons et se roule abattu ;
Les cieux s'ouvrent au juste, et ce peuple de frères
Pour culte embrasse la vertu.

TOI, le conservateur des êtres et du monde !
Si ton souffle a donné la forme aux élémens,
S'il soutient des états la puissance féconde,
Ou renverse leurs fondemens !

D'UNE postérité florissante et nombreuse,
Flatte l'espoir jaloux d'un peuple énorgueilli ;
Et que de nos succès, par une race heureuse,
Le fruit soit long-temps recueilli.

DÉJA la mer voit fuir le perfide insulaire,
L'aigle altier des Césars recule ensanglanté,
Les monts sont affranchis, et du farouche Ibère
L'orgueil indocile est dompté.

Here is another *Hymne à l'Être suprême (Hymn to the Supreme Being)*, by Désaugiers the son (we do not know which of the sons). One son's rank of Secretary of the Comité de Salut public, war section, explains perhaps why the Comité d'Instruction publique commissioned Méhul to write this piece, one week after the performance of the Desorgues / Gossec hymn had thrilled the Parisians...[1]

The Magasin de Musique also published another timely piece to be sung on national holidays : *Ode à l'Être suprême (Ode to the Supreme Being)*, lyrics by Auguste (Dossion), music by Dalayrac. And as a curiosity, let us take note of Citizen Person, an author whom we will find to be much less zealous after Thermidor. Inspector of the primary schools in the Chalier district, he performed his work in the temple of what used to be the Sorbonne.

(18)

LA vertu, la pudeur trop long-temps prophanée,
Sans crainte à nos regards lèvent un front serein,
Et la fécondité, de gerbes couronnée,
Verse les trésors de son sein.

O Dieu de l'univers ! dispense à la patrie
Les dons de la nature et de la liberté,
Un repos glorieux, une active industrie,
Une longue prospérité !

Par le Citoyen DÉSAUGIERS.

Secrétaire du Comité de salut public, section de la guerre.

[1] It is likely that this project was not completed. It did, however, lead Méhul to express some interesting ideas on Prairial 29 (June 17). He agreed to work on Desaugiers' hymn but wanted to know how the piece would be performed : « The hymn to the Supreme Being can take on a very dramatic feeling if sung at the Opéra. It could include musical tableaux, recitatifs, arias and chorus. But if it were meant only to be sung by the people during the festivals of the decade, the production would have to be simplified ». Gossec's experience of substituting Desorgues' words for Chénier's, when Robespierre said he preferred the popular interpretation, inspired Méhul to conclude : « I think that the people must sing this hymn and that it is up to the Opéra to adapt the people's hymn. Regards and brotherhood ».

ÔDE À L'ÊTRE SUPRÊME.

Par AUGUSTE, du theatre du Vaudeville.

Musique de DALAYRAC.

Du Magasin de Musique à l'usage des fêtes Nationales, Rue Joseph N°. 16.

N°. II.

Lent avec expression.
Suprême auteur de la na_tu_re, pour
t'aimer tu fis les mortels. en vain l'erreur et l'impostu_re veulent dé-
-truire tes au_tels. dans le cœur de l'être qui pen_se le
sentiment de ta pré_sen ce naît et s'accroît par tes bien
faits. l'Athée en_vain cherche à l'é_teindre, son soufle impur n'a pu l'at-

-teindre, il vit pour ne mourir ja_mais, il vit pour ne mourir ja_____
-mais, il vit pour ne mourir ja_mais.

2. C.

Et toi de qui l'ame égarée
Dans le hasard seul met sa foi
Vois des cieux la voute azurée
Se déployer autour de toi :
Vois dans leur course régulière
Ces globes sources de lumieres
Toujours roulans, toujours en feu
Vois les saisons, vois la nature,
Et si ton cœur n'est pas parjure
Diras-tu qu'il nest pas un dieu.

3. C.

Dieu protecteur de ma patrie
Tu fis les peuples, non les rois.
C'est envain que leur ligue impie
Veut nous dicter d'affreuses loix.
Nous ne voulons que toi pour maître.
L homme juste sera ton prêtre ;
Dans nos cœurs seront tes autels.
Dégagés de l'idolatrie
Nous prouverons à qui t'oublie
Qu'il est un dieu pour les mortels.

HYMNE

du Cen. Ferson de la Section Châlier

a l'honneur de l'Être Suprême

Chanté le 20. floréal dans le temple ci devant Sorbonne

Air: Quels accents, quels transports,

Chez Imbault rue Honoré N°. 200 de la Secon. des gardes Françaises au Mont-d'Or près la maison d'aligre

537

Ci-toy-ens ré-u-nis sous
ces vas-tes por-ti-ques qui ne re-ten-tis-
-soient que d'ac-cents fa-na-ti-ques! de l'au-
-guste Rai-son la con-so-lan-te voix vous ap-
-pelle au tem-ple des Loix vous ap-pelle au tem-
-ple des Loix, il n'est plus cet au-tel qu'en-cen-
-soit le par-jure l'uni-vers sert de thrône au dieu
de la na-tu---re, Nous ne re-connois
-sons au sein de l'u-ni--té que le
Dieu des bienfaits, et de la Li-ber-té.

2.

C'en est fait pour jamais ministres du mesonge
Votre empire superbe a passé comme un songe.
Sous le manteau sacré vous ne porterez plus.
Le poison au sein des Vertus, (Bis)
Maintenant découverts et l'opprobre du monde,
C'est en vous punissant que l'on chante à la ronde
Nous ne reconnoissons, &c.

3.

Trop long-temps abusant d'un droit imaginaire.
Enfin nos oppresseurs ont mordu la poussière
Transformés en héros, Vieillards, Femmes, enfants
Ont pu renverser les géants (Bis)
Cet effet merveilleux de force et de courage....
Du Maître des destins, Citoyens, c'est l'ouvrage
Nous ne reconnoissons, &c.

INVOCATION

Tout puissant Créateur des cieux et de la terre
Qui foudroyes les rois dans ta jute colere!.
Fais que les Nations sur nos pas triomphans.
Détruisent les derniers tyrans. (Bis)
Alors ne formant plus qu'un peuple de bons frères
A ta gloire on dira sur les deux hémisphères
Nous ne reconnoissons, &c.

LE SALPÊTRE RÉPUBLICAIN
Couplets Chantés sur le Théâtre de l'Opéra-Comique National, par le Citoyen Solié.
A Paris Chez Imbault rue S.t Honoré au mont d'or
N.o 627.
Air : Chacun avec moi l'avouera

2.e
Mettons fin à l'ambition
De tous ces rois tirans du monde,
De ces pirates d'albion
Qui prétendoient régner sur l'onde, (bis)
Nous avons tout ce qu'ils n'ont pas ;
Nous avons le cœur et les bras
D'hommes libres et faits pour l'être :
Nous avons du fer, des soldats,
Il ne nous faut (ter) que du salpêtre.

3.e
C'est dans le sol de nos Caveaux
Que gît l'esprit de nos ancêtres ;
Ils enterroient sous leurs tonneaux
Le noir chagrin d'avoir des maîtres, (bis)
Cachant sous l'air de la gaieté
Leur amour pour la liberté,
Ce sentiment n'ôsoit paroître :
Mais dans le sol il est resté
Et cet esprit (ter) c'est du salpêtre.

4.e
On verra le feu du français
Fondre la glace germanique.
Tout doit répondre à ses succès :
Vive à jamais la république ! (bis)
Précurseurs de la liberté,
Des loix et de l'égalité,
Tels partout on doit nous connoître ;
Vainqueurs des bons par la bonté
Et des méchans (ter) par le salpêtre

(Le public ayant demandé l'auteur,
L'acteur chanta ce couplet.)

5.e
Trouve-t-on quelque vérité,
C'est un devoir de la répandre ;
Tout doit avec fraternité
Se publier comme s'entendre. (bis)
Les vers ont tort s'ils sont mal faits
Si vous en êtes satisfaits
Qu'est ce qu'un nom, quel qu'il puisse être ?
Tandis qu'on chante ses couplets
L'auteur chez lui (ter) fait du salpêtre
(Par un Citoyen de la section de Mutius Scévola.)

New Victories for the Soldiers of Year II

The revolutionary government reinforced and reorganized the national army. In spring 1794, a million men were serving under its flag. The revolutionary government needed new recruits but also arms and ammunition. Simple verses were inspired by the need to extract more saltpeter, already mentioned in the August 3, 1793 decree. The verses were successfully sung at the Opéra Comique to the melody of « Chacun l'avouera ».

Esprit de corps led Coupigny to compose a response, set to music by Dalayrac. C. Pierre published a transcription of it in *Musique des fêtes et cérémonies,* No. 92, p. 451. Here is the first verse :

LES CANONS,
OU
LA RÉPONSE AU SALPÊTRE

AMIS, vos vers et vos chansons
Du salpêtre ont chanté la gloire,
Mais vous oubliez les canons
Si chers au dieu de la victoire.
Honneur donc au salpêtrier !
À son art nous devons la poudre.
Honneur encore au canonnier
Dont la main dirige la foudre.

The large number of line regiments, volunteer battalions and recruits enlisted by the draft permitted the formation of operational half-brigades. The officers of the twelve armies had been gradually reorganized and promoted according to their valor and their fighting and civic spirit. Military command and battle conduct were brought

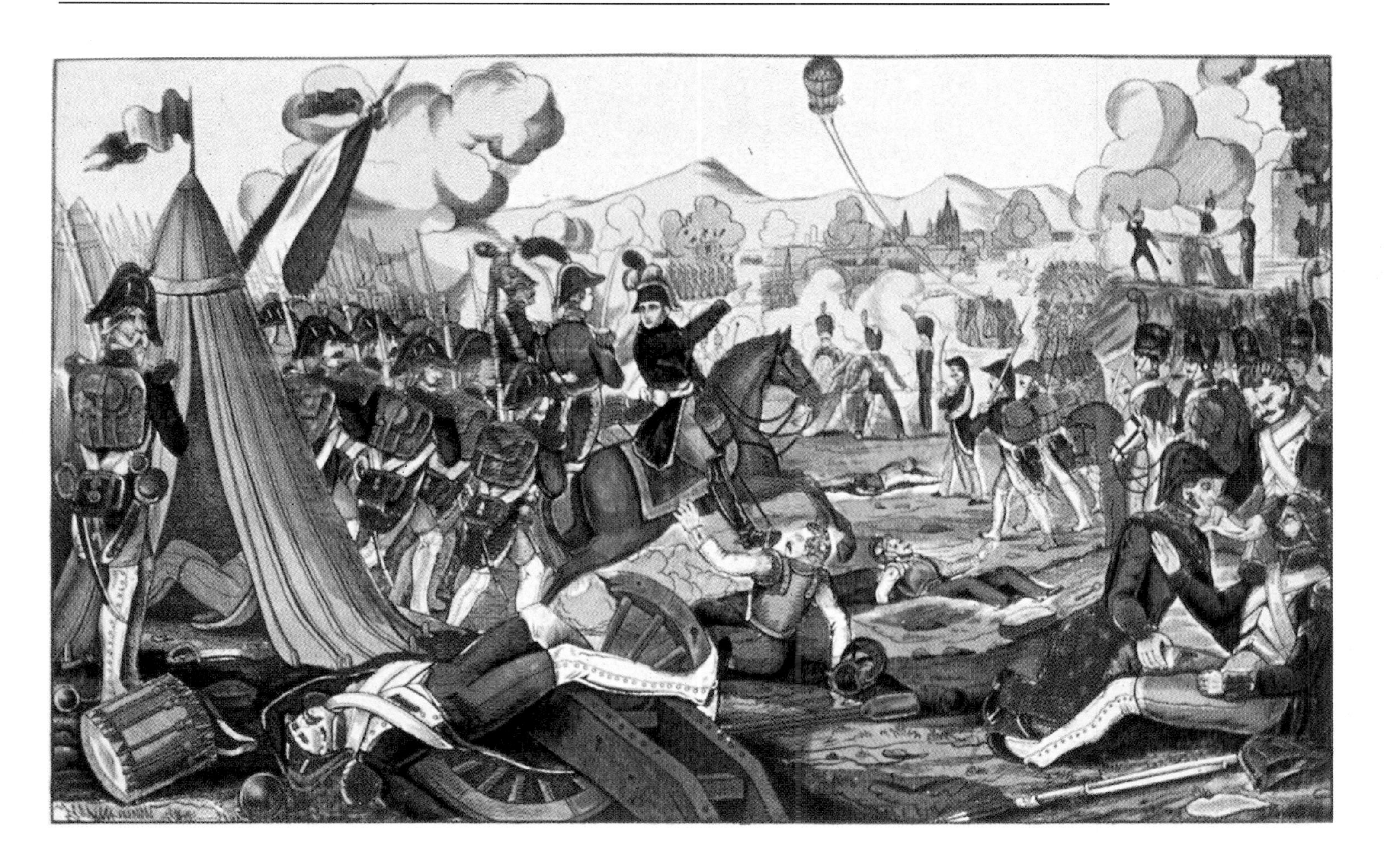

The victory of Fleurus June 26, 1794 under Jourdan's command. Note the first use of an observation hot-air balloon.

under civilian rule. The Convention permanently assigned some of its members to the army chiefs, which sometimes caused friction.

Activity on the northern front decided the fate of the Revolution. Three armies : the Ardennes army led by Marceau, the Northern army commanded by Pichegru and the Moselle army under Jourdan were up against Cobourg's experienced troops. After a few turns of events and after Saint-Just regrouped and reinforced the Ardennes and Moselle armies, a number of victories followed : Pichegru's at Tourcoing on May 18th, then at Ypres ; Jourdan's at Charleroi on June 25, and especially, Fleurus on June 26.

The result was the liberation of Belgium. Pichegru and Jourdan secured Brussels on July 8, and continued to advance. On July 24, Pichegru occupied Antwerp, and Jourdan the city of Liège.

As soon as the news of the Fleurus victory reached it, the Convention asked the Institut National de Musique to celebrate this military event that very night (June 29). Accordingly, in the Tuileries gardens, Lebrun and Catel performed an improvised song. They performed a more finished piece for the Concert du Peuple on July 4th. Here are the first verse and the refrain :

CHANT RÉPUBLICAIN
SUR LA BATAILLE DE FLEURUS

C'EST en vain que le Nord enfante
Et vomit d'affreux bataillons,
Leur corps est promis aux sillons
De notre France triomphante.
FLEURUS, tes champs couverts de morts
Attestent les heureux efforts
De la valeur républicaine ;
Tes champs, fameux par nos exploits,
Ont trahi l'espoir et la haine
De cent mille esclaves des rois.
Non, non, il n'est rien d'impossible
A qui prétend vaincre ou périr ;
Ce cri : *vivre libre ou mourir*,
Est le serment d'être invincible.

The same night, at the Opéra, Chéron sang a Coupigny song to the melody of the « Sans-culotides » :

CHANT DE VICTOIRE
SUR
LES SUCCÈS DE LA RÉPUBLIQUE

RÉJOUIS-TOI, Peuple intrépide !
Devant tes drapeaux triomphants,
Vois la victoire qui te guide
Chasser tes ennemis tremblants.
Échappés au fer des batailles
Qui les vainquit à Charleroi,
Ils courent sous d'autres murailles
Cacher leur trouble et leur effroi.

Bientôt, dans toute la Belgique
Libre du joug des oppresseurs,
Les enfants de la République
Feront oublier vos fureurs.
Fuyez, reportez l'épouvante
Aux cœurs de vos tyrans vaincus,
Et laissez leur rage impuissante
Pleurer des crimes superflus.

According to tradition, M.-J. Chénier and Méhul got the idea for *Le Chant du départ (Song of departure)* from the Fleurus victory. The truth is that the poem and music were in fact written sometime earlier. Chénier, now under suspicion, was hiding at the home of Sarette, head of the Institut National de Musique. Sarette was not able to have *Le Chant du départ* performed at the July 4 concert. It was sung only during the July 14 anniversary of the taking of the Bastille. Moreover, the first Magasin de Musique edition replaced Chénier's name with *** symbols. Later editions, advertised in the Messidor 27 (July 15, 1794) *Journal de Paris* and in *Affiches, annonces...*, included the author's name.

At the Jardin national performance, the piece was performed with chorus and orchestra and included the instrumental prelude, unfortunately too often omitted today. The interpretation must have had a tremendous effect on the public, since it was performed again at the August 10 ceremonies and reappeared on the program at every festival. Constant Pierre stated that « at the suggestion of the Institut National, the Comité d'Instruction requested the Magasin de la Musique provide 18,000 copies to the Convention, citizens, and each of the fourteen armies... »

On September 29, a theatrical adaptation of the Chénier and Méhul piece, similar to the staging of *La Marseillaise,* opened at the Opéra. By the end of December, the hymn had been performed twenty times.

Due to the British fleet's superiority, especially in the Mediterranean, the revolutionary navy fared less well.

On May 22, thanks to local support from Paoli, the British seized Bastia.

The republican forces in the Atlantic, commanded by Villaret-Joyeuse, engaged Howe's fleet off the coast of Ouessant from May 28 to June 1st to enable an American grain convoy to land at Brest. Despite the severe losses suffered by the French (seven ships were destroyed), the British were forced to retreat.

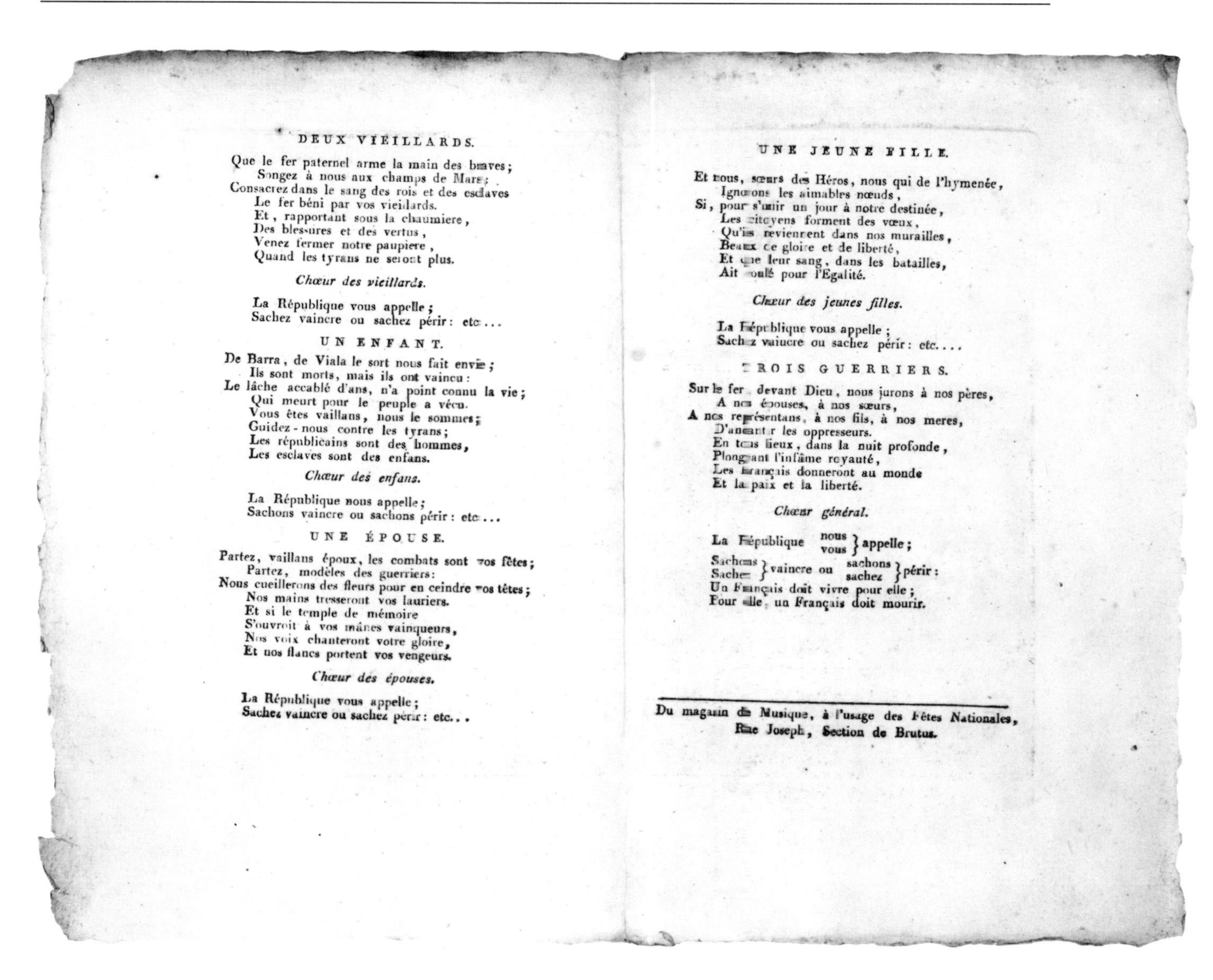

DEUX VIEILLARDS.

Que le fer paternel arme la main des braves;
Songez à nous aux champs de Mars;
Consacrez dans le sang des rois et des esclaves
Le fer béni par vos vieillards.
Et, rapportant sous la chaumiere,
Des blessures et des vertus,
Venez fermer notre paupiere,
Quand les tyrans ne seront plus.

Chœur des vieillards.

La République vous appelle;
Sachez vaincre ou sachez périr: etc...

UN ENFANT.

De Barra, de Viala le sort nous fait envie;
Ils sont morts, mais ils ont vaincu:
Le lâche accablé d'ans, n'a point connu la vie;
Qui meurt pour le peuple a vécu.
Vous êtes vaillans, nous le sommes;
Guidez-nous contre les tyrans;
Les républicains sont des hommes,
Les esclaves sont des enfans.

Chœur des enfans.

La République nous appelle;
Sachons vaincre ou sachons périr: etc...

UNE ÉPOUSE.

Partez, vaillans époux, les combats sont vos fêtes;
Partez, modèles des guerriers:
Nous cueillerons des fleurs pour en ceindre vos têtes;
Nos mains tresseront vos lauriers.
Et si le temple de mémoire
S'ouvroit à vos mânes vainqueurs,
Nos voix chanteront votre gloire,
Et nos flancs portent vos vengeurs.

Chœur des épouses.

La République vous appelle;
Sachez vaincre ou sachez périr: etc...

UNE JEUNE FILLE.

Et nous, sœurs des Héros, nous qui de l'hymenée,
Ignorons les aimables nœuds,
Si, pour s'unir un jour à notre destinée,
Les citoyens forment des vœux,
Qu'ils reviennent dans nos murailles,
Beaux de gloire et de liberté,
Et que leur sang, dans les batailles,
Ait coulé pour l'Egalité.

Chœur des jeunes filles.

La République vous appelle;
Sachez vaincre ou sachez périr: etc...

TROIS GUERRIERS.

Sur le fer, devant Dieu, nous jurons à nos pères,
A nos épouses, à nos sœurs,
A nos représentans, à nos fils, à nos meres,
D'anéantir les oppresseurs.
En tous lieux, dans la nuit profonde,
Plongeant l'infâme royauté,
Les Français donneront au monde
Et la paix et la liberté.

Chœur général.

La République nous / vous appelle;
Sachons / Sachez vaincre ou sachons / sachez périr:
Un Français doit vivre pour elle;
Pour elle, un Français doit mourir.

Du magasin de Musique, à l'usage des Fêtes Nationales,
Rue Joseph, Section de Brutus.

On June 2, the Comité de Salut public made the exploits of one ship legendary. The crew of the ship *Le Vengeur* had chosen to go down flying the tricolored flag rather than surrender. Several songwriters honored the heroism of these sailors of the republic. Here is the complete text of a song by Piis. We have also included a verse of the later « Ode » by the poet Lebrun-Pindare and the composer Catel, published by C. Pierre in *Musiques des fêtes et cérémonies,* No. 98, p. 466-467.

ODE
SUR
LE VAISSEAU « LE VENGEUR »

TRAHI par le sort infidèle
Comme un lion pressé de nombreux léopards,
Seul au milieu de tous, sa fureur étincelle,
Il les combat de toutes parts.
Mais des flots fût-il la victime,
Ainsi que *Le Vengeur* il est beau de périr ;
Il est beau quand le sort vous plonge dans l'abîme
De paraître le conquérir.

CHANT
composé par Rouget de l'Isle
en 1794
en l'honneur du « VENGEUR »

Ce pavillon dont, sur les mers,
Nous devions soutenir la gloire,
N'aura-t-il vu que nos revers ?
A notre France, à l'univers
Nous qui jurâmes la victoire,
Pourrons-nous accepter des fers ?
Mourons pour la Patrie,
C'est le sort le plus beau, le plus digne d'envie.

Pourrons-nous au joug des Anglais
Offrir une tête servile ?
Nous, hommes libres, nous, Français,
Parmi l'opprobre et les regrets
Irons-nous vieillir dans leur île,
De leur mépris dignes objets !

Voici le moment glorieux....
Notre immortalité commence ;
Sur l'avenir fixons les yeux.
O terre où dorment nos aïeux,
Chère patrie, ô noble France!
Reçois nos suprêmes adieux....
Mourons pour la Patrie,
C'est le sort le plus beau, le plus digne d'envie

Le dévouement du Vaisseau:
LE VENGEUR.
Ode Républicaine,
Par le Citoyen PIIS
Air, du Vaudeville des Visitandines,
Musique de Devienne.
A Paris chez Imbault Rue Honoré au Mont d'Or N°. 627.
N°7
Est-il permis que l'on se tai-se, quand le phé-
nix de nos vaisseaux à su malgré la foudre Anglai-se descendre
li-bre sous les eaux, descendre li-bre sous les eaux! Muses, d'un
crêpe à tort cou-ver-tes, d'un lau-rier neuf ceignez vos
fronts, et nous immor-ta-li-se-rons jusqu'à la gloi-re
de nos per-tes, jusqu'à la gloire de nos per-tes.

2

2.S.

Ensevelir plutôt sa vie
Que de trahir la LIBERTÉ,
Tel fût le Voeu de ma PATRIE,
Tel il vient d'être exécuté. (Bis)
Aufond des Annales Romaines
A quoi bon chercher les Vertus?
On n'y trouve qu'un Decius
Et nous en comptons par centaines. Bis

3.S.

Déjà du Sang des vils esclaves
Nous avions rougi l'Océan
Chargés des prises les plus graves.
Nos Vaisseaux revenoient gaiment, (Bis)
Mais pour se joindre à leur colonne
LE VENGEUR seul, a trop souffert:
LE VENGEUR se traîne entrouvert,
L'escadre Anglaise l'environne Bis

4.S.

» Rendez-vous, maudits Patriotes,
» Crioient ces nombreux assassins:
» Nous rendre aux Sbirres des despotes,
» Nous Francais! nous Républicains! (Bis)
» Non, non jamais: on vous annonce
» Que c'est à vous de reculer....
L'anglais alloit encor parler,
Nos canons coupent sa réponse. Pis

5.S.

D'une aussi belle résistance
Les chefs Anglais sont indignés
Et leurs marins à la vengence
Par eux sont bientôt entraînés, (Bis)
Mais la vérité leur échappe:
» Oui, disent-ils dans leur courroux,
» Ces Français sont de vrais cailloux
» Qui font feu pour peu qu'on les frappe! Bis

3

6.S.

La canonnade recommence;
D'abord les Anglais sont vaincus:
Partout; de distance en distance,
On voit flotter leurs mâts rompus; Bis
Mais hélas! la poudre à leur rage
Fournit un aliment aisé
Et le VENGEUR a tout usé
Hormis sa gloire et son courage. (Bis)

7.S.

Plus de boulets, plus de déffense:
Contre la dent du Léopard:
Après un moment de silence
C'est le cri de l'honneur qui part; Bis
Blessés, mourants, chacun s'élance,
Tout l'équipage est sur le pont:
Entre le trépas et l'affront
Est-il un Français qui balance? (Bis)

8.S.

A la mort quoiqu'on se résigne
On est loin de verser des pleurs;
Le Pavillon couché s'indigne,
Et relève les trois couleurs.... Bis
Rouvrants les yeux sur un tel signe
Les mourants narguent les vainqueurs,
Et par des chants consolateurs
Réalisent le chant du cygne. (Bis)

9.S.

Enfin, à l'espoir on renonce
Mais c'est toujours sans s'attrister;
Plus le navire hélas! s'enfonce,
Plus la valeur semble monter:.... Bis
» Vive à jamais la République!
Disent nos frères sous les flots,
Et l'onde, en feu, roule ces mots
Jusqu'au rivage britannique. (Bis)

4

10.S.

Vous avez tous lu dans la fable
La merveille du Rameau d'or.
Cueilli par une main coupable
Il renaissoit plus fier encor. ---- Bis
Prouvons à l'Anglais plein d'audace
Que chez le Français plein d'honneur
Sitôt qu'il périt un VENGEUR
Un autre à l'instant prend sa place. -- Bis

11.S.

Que vois-je, et quel vaisseau s'agite,
Impatient, dans le chantier?
Il s'élance il se précipite.
D'un si beau nom digne héritier ---- Bis
Anglais, vous voyez que nous sommes
Parés pour chaque évènement.
Si c'est un nouveau bâtiment,
Ce sont toujours les mêmes hommes -- Bis

Propriété de l'éditeur d'après le Décret du 19 Juillet 1793

The young heroes Bara and Viala were not forgotten. The Convention granted them the Panthéon honors. At first, July 18th was set as the date for the ceremony. Later, it was postponed to the 28th. More than twenty songs, commissioned or improvised, commemorated this occasion[1]. Unfortunately, the young martyrs never received their deserved honors. On July 28, Thermidor 10, Robespierre and his colleagues were beheaded. This event displaced the Panthéon celebration David had planned to honor the young Republican martyrs...

News of the events of Thermidor 9 took several days to reach the provinces. Many cities had already observed the celebrations of the 10th. In its 13th issue, the newspaper for the Doubs department, *La Vedette,* reported on the « Festival of Thermidor 10 ». During the celebration, Charles Nodier, then fourteen years old, paid homage to Viala and Bara. The article concluded : « Dancing continued until nightfall ended this lovely day ».

Political Crisis

The victory of Fleurus had major repercussions in Paris with regard to domestic policy. Because it removed the danger of invasion, it put into question the need for a revolutionary dictatorship, as imposed by the Comité de Salut public.

The victory had made the *loi de Prairial* adopted by the Convention on Prairial 22 (June 10) unnecessary. The Convention passed it without much conviction following Couthon's report and Robespierre's abrupt interruption demanding an immediate and unanimous vote. This Prairial decree, which restrained even further the rights of an accused citizen, marked the beginning of the « Grande Terreur ». From Prairial 23 to Thermidor 9, the Tribunal issued 1,376 death sentences. More people were sent to the guillotine in those two months than in all of the preceding year.

The bright lights of the Festivals of Reason, Liberty and the Supreme Being were snuffed out. Bickering set the Comité de Salut public against the Comité de Sûreté générale in which Fouché became active. On June 29, Robespierre resigned from the Comité after Billaud, Collot and Carnot called him a dictator.

On July 5 at the Commune, the general council approved placing another ceiling on Parisian salaries. Payan, a loyal supporter of Robespierre, alerted the council to the increased cost and number of « Fraternal meals ». Though the participants toasted the Constitution, these dinners were demoralizing. On the 16th, at the Convention Barère also denounced these so-called fraternal meals because of the attitude that prevailed there : « Our armies are victorious everywhere. It is time to make peace, live in friendship, and put a stop to this frightful revolutionary government ».

[1] Let us mention *Hymne* written by Davrigny and Méhul, « which was to be sent to the departments and the armies ». It was published by the Magasin de Musique and reprinted by C. Pierre in *Musique des fêtes et cérémonies,* No. 73, p. 387. One orchestrated Ode composed by Cambini was published by Imbault : « Peuple, ces deux héros morts pour la République » (People, these two heroes who died for the Republic).

The fraternal meals brought together the residents of a same street or neighborhood. They multiplied during Floréal. At these meals, republican songs such as la Gamelle, *a parody of* la Carmagnole, *were sung.*

Thermidor

The people were truly sick of the guillotine especially now that, economic hardships had worsened. Laborers and day laborers protested against the decrease in their real salaries and the government's coercive measures.

Faced with this latest political crisis, the Comités held a joint meeting on Thermidor 5 (July 22) to consider concessions. Robespierre returned on the 23rd for the second session. Barère announced this reconciliation to the Convention, but it was all a façade. On the 7th, without consulting his political friends and advisors, Robespierre decided to make a long speech at the Convention on the following day. In it he tried to convince the Convention to maintain the revolutionary government.

With this speech of the 8th, an outraged Robespierre burned his last political bridge. Having resigned from the Grand Comité, he lashed out against his adversaries, without naming them. This upset everyone because in the same speech he called for the punishment of traitors and a purge of the Comité. His rantings settled nothing : « They thought they could just divide the Nation like booty instead of making it free and prosperous... I know what are the duties of a man who may die defending the cause of mankind... People, remember — wherever Justice does not reign people have exchanged their chains but not their destinies... My duty is to fight crime, not to govern it ! » The Assemblée was moved, but also uneasy. After an interruption by Cambon and Billaud, Robespierre made the situation worse when he refused to name the individuals whose heads he desired. That night, he also repeated his speech to the Jacobins, but disappointed his partisans by leaving out any reference to an insurrection.

Fouché and Tallien took advantage of this hesitation. They prepared a well-conceived attack for the next day. Marshalling the support of influential Marais dignitaries, they planned to thwart Robespierre at the Convention.

Their plan worked. On Thermidor 9, Tallien and Billaud constantly interrupted Saint-Just as he attempted to give his speech. Others out-shouted Robespierre. Finally this new majority voted for the arrest of Robespierre and his brother, of Saint-Just, of Couthon and Lebas, none of whom were able to defend themselves. Robespierre shouted : « The Republic is lost, the pirates have won ».

The Comité général de la Commune alerted the districts and urged them to send detachments of national guards. This insurrection attempt failed. By late afternoon, only one-third of the districts had responded favorably, partly because of the disaffection of the Paris Sans-Culottes. The gunners reacted more strongly, and so the Commune had superior artillery. That evening Robespierre and the other arrested deputies rejoined the Commune, but they still would not take any definitive action. Though proclaimed criminals, they did not want to incite the people to rebel. Little by little, guards and gunners left the Place de Grève. About two o'clock in the morning, Barras, who had regrouped the moderate districts, seized the Hôtel de Ville without any resistance. Barras arrested the rebellion's leaders. The Robespierre brothers tried to kill themselves. Lebas did commit suicide.

In the late afternoon, on Thermidor 10, Maximilien Robespierre and twenty-one of his partisans were sent to the guillotine. The next day, seventy-one more were executed, and the next day still more. In three days, a total of 105 victims of the disparate coalition called « Les Thermidoriens » were executed in Paris.

In Thermidor year II, not many songs were written on the fall of Robespierre. Immediately after the event, scarcely a dozen appeared. Rouget de Lisle, released from prison, presented one at the Convention on Thermidor 8.

Person, who had previously glorified Marat and Chalier, had barely finished idolizing the Supreme Being at the Sorbonne, when he sang a *Sans-culottine sur le jugement de l'infâme Robespierre (A Sans-Culotte ballad on the judgment of the infamous Robespierre)* to the tune of « Ça ira ».

UNE SANS-CULOTTINE
SUR
LE JUGEMENT DE L'INFÂME ROBESPIERRE

AH ! l'y voilà, l'y voilà, l'y voilà
Ce guillotineur infatigable.
Ah ! l'y voilà *(ter)*
A son tour, le traître y passera.

Vit-on jamais Catilina
Plus despote et plus scélérat ?
Ah ! l'y voilà *(ter)*
Le grand dictateur Robert-le-Diable.
Ah ! l'y voilà *(ter)*
Quel bonheur pour nous de le voir là !
Nous pourrons bien dire ; « Ah ! ça ira,
Ce n'est plus que le coupable
Désormais qu'on guillotinera ».

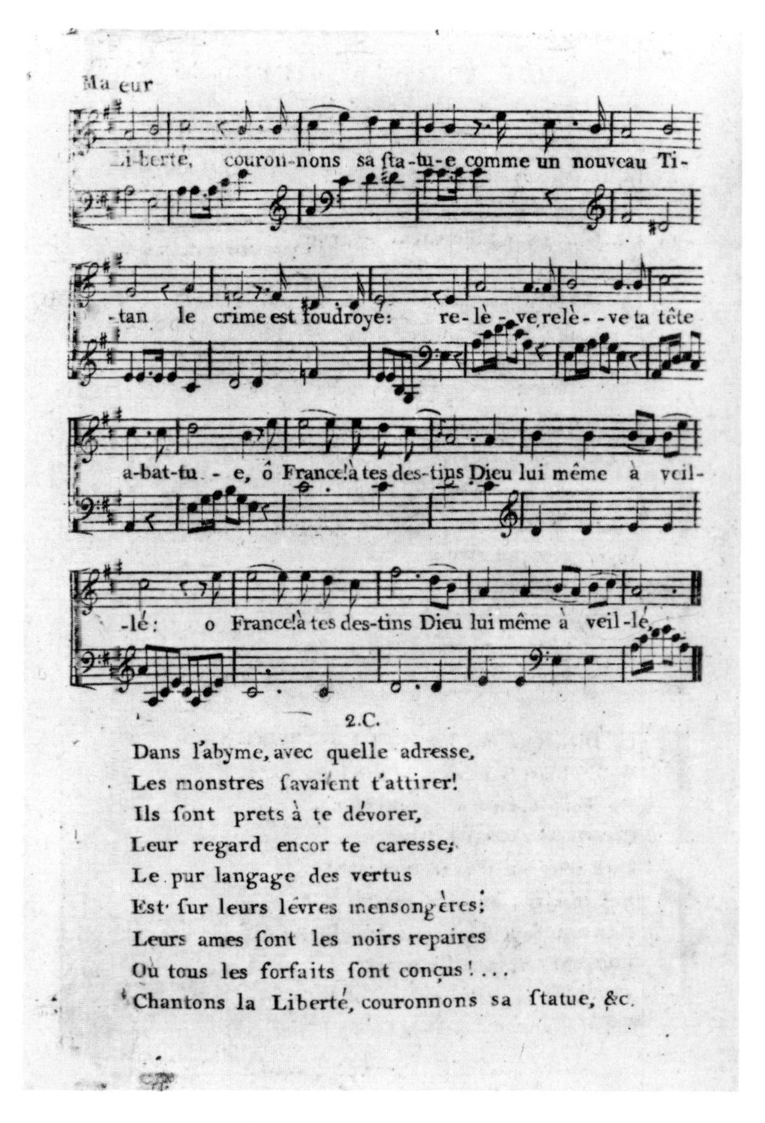

Closing the Jacobin Hall the night of Thermidor 9.

Chapter 7

THE THERMIDORIENS
THERMIDOR 11, YEAR II - BRUMAIRE 4, YEAR IV
JULY 29, 1794 - OCTOBER 26, 1795

The revolutionary government could not survive Robespierre's disappearance. Its enemies, among whom were the most powerful Montagne and Plaine deputies, hastened to topple the government. On Thermidor 10, at the Convention, Barère declared that the day of the 9th had « preserved the government's integrity ». Meanwhile the anti-Robespierre majority elected a new Comité de Salut public. Tallien became a member of this committee in which Carnot was the only deputy left over from the former Grand Comité. The Comité de Sûreté générale was also purged of Robespierre supporters.

The popular movement of the Sans-Culottes had lost its leaders. It could not hold out against the so-called « decent people », who were now in power. At the Convention, the Montagne had lost much of its strength and in the Assemblée had become no more than a ridge, but these « men of the ridge » kept up their fight demanding social reforms as early as Fructidor.

The Reaction of Thermidor

The struggle against terrorists would serve as a pretext for anti-Jacobin repression. In Paris, gangs of the « jeunesse dorée » (gilded youth), the « muscadins » (candies) demonstrated on the boulevards and persecuted the Sans-Culottes.

In August, the street singer Ange Pitou wrote these provocative couplets sung to the melody « On compterait les diamants » (We will count the diamonds), Caveau listing No. 423.

AFIN d'éviter l'échafaud
Où nous avaient conduits nos crimes,
Nous allons crier le plus haut
Qu'on jugule trop de victimes !...
A votre révolution
Nous ferons le procès, nous autres,
Si Samson met à la raison
Carrier et tous ses bons apôtres. *(bis)*

Vive l'égalité du jour,
Pour nous tous elle est adorable,
Mais les égorgeurs, à leur tour,
Désireraient la voir au diable.
Messieurs, c'est le jeu du hasard :
On n'est pas toujours à son aise,
Pour moi, j'ai fait Colin-Maillard ;
C'est à ton tour mon ami Blaise. *(bis)*

Madame Guillotine a dit,
Quand vous la fixiez d'un air tendre :
Messieurs, si je vous fais crédit,
Je ne perdrai rien pour attendre.
Tous les noyeurs seront noyés,
Mais tous les chefs par préférence,
Seront d'abord guillotinés,
Par le droit de reconnaissance. *(bis)*

On aura beau nous répéter
Qu'on ne souffre plus d'injustice,
Quand on vient à nous affamer
C'est toujours de par la justice ;
Comme un vieil habit d'autrefois
Est un vêtement incommode,
Aujourd'hui nos faiseurs de lois
Font une justice à la mode. *(bis)*

(...) Quand on parle d'égalité,
Sur ce mot chacun se repose,
Mais quant à la réalité,
Mes bons amis, c'est autre chose :
Moi je serai guillotiné
Si j'ai l'audace de médire ;
Hélas, si j'étais député,
Je pourrais tout faire et tout dire. *(bis)*

Some Thermidoriens feared the revolutionary backlash would go too far and benefit the counter-revolutionaries. This often led them to adopt conflicting measures. Though they intended to continue defending the Republic, they put an end to the Terreur, gradually freeing suspected traitors. They continued enforcing the regulations against émigrés and non-pledging priests. Cambon meanwhile eliminated the budget of the church that had pledged allegiance to the Constitution – in a move tantamount to secularization of the Church. On September 21[1], the Convention transferred Marat's remains to the Panthéon, and J.-J. Rousseau's remains on October 11[2].

At the same time, factions within the Convention and the press demanded that charges be brought not only against Fouquier-Tinville and Carrier, but also against Billaud, Collot, Barère, Amar, Vadier, David and even Cambon. As a result, Tallien, Fouché and other reformed terrorists reconsidered their positions.

Here is a song from late September written by Giuseppe Cambini, a violinist and composer born in Livorno in 1746. It is in the traditional republican vein. Imbault published this piece with accompaniment :

On October 5, Babeuf's newsletter *Journal de la liberté de la presse (Freedom of the press)* changed its name to *Tribun du peuple (People's tribune)*. Babeuf changed his first name of François-Noël, to the more revolutionary one of Gracchus. He soon recognized he had made an error in judgement concerning Thermidor : « I have been among the first to clamor for the toppling of the horrible scaffolding of Robespierre's system. I did not realize that I was helping to erect another edifice completely different, but equally harmful to the people ». *(Le Tribun du peuple*, December 18, 1794). We will see that the movement called « Babouvist » was to be even more critical and to express its position in venomous songs.

In October, the Convention also issued many decrees which still do it honor. It created a teachers college, a conservatory of arts and trades (in the Church of Notre-Dame des Champs) and a central school for public projects, the precursor of the École Polytechnique.

On November 3, as the mood of the Revolution became more threatening, Billaud-Varenne sounded the alarm telling the Jacobins : « A lion is not dead when he only sleeps. When he wakes, he will kill all his enemies. The trenches are dug. The

[1] Two beautiful orchestral and choral works by Cherubini were sung that day : *L'Hymne au Panthéon (Hymn to the Panthéon)* with words by Chénier especially written for the « celebration honoring Marat » and *L'Hymne à la Fraternité (Hymn to Brotherhood)* with words commissioned several days before from Th. Desorgues « on the occasion of the victories of the Republic's armies ». Constant Pierre included these two songs in *« Musique des fêtes et cérémonies »*, No. 78 and 60.

[2] We see here again Desorgues competing against Chénier. Both have written a *Hymne to Jean-Jacques Rousseau.* Gossec put Chénier's words to music, as he had done often before. For this hymn, Desorgues collaborated with Louis Jadin, who added a song by Jean-Jacques Rousseau as a ritornelle to each couplet. See C. Pierre, op. cit., No. 83 and 84, for these two hymns.

patriots will recover their energies and make the people wake up ». Several days later, despite this warning, the « muscadins » raided the Jacobin Club, beating the men and flogging women there. Rather than punish such violence, the Convention decided to close the popular club.

Hence this *Complainte d'un Jacobin (Jacobin's lament)* to the melody « Quand le bien-aimé reviendra » (When the beloved returns) from Dalayrac's *Nina*, Caveau listing No. 480.

LES Jacobins on rouvrira
Pour l'honneur de la République.
Pitt l'a promis et l'on verra
L'effet de son pouvoir magique.
Paix : l'on s'agite. Hélas ! hélas !
Le géant ne se lève pas. *(bis)*

Qui donc enchaîne le lion ?
Quand monterons-nous sur la brèche ?
Nous n'avons pas un seul canon
Pour brûler au moins une mèche.
Paix : j'entends rire. Hélas ! hélas !
Mes amis, ne nous battons pas. *(bis)*

Cessons un moment de crier ;
Ce n'est pas l'heure : il faut attendre.
N'en doutons pas, le peuple entier
Doit se lever pour nous défendre.
Mais je regarde : Hélas ! hélas !
Les grands faubourgs ne bougent pas. *(bis)*
(...)
Les prêtres avaient besoin des rois,
Les rois avaient besoin des prêtres.
Si les députés font des lois
Sans notre appui, ce sont des traîtres,
Bon ! mais le peuple ? Hélas ! hélas !
De nous le peuple est vraiment las. *(bis)*

The Republican Army's New Victories

We have already noted that as of Thermidor 9, Belgium had been conquered. In September, the different French armies continued to advance. Jourdan and the Sambre-et-Meuse army pushed the Austrians behind the Rhine. The armies of the Rhine and Moselle occupied the Palatinate. Pichegru's Northern army seized Maestricht and other Dutch cities. By the end of December, Pichegru had crossed the frozen Meuse and Rhine rivers. This offensive ended with a spectacular episode when the hussars attacked the enemy fleet immobilized in the icy river. Pichegru reached Amsterdam on January 19. The Prince of Orange fled to England and the Republic was proclaimed in Holland.

The coalition was breaking up. Negotiations were initiated with Friedrich-Wilhelm, King of Prussia, who was furious that Russia and Austria had divided Poland between themselves without consulting him.

While Tallien had proposed a peace that would return France « to its former boundaries », Barère denounced this « false peace ». He was also supported by former Montagnards such as the Thermidorien Bourdon who felt that « they shall make our Army's success pointless ».

Finally, the theory of « natural borders » prevailed and was implemented in treaties signed in the spring of 1795. The Basel Treaty (April 4 and 5) stipulated « peace, friendship and cordial relations between the French Republic and the Prussian King ». It also called for the occupation of the Rhine's left bank until a general peace had been reached. Under the Hague Treaty of May 16, the Dutch ceded Flanders to France, and the two Republics made a defensive and offensive alliance.

The Austrian negotiations, however, were not successful as the Austrian Emperor refused to accept the Rhine as a border. Instead, he renewed his alliance with England, who provided him with subsidies for an army of 200,000 men.

From the Banishment of the Jacobins to the Terreur Blanche

The closing of the Jacobin club was followed by the closing of the Club électoral which included many members of the leftist opposition : ex-Maratists, Hébertists and Cordeliers. The « Modérés » (moderates) were a heterogeneous group of all the adversaries of the revolutionary government. Through their sizable financial means, they secured prominence in the press. They also won district offices in Paris and in the provinces.

Under the pressure of the moderates and in the prevailing anti-Jacobin spirit, the Thermidor Convention recalled on December 8 the « 73 » (in reality the 78) Girondin deputies who had been expelled between May 31 and June 2, 1793. Further, it granted amnesty to all arrested Girondins.

Carrier's death sentence on December 26 was an opportunity to strike at former Comité members and district staff. The Modéré Cambacérès proposed an appeal for amnesty, but it was rejected.

Two consecutive Convention decisions clearly illustrated its policy of compromise. The Convention decreed that a national holiday would be observed on January 21 of every year to celebrate the « just punishment of the last French King ». A yearly holiday in celebration of Thermidor 9 would follow some days later.

On December 26, the former Montagnard Tallien married Theresa Cabarrus, a Spanish banker's daughter. She had been nicknamed « Notre-Dame de Thermidor » because Tallien had saved her from the guillotine at the last moment. The marriage took on a symbolic significance, marking the growing influence of corrupt politicians with ties to profiteers and speculators. This new middle class paraded its luxuries in salons and balls. The « gilded youth » outdid each other in their extravagance and affected « a demeanor and language equally absurd » according to Cambon.

Ange Pitou sang of these « me'veilleuses » and « inc'oyables ».

LES INCROYABLES, LES INCONCEVABLES, ET LES MERVEILLEUSES

TABLEAU DES AIMABLES DU JOUR ET DU COSTUME DES PLUS ÉLÉGANTS DE LA RÉVOLUTION...

(Air : « Dans nos bois, dans nos campagnes »)

TOUT est incroyable en France
Dans la Révolution :
La sagesse est la démence,
La folie est la raison.
Faisant la guerre aux coutumes
Pour rappeler les vertus,
Sous d'incroyables costumes
Je vois rentrer les abus.

Nous n'avons plus de comtesses,
Nous n'avons plus de barons ;
Nos merveilleuses déesses
Leur ont pris leurs phaétons ;
Et Margot dans l'équipage
Vient d'oublier son talent ;
Se voyant dans l'apanage,
Ne connaît plus ses parents.

Son incroyable Narcisse
Lui dit du haut de son char :
Vénus, ou que je périsse !
A moins de grâces et moins d'art.
Pa'ol' d'honneur, dit-elle,
Sous ce costume élégant
Je voudrais être aussi belle
Que vous paraissez galant.

LA MERVEILLEUSE À L'INCROYABLE :

En vous tout est incroyable,
De la tête jusqu'aux pieds ;
Chapeau de forme effroyable,
Gros pieds dans petits souliers ;
Si pour se mettre à la mode
Gargantua venait ici,
Rien ne serait plus commode
Que d'emprunter votre habit.

Botté tout comme un saint Georges,
Culotté comme un Malbrouk,
Gilet croisant sur la gorge,
Épinglette d'or au cou ;
Trois merveilleuses cravates
Ont bloqué votre menton,
Et la pointe de vos nattes
Fait cornes sur votre front.

RÉPONSE DES INCROYABLES AUX MERVEILLEUSES :

Ô charmante merveilleuse !
Mère du divin amour,
De votre taille amoureuse
Rien ne gêne le contour :
De votre robe à coulisse
Les plis sont très peu serrés ;
C'est pour faire un sacrifice
Que vos bras sont retroussés.

Vous avez déjà l'étole
Des prêtresses de Vénus,
Et je vois à votre école
Un essaim de parvenus :
Cythérée à sa toilette,
Voulant enchaîner l'espoir,
Vous cèderait son aigrette
Pour votre immense mouchoir.

De votre robe traînante
Quand les replis ondulants
Avaient interdit l'attente
A nos désirs renaissants,
Je vois votre main légère,
Conduite par les amours,
De l'asile du mystère
Nous découvrir les détours.
(...)

But these youths were not simply a ridiculous mob of fops. They wore blond wigs and black collars, but also carried heavy cudgels. They chased and beat patriots, ransacking Jacobin cafés.

The counter-revolutionaries soon had a rallying song : *Le Réveil du peuple contre les terroristes (People rise up against terrorists).* The lyrics were written by J.-M. de Souriguère de Saint-Marc, an occasional lyricist ; the music by Pierre Gaveaux, an actor at the Théâtre Feydeau.

QUELLE est cette lenteur barbare ?
Hâte-toi, peuple souverain,
De rendre aux monstres du Ténare
Tous ces buveurs de sang humain !
Guerre à tous les agents du crime !
Poursuivons-les jusqu'au trépas !
Partage l'horreur qui m'anime !
Ils ne nous échapperont pas !

Ah ! qu'ils périssent, ces infâmes
Et ces égorgeurs dévorants,
Qui portent au fond de leurs âmes
Le crime et l'amour des tyrans !
Mânes plaintifs de l'innocence,
Apaisez-vous dans vos tombeaux,
Le jour tardif de la vengeance
Fait enfin pâlir vos bourreaux.

Voyez déjà comme ils frémissent,
Ils n'osent fuir, les scélérats !
Les traces du sang qu'ils vomissent
Décèleraient bientôt leurs pas.
Oui, nous jurons sur votre tombe,
Par notre pays malheureux,
De ne faire qu'une hécatombe
De ces cannibales affreux.

On January 19, 1795, Gaveaux premiered the song at the Guillaume Tell district, then sang it at the café de Chartres. The reactionary *Messager du soir*[1] *(Evening messenger)* soon published the lyrics and invited « real patriots » to go to the café to hear Gaveaux. The next day *Le Messager* reported that every citizen in attendance « asked that this song be sung in every theater ».

Advocates of *Réveil* and of *La Marseillaise* began a long rivalry which marked the onset of efforts to humiliate certain singers and actors reputed to be Jacobins, like Laÿs, but also Fusil, Trial and Garat... by demanding they sing or recite onstage *Le Réveil du peuple.* Fist fights often broke out onstage and in the audience. This state of affairs continued for months.

The Jacobins responded in kind. They sang parody verses of the same *Réveil* melody. Here is an anonymous version printed by Gouriet[2] :

[1] The newspaper was founded in October 1793. Its chief editor, Isidore Langlois, dedicated himself mainly to attacking Robespierre and the Montagnards. As a result, on Vendémiaire 13 year IV, Langlois headed the District of Bon Conseil and demonstrated against the Convention.

[2] The author might possibly be the Montagnard Goujon based on a version which his brother-in-law Pierre-François Tissot identified and carefully preserved among the personal papers of the Goujon family. This was suggested in a letter written to me by one of Goujon's descendants, Sylvain Goujon, of Geneva. The song was still rather well-known during the Romantic period. It appeared later in Dumersan's *Chants et Chansons populaires de la France,* published by Garnier in 1848.

LE VRAI RÉVEIL DU PEUPLE

PEUPLE français, peuple intrépide,
Toi le destructeur des tyrans,
Entends leur fureur homicide
S'élever contre tes enfants ;
Entends les cris, vois l'insolence
Des muscadins, amis des rois ;
Ils menacent de leur vengeance
Tous les défenseurs de tes droits.

De ces mignons la horde infâme
T'insulte, peuple souverain :
Ils chassent tes enfants, ta femme,
De tes palais, de tes jardins :
Ils rompent, divisent les groupes,
Ils outragent les citoyens,
Et de leurs insolentes troupes
Poursuivent les républicains.

Merveilleux, jouant les victimes
En cadenettes retroussées,
Gardez ces froides pantomimes
Pour les veuves des trépassés.
Vos brunes à perruque blonde
Vous estiment ravissants ; mais
Que fait pour le bonheur du monde
La cadenette d'un Français ?

N'insultez pas par votre faste
Aux maux que vous nous avez faits,
Et d'une méprisable caste
Ne répétez pas les excès.
N'insultez pas à la patrie,
Aux héros morts pour son salut,
À ceux que la rage ennemie
À blessés, mais n'a pas vaincus.

Ô des boudoirs bande insolente,
De débauchés impur amas,
Troupe avilie et fainéante,
Tremblez de voir armer nos bras.
Ne rappelez pas de vos pères
Les trop criminels attentats :
Le peuple arrête sa colère,
Ne l'appelez pas aux combats.

Législateurs d'un peuple libre,
Renversez ces audacieux.
Ils veulent rompre l'équilibre
Que la loi fait peser sur eux.
Votre serment est d'être justes,
De maintenir l'égalité,
Et les nôtres, non moins augustes,
De mourir pour la liberté.

In a different tone, in the February 8 *Paris Journal,* Piis published a plea for an impossible reconciliation written to the tune of « N'en demandez pas davantage » (Do not ask for more), Caveau No. 99.

LE VŒU DES CITOYENS PAISIBLES

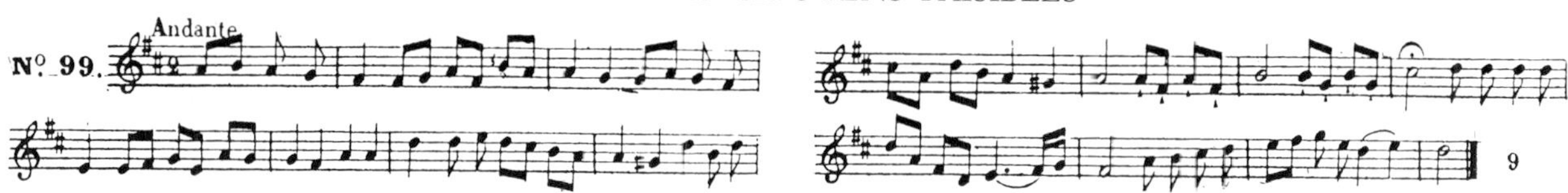

POUR mettre un terme à tous nos maux,
Voulons-nous prendre un parti sage ?
Proscrivons d'abord certains mots
Qui flétrissent notre langage,
Et de jacobins
Et de muscadins
Ne nous traitons pas davantage.
(...)

Du triste nom de « ci-devant »
Cessons surtout de faire usage,
Car, du régime précédent
Lorsque le nouveau vous dégage,
Chacun, s'il fait bien
D'être citoyen,
Doit avoir le même avantage.

Songeons qu'à pied comme à cheval
Notre armée à grands pas voyage
Et que par un temps glacial
Dans Amsterdam elle emménage !...
Tels sont nos destins
Que même en patins
Nous aurons, s'il faut, l'avantage.
(...)

Pour déjouer des malveillants
L'impuissante et dernière rage,
Autour de nos représentants
Ne laissons pas former l'orage.
Soyons bonnes gens,
La paix du dedans
Assure au-dehors l'avantage.

La Presse, en pleine liberté,
Ne doit plus éprouver d'outrage :
Dans les journaux la vérité
Peut se montrer à chaque page ;
Mais sur plusieurs points,
Que n'écrit-on moins
Pour fraterniser davantage ?

À Dieu, tout comme il leur plaira,
Laissons nos frères rendre hommage :
Le fanatisme expirera
Tout doucement, par suite d'âge.
Mais soyons humains
Et républicains,
La loi n'en veut pas davantage.

Also on February 8, the Convention yielded once again to the threats of the fops, who had destroyed the Panthéon's busts of Marat, and ordered the removal of Marat's remains from the Panthéon. The next day, the Convention also removed the busts of Marat and Lepeletier as well as David's painting from the meeting room.

At this time the reign of the « Terreur blanche » began in the provinces. In some regions, it lasted several months. In January, a wave of fear spread through the south east. Organized gangs, « Compagnies de Jésus ou du Soleil » in fact tracked down all patriots under the pretext of finding suspected terrorists. Mass killings took place in the prisons, and in Lyon on February 2 and May 4, in Nîmes on February 23, in Aix on May 11, and shortly thereafter in Marseille where the throats of eighty-eight republicans were cut at the Fort Saint-Jean.

Massacre in the Fort Saint-Jean of Marseille, a testimony of the Terreur Blanche by Girardet.

The Convention seemed unable to control the counter-revolutionary excesses. It seemed to fear even more the possibility of a counter-offensive among the masses. The people had already been severely affected by the collapse of the assignats, by malnutrition, and by the extreme cold winter of 1794-1795. On March 2, this fear of unrest made the Thermidoriens take a step which they had avoided until then. They arrested Barère, Billaud, Collot and Vadier.

Before the Insurrection

The enemies of the Thermidor reaction regrouped little by little. The Sans-Culottes had managed to hold onto the majority in some districts. Sensitive to the material hardships of the people, Babeuf, in the January 28 *Tribun du peuple,* had called on the Sans-Culottes to rebel. For that, he was arrested shortly after.

Transferred to Arras, Babeuf met Charles Germain, a young hussar officer born in Narbonne whose song circulated in prison :

COUPLETS DE CIRCONSTANCE

(Air : « Notre meunier chargé d'argent », de Dalayrac. Caveau n° 403)

LORSQUE d'une sainte Terreur
La civique influence
Du riche et du conspirateur
Enchaînait l'arrogance,
Ô Peuple ! tu vivais heureux, la liberté
Brillant d'un culture respecté.
Aujourd'hui, des tyrans dont parlera l'Histoire
Ont fait de la Patrie une Forêt Noire.

(...)

During Germain and Babeuf's imprisonments, Paris was ravaged by the events of Germinal and Prairial.

In March, many violent clashes in front of bread bakeries took place. On March 17, patriots from the Saint-Marceau and Saint-Jacques faubourgs came to the Convention to complain : « No bread ! This almost makes us regret all the hardships we endured for the Revolution ». On March 21, the faubourg Saint-Antoine district called for measures against food shortages, denouncing the people's enemies and asking for the enforcement of the 1793 Constitution. The Thermidorien Fréron had just in fact requested the revision of this document, calling it « some scoundrel's creation ». On March 30, the district meetings were hotly contested and the Sans-Culottes managed to carry the majority in ten assemblies. On the 31st, at the Convention, the Quinze-Vingts assembly presented a program which condemned the events following Thermidor 9 : « We stand to defend the Republic and Freedom ». This planted the seeds for a popular uprising.

Germinal 12

The day of Germinal 12 (April 1st) was more a demonstration than a true uprising. A large unarmed mob, deprived of its revolutionary leaders, simply invaded the Assemblée to express its demands : apply the Constitution and enact measures against food shortages. Although, after futile speeches, the national guards from the middle class areas easily chased away the demonstrators, the Convention immediately declared a state of siege and took advantage of the people's defeat to take measures against the left. As a precaution, a veritable purge was ordered : the deportation of the « Quatre » Barère, Billaud, Collot and Vadier to Guyana without trial. Vadier managed to hide. A convoy brought his three compatriots as far as Oléron where on May 26, Billaud and Collot were shipped out to Cayenne. Collot d'Herbois died there a year later, on June 8, 1796. Eight other Montagnards were imprisoned in the fort at Ham. Some days later, eight more, including Cambon, who was hardly an extremist, were also arrested. On May 6, Fouquier-Tinville and fourteen members of the former revolutionary tribunal were guillotined.

These repressive measures no doubt lived up to the « decent people's » expectations, if we are to judge by the verses sung at the Théâtre Favart shortly thereafter. The lyrics were by Lebrun-Tossa[1] to music by Dalayrac. The exact melody is not identified.

[1] We only know of one other political song by this man of the theater. He wrote it in 1798 for the anniversary of Fructidor 18. It was a hymn put to music by Méhul. Under the Directoire, Lebrun-Tossa worked for the Police department and later for the Ministry of Interior, where he remained until 1814.

Deportation of Deputies Billaud, Collot et Barère, April 1, 1795.

LA JOURNÉE DU XII

LES protecteurs de l'anarchie,
Les partisans de la terreur
Ont voulu plonger la patrie
Dans un nouveau gouffre d'horreur ;
Leur espoir est réduit en poudre,
Plus de montagnards insolents,
Le Sénat a lancé la foudre
Sur le reste impur des brigands.

Ils croyaient bien, les misérables,
Armer Paris contre Paris
Et par leurs manœuvres coupables
Régner enfin sur ses débris.
Ils se sont trompés, Paris se lève,
Nous couvrons nos représentants
Et le 9 thermidor s'achève
Sur le reste impur des brigands.

Ô vous, Français, qui sans faiblesse
Avez jusqu'ici combattu,
Pour quelques instants de détresse
Faut-il abjurer la vertu ?
Est-ce du pain qu'on vous destine
Sous les jacobins triomphants ?
Des échafauds et la famine,
Voilà les bienfaits des brigands.

The people's spirit was not yet broken. A perception of great injustice sustained the rebellious mood, particularly on April 10 when the Convention decreed the disarming of « men known in their districts for having shared in the horrors committed during the period of tyranny ». By this decree, every patriot who had been active in year II became suspect. Their disarming, moreover, encouraged the Terreur Blanche massacres that continued unabated in Floréal and Prairial.

An anonymous song dated Floréal year III expressed the patriots' feelings. It used Gaveaux' melody to criticize his muscadin friends and others :

RÉPONSE AU *RÉVEIL DU PEUPLE*

PEUPLE français, de qui la gloire
Est toujours l'effroi des tyrans,
Vois-tu les monstres de la Loire
Renaître ici plus dévorants ?
Entends leurs cris, vois l'insolence
Des muscadins amis des rois ;
Ils voudraient réduire au silence
Les vrais défenseurs de tes droits.

Au sein de la place publique
Vois-tu ces bustes renversés ?
Des martyrs de la République
Entends les mânes courroucés !
Ah ! venge tes amis fidèles
Par les tyrans assassinés !
Briser leurs palmes immortelles
C'est nier tes droits profanés.
(...)

Quand nos troupes victorieuses
Assurent le commun bonheur,
Quelles blessures glorieuses
Reçûtes-vous au champ d'honneur ?
Le lâche, loin de la frontière,
Médite en paix ses attentats,
Sans songer que l'Europe entière
A tremblé devant nos soldats[1].
(...)

In Floréal, famine raged through France, affecting primarily the poor, and spreading unrest.

The unemployment and suicide rates increased. Even *Le Messager du peuple (People's messenger)*, rarely sympathetic to the people of the faubourgs, stated on April 27, « one only sees pale, emaciated faces in the street, etched in pain, fatigue, hunger and poverty ».

The food crisis provoked renewed social upheaval. The peak was reached on Floréal 30 (May 19) when a pamphlet entitled *« Insurrection du peuple pour obtenir du pain et reconquérir ses droits »* circulated in the district assemblies incited the people to rebel to get bread and regain their rights. It provided the theme for the next day's rebellion : Bread and the 1793 Constitution.

[1] The last couplet repeats almost every word of the *Vrai Réveil du peuple* reprinted above.

Prairial 1, year III : « Bread and the Constitution of 1793 ». Deputy Féraud is killed in the middle of a Convention session.

The Days of Prairial

On Prairial 1st year III (May 20, 1795), the masses mobilized. Egged on by their spouses, men armed themselves. By early afternoon, the crowd, backed by faubourg battalions, invaded the Convention. The deputies were overwhelmed ; one of them, Féraud, was killed right there and his head was carried on a spike. Amid the tumult a gunner gave a reading of *L'Insurrection du peuple (People's rebellion)*. The demonstrators still hoped to reverse the Convention members' position and have their demands met : bread and the Constitution.

The deputies stalled and schemed. They had already alerted the guards from the wealthy neighborhoods. They postponed calling them in to push back the rebels.

They were waiting for the Crêtois to compromise themselves. By the end of the afternoon, this tactic led to the arrest of fourteen deputies, including Romme, Goujon, Duroy and Soubrany.

On Prairial 2, an uprising broke out in the Saint-Antoine faubourg and spread through the poorer sections. Battalions occupied the Maison commune and marched on the Convention. There, as on June 1793, gunners pointed their cannons at the Assemblée. But the rebels hesitated to battle the Thermidor guards. They were again tricked by crafty politicians. A delegation was allowed to enter the Convention. Its representative, having repeated the demands the people made the day before, was praised by the Convention's president. Duped by this false support, the people returned to their districts, forfeiting an opportunity they would never regain.

The faubourg Saint-Antoine is attacked, Prairial 3.

On Prairial 3, the Thermidoriens removed their masks and began the takeover of the Saint-Antoine faubourg, bringing 3,000 cavalrymen into Paris, reinforced by many military units and « good citizens » who were mobilized for the cause. Led by General Menou, a total of 20,000 men surrounded the faubourg that night.

On the morning of the 4th, the forewarned populace fought off fierce gangs of « gilded youth ». But the confrontations with the government forces proved more serious. The fighters from the faubourg districts, the women backing them up, held their ground. However, their leadership had been weakened by the many purges since Germinal year II and their despair was not enough to give them the will to win. That afternoon as the troops advanced, the rebels were reluctant to fire upon their brothers in uniform and instead laid down their weapons without giving battle.

The judicial repression was so swift that the prisons were filled that very same day. A military commission condemned 73 persons, 36 to death, 18 to detention, 12 to deportation and 7 to irons. Thus ended the Montagne.

The versatile Ladré, in the spirit of the day, vilified the very same Montagne that he had praised before. For good measure, he chose a melody from *Les Petits montagnards,* a contemporary light opera by Charles Foignet, *Caveau No. 853.*

LA MONTAGNE ABATTUE

QU'A-T-ELLE fait cette Montagne
Qu'on exaltait tant dans Paris ?
D'elle a sorti dans la campagne
Un vent qui troubla les esprits. *(bis)*
Par elle le sang des victimes
Coula par flots sur nos remparts ;
Puisqu'on a reconnu leurs crimes,
Crions : « A bas les Montagnards ! » *(bis)*

Ladré concluded rather cynically, « the Montagne has tumbled. Let's hear no more of it ».

The six Crête deputies, who had allied themselves closest with the people on Prairial 1st, were as an added precaution imprisoned in the fort of Taureau, on an island facing Morlaix.

To the left : the Château du Taureau, facing Morlaix.

Their trial began June 12. On the 27th, the military commission sentenced them to death. As they left the courtroom, they preferred to stab themselves. Duquesnoy, Goujon and Romme died immediately. Bourbotte, Duroy and Soubrany were eventually guillotined.

While the deputies were imprisoned, Jean-Marie Goujon wrote a song with a traditional revolutionary title *L'Hymne des martyrs de Prairial (Prairial martyrs' hymn)*. Goujon used the melody Méhul had composed for the *Chant des victoires (Victory song)* by M.-J. Chénier, poet and representative of the people. The patriotic singer Laÿs[1] also contributed another melody for his friend Goujon's hymn[2]. That version is reproduced here.

The Thermidor repression had even more important long-term consequences for the revolution's future. The Convention demanded the disarming and arrest not only of the Prairial rebels, but also of the militants and former Jacobins of year II. In Paris alone this vast purge resulted in 1,700 disarmings and 1,200 arrests. It caused a deep psychological shock and often left the prisoners' families in extreme poverty.

The Prairial events marked the end of the popular revolution. No other historic days involving the people would occur until « Les Trois Glorieuses » of 1830.

4

4.e
Entourés d'une mer profonde,
Ce n'est point nous qui t'implorons;
De nos fers, nous nous honorons,
Mais nous pleurons sur ceux du monde.
Sans désir, du haut du rocher
Nous voyons les rives lointaines:
Hélas! Qu'y pourrions nous chercher?
Des Républicains dans les chaines.
Triomphe. &c.

5.e
L'aspect brillant de la nature,
Sera flétri par nos douleurs,
Tant que d'infâmes oppresseurs,
Domineront par l'imposture.
Pour avoir invoqué nos lois,
La Liberté nous est ravie;
De l'homme nous perdons les droits,
Qu'avons nous besoin de la vie?
Triomphe, &c.

6.e
De nos jours, immolons le reste,
A nos frères, à nos amis;
Avant que des fers ennemis,
Les chargent d'un joug trop funeste.
Pour défendre la vérité,
Des méchans bravons la furie,
Mourons tous pour l'Égalité,
Sans elle il n'est plus de Patrie.
Triomphe, &c

7.e
Liberté veille à notre gloire,
Assieds-toi sur nos corps sanglans,
Qu'ils restent devant nos tyrans,
Et les flétrissent dans l'histoire.
Découvre aux siècles à venir,
Tout l'éclat de notre innocence:
Dis-leur que nous dûmes mourir,
Pour te conserver à la France.
Triomphe, &c.

8.e
Envain la hideuse imposture,
S'agitera sur nos tombeaux,
Pour épargner à nos bourreaux,
Le cri vengeur de la nature.
L'innocent, le juste, opprimés,
Se souviendront de nos alarmes;
Et sur nos corps inanimés
Se plairont à verser des larmes.
Triomphe, &c.

9.e
Levez-vous illustres victimes,
Des oppresseurs du genre humain,
Recevez-nous dans votre sein.
Nous abhorrons aussi les crimes.
S'il faut trahir la Liberté,
Nous ne voulons plus de la vie.
Nous vivons pour l'Égalité.
Nous périrons pour la Patrie.
Triomphe, &c.

(1) Leurs noms sont Romme, Goujon, Duquesnoy, Duroi, Bourbotte, et Soubrany. tous étoient Representants du peuple; tous avoient marché à la victoire avec nos braves frères d'armes; tous se sont poignardés pour se soustraire a l'échaffaud de la tyrannie. les trois premiers moururent sur le Champ: les trois autres mourants et couverts du sang qui jaillissoit de leurs blessures furent trainés en hâte au supplice. ils offrirent leur tête avec le même courage qui avoit conduit un moment avant leur main généreuse. les victimes étoient calmes; le bourreau seul fut ému.

[1] François Lay, also Laïs or Lays, was born in 1758. He made his Opéra debut in 1779. In 1793, he sang the leading role in Mozart's *The Marriage of Figaro*. On the political front, he embraced the ideas of the Revolution with enthusiasm, so fervently in fact that after Thermidor, he was attacked for his Jacobinism. He was able later on to continue his career with the Opéra until 1822. He excelled for over forty years in baritone and bass roles. He also composed many pieces, most of them ballads. He retired in 1827 to Ingrandes (Maine-et-Loire) where he died in March 1831.

[2] This was confirmed by a letter dated Brumaire 22 year IV (November 13, 1795) sent by Pierre-François Tissot's brother to Madame citizen Goujon : « Laÿs has written a new melody for the hymn. I was moved to tears by the new refrain *Triomphe, ô Liberté (Triumph, Liberty)*. This music touches the spirit, moves it and makes it nobler. For now, Laïs does not want to be mentioned. Other people were also touched. David cried when he heard this great musician : « Oh, my dear Lise, his innocence will be recognized, justice will be served, the memory of your husband will be honored. I am happy that it is my brother who fulfills this duty... » P.-F. Tissot did indeed publish Goujon's *Hymn* with Laïs' music in year VIII at the end of his book *Souvenirs de la Journée du 1er Prairial an III*. The hymn was followed by *Chant de famille (Family song)* in memory of his brother-in-law Goujon. This ballad was put to music by Philippe Buonarroti, a close companion of Babeuf.

From Peace Attempts to the Victory of Quiberon

After freedom of religion was proclaimed, the Convention strove to obtain peace in the Vendée through a policy of conciliation.

In Thermidor, Vendée rebels, though pursued by troops, still maintained a presence in the Marais (Charette), the Bocage (Saprinaud) and Mauges (Stofflet). The Chouans continued their « piracy » in Brittany and along its wooded borders.

On September 15, 1794, Hoche ended the reign of terror in the occupied regions, freeing prisoners and granting amnesty to others. On December 2, he declared an amnesty for every rebel who ceased fighting by the month's end. In January the leaders began negotiations.

The Convention representatives reached their first decision on February 17. Charette at La Jaunaye, near Nantes, obtained amnesty for the rebels and restitution of their seized property or financial compensation. They were guaranteed freedom of religion and the abolition of mandatory military service. The agreement allowed the setting up of territorial guards armed and paid for by the Republic. Alarmed by this last concession, Hoche stated on February 23 : « Don't you fear that the territorial guards you are forming in the Vendée will become the core of an army, attracting pirates when they get the idea of fighting again ? » This was not a frivolous concern. The next day, Stofflet called the Vendéens to arms and defeated Canclaux at Chalonnes (Maine-et-Loire) on March 18. Still, the Convention continued its policy of pacification. On April 20, at La Prévaleraye near Rennes, the Convention and the Cormatin Chouans signed an agreement similar to the one negotiated with Charette. On May 2, cornered, Stofflet decided to accept the same agreement.

The pacification proved illusory and allowed especially Chouans and Vendéens an opportunity to recover and to prepare for a new struggle with the backing of the émigrés and England.

On June 8, Louis XVII, the young Dauphin, died at Temple. His uncle, the comte de Provence, was potentially next in line for the throne as Louis XVIII. While he waited to accede to the throne, the count called himself comte de Lille.

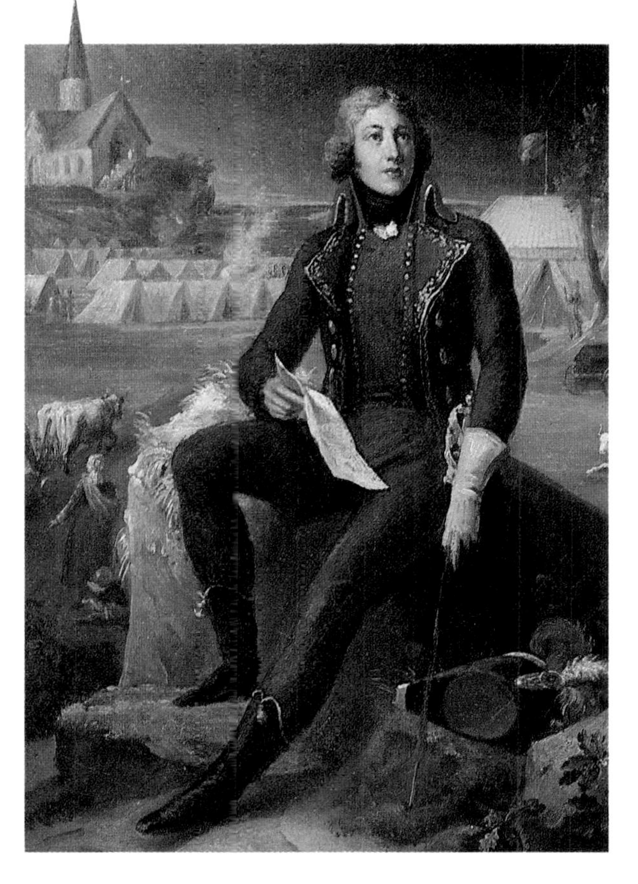

General Lazare Hoche, by Gérard.

On June 10, while in Paris, the Thermidoriens finished settling scores with the last of the Montagnards, a British squadron of 4,000 émigrés commanded by Puisaye and d'Hervilly, with 80 cannons and 80,000 soldiers took to sea heading for Brittany.

On June 23, Villaret-Joyeuse's fleet dominated by the English had to take shelter in Lorient. A number of the émigrés disembarked. Then, reinforced by over 10,000 Chouans commanded by Tinténiac, they took control of the coast near Quiberon. On the 26th d'Hervilly's division was able to land at Carnac.

Going back on his word, Charette issued a call to arms. On June 27, Auray and Vannes were threatened. But on the 30th, Hoche took Auray from the Chouans, held d'Hervilly in check outside Vannes and forced him to retreat to Quiberon, where English reinforcements were expected. On July 2, d'Hervilly seized the Penthièvre fort. On the 7th, Hoche drove the Chouans on to the peninsula and blockaded them there.

The Sombreuil division of 2,000 émigrés was late in leaving England. It landed at Quiberon only on the 15th. With this reinforcement, d'Hervilly attacked the « Bleus » the next day. He was pushed back and fatally wounded. On the 18th, Tinténiac also met with defeat and death. Cadoudal took command and chose to disperse the survivors.

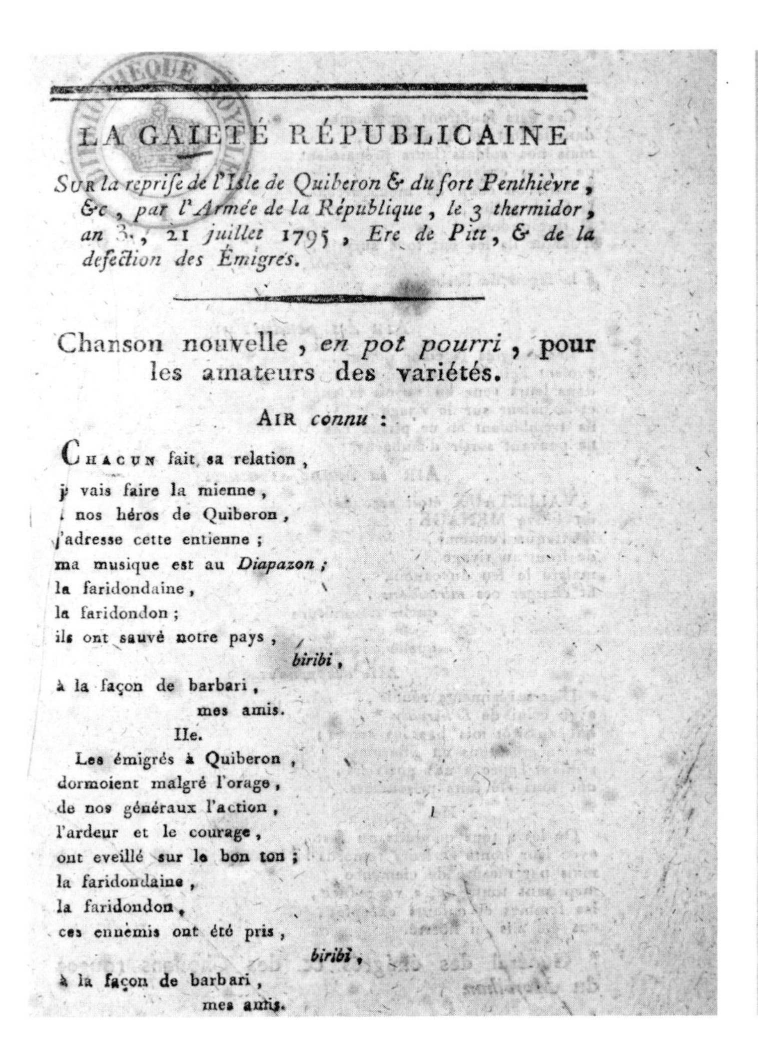

LA GAIETÉ RÉPUBLICAINE

Sur la reprise de l'Isle de Quiberon & du fort Penthièvre, &c, par l'Armée de la République, le 3 thermidor, an 3, 21 juillet 1795, Ere de Pitt, & de la defection des Émigrés.

Chanson nouvelle, *en pot pourri*, pour les amateurs des variétés.

AIR *connu* :

Chacun fait sa relation,
j'y vais faire la mienne,
à nos héros de Quiberon,
j'adresse cette entienne;
ma musique est au *Diapazon*;
la faridondaine,
la faridondon;
ils ont sauvé notre pays,
biribi,
à la façon de barbari,
mes amis.

IIe.

Les émigrés à Quiberon,
dormoient malgré l'orage,
de nos généraux l'action,
l'ardeur et le courage,
ont eveillé sur le bon ton;
la faridondaine,
la faridondon,
ces ennemis ont été pris,
biribi,
à la façon de barbari,
mes amis.

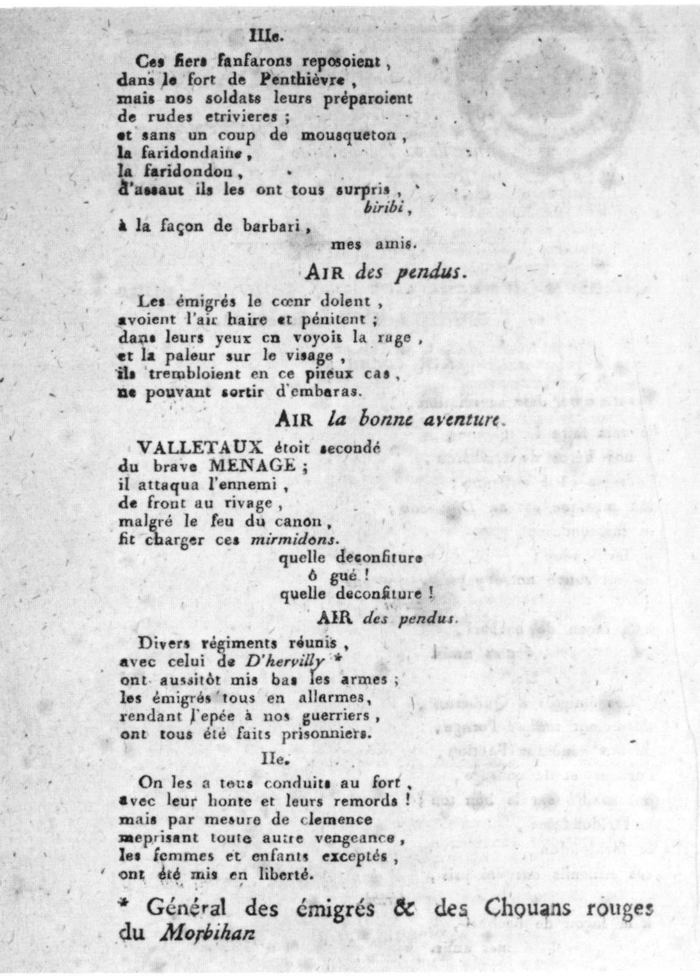

IIIe.

Ces fiers fanfarons reposoient,
dans le fort de Penthièvre,
mais nos soldats leurs préparoient
de rudes etrivieres;
et sans un coup de mousqueton,
la faridondaine,
la faridondon,
d'assaut ils les ont tous surpris,
biribi,
à la façon de barbari,
mes amis.

AIR *des pendus*.

Les émigrés le cœnr dolent,
avoient l'air haire et pénitent;
dans leurs yeux en voyoit la rage,
et la paleur sur le visage,
ils trembloient en ce piteux cas,
ne pouvant sortir d'embaras.

AIR *la bonne aventure*.

VALLETAUX étoit secondé
du brave MENAGE;
il attaqua l'ennemi,
de front au rivage,
malgré le feu du canon,
fit charger ces *mirmidons*.
quelle deconfiture
ô gué!
quelle deconfiture!

AIR *des pendus*.

Divers régiments réunis,
avec celui de *D'hervilly* *
ont aussitôt mis bas les armes;
les émigrés tous en allarmes,
rendant l'epée à nos guerriers,
ont tous été faits prisonniers.

IIe.

On les a tous conduits au fort,
avec leur honte et leurs remords!
mais par mesure de clemence
meprisant toute autre vengeance,
les femmes et enfants exceptés,
ont été mis en liberté.

* Général des émigrés & des Chouans rouges du *Morbihan*

Republican troops attacked on July 21 and pushed the émigrés to the tip of the peninsula. Puisaye and some royalists managed to return to their weakened British squadron, but Sombreuil was forced to surrender.

A military commission acquitted the Chouans, but condemned to death, as traitors, 748 émigrés caught armed and wearing English uniforms.

An anonymous songwriter, who claimed to be from Brittany, promptly wrote a medley about the Quiberon victory : *La Gaieté Républicaine (Republican Gaiety)*.

Republican victory at Quiberon, July 21, 1795.

The Constitution of Year III

The Quiberon expedition and the extensiveness of the Terreur Blanche made clear the gravity of the royalist threat —even more than had Louis XVIII's manifesto published on June 24, promising the restoration of the Ancien Régime and punishment of the regicides.

The Convention solemnly celebrated the anniversary of the taking of the Bastille on July 14, Messidor 26 year III. On the same day, it declared l'*Hymne des Marseillais* the national anthem.

Among the moderate, republican publications launched in Paris at the time and featuring songs by readers, we should mention *Le Journal du Bon Homme Richard*. It was the successor to *Courrier de l'Egalité*, founded in 1792.

In the first issue, its publisher Antoine-François Lemaire explained his cautious silence during the months before Thermidor : « One had to remain silent and suffer through the things one could not prevent. The tyranny had become so well organized that it could well be said : *trop jaser nuit, trop gratter cuit (talking too much is dangerous, to be too curious does damage)*. At my age, it would have

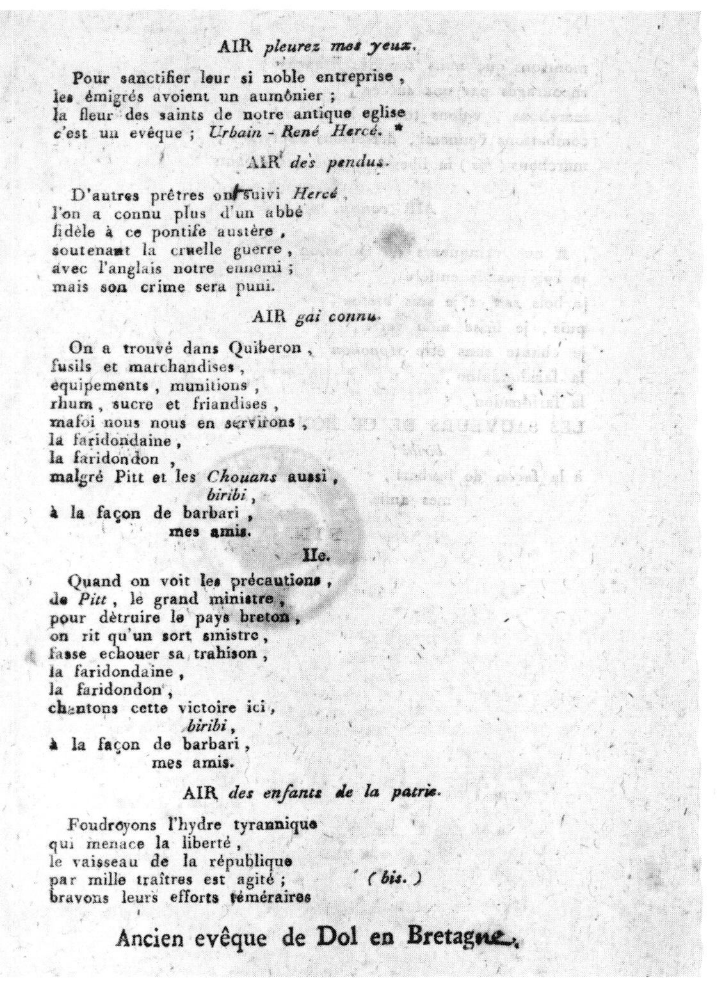

AIR *pleurez mes yeux.*

Pour sanctifier leur si noble entreprise,
les émigrés avoient un aumônier ;
la fleur des saints de notre antique eglise
c'est un evêque ; *Urbain - René Hercé.* *

AIR *des pendus.*

D'autres prêtres ont suivi *Hercé*,
l'on a connu plus d'un abbé
fidèle à ce pontife austère,
soutenant la cruelle guerre,
avec l'anglais notre ennemi ;
mais son crime sera puni.

AIR *gai connu.*

On a trouvé dans Quiberon,
fusils et marchandises,
equipements, munitions,
rhum, sucre et friandises,
mafoi nous nous en servirons,
la faridondaine,
la faridondon,
malgré Pitt et les *Chouans* aussi,
biribi,
à la façon de barbari,
mes amis.

IIe.

Quand on voit les précautions,
de *Pitt*, le grand ministre,
pour détruire le pays breton,
on rit qu'un sort sinistre,
fasse echouer sa trahison,
la faridondaine,
la faridondon,
chantons cette victoire ici,
biribi,
à la façon de barbari,
mes amis.

AIR *des enfants de la patrie.*

Foudroyons l'hydre tyrannique
qui menace la liberté,
le vaisseau de la république
par mille traîtres est agité ; (bis.)
bravons leurs efforts téméraires

* Ancien evêque de Dol en Bretagne.

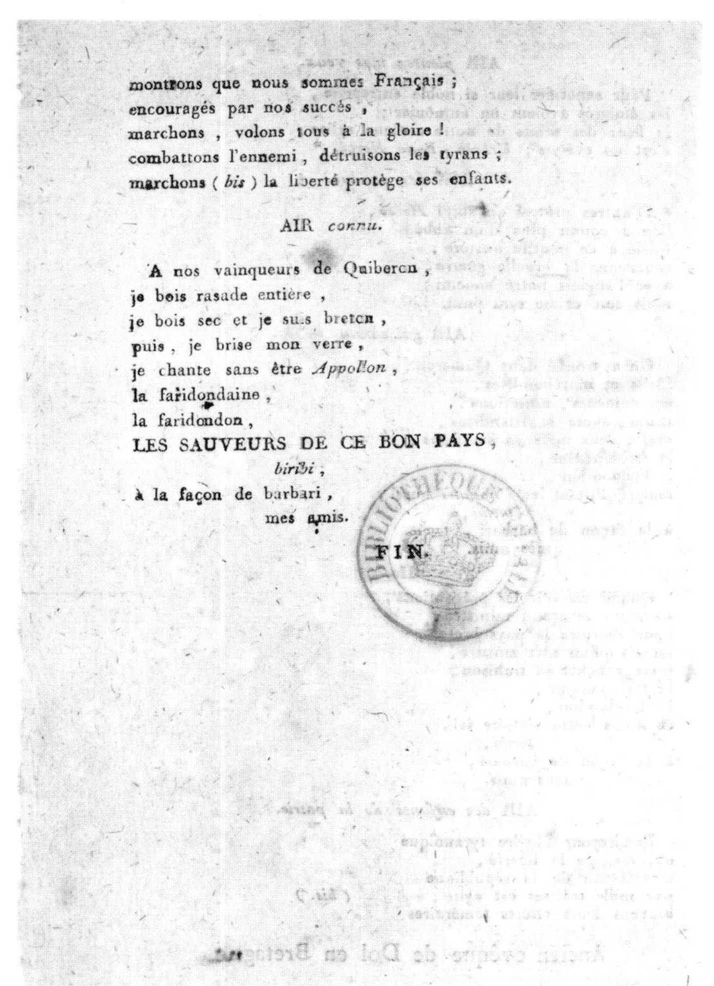

montrons que nous sommes Français ;
encouragés par nos succès,
marchons, volons tous à la gloire !
combattons l'ennemi, détruisons les tyrans ;
marchons (bis) la liberté protége ses enfants.

AIR *connu.*

A nos vainqueurs de Quiberon,
je bois rasade entière,
je bois sec et je suis breton,
puis, je brise mon verre,
je chante sans être *Appollon*,
la faridondaine,
la faridondon,
LES SAUVEURS DE CE BON PAYS,
biribi,
à la façon de barbari,
mes amis.

FIN.

been sheer insanity to risk my neck without even being able to save my country ». He rejoiced at Robespierre's fall. Yet, he felt strongly republican and fought anyone favoring monarchy's return. In his No. 17 issue of August 1, 1795, he published a song denouncing fops and other recent terrorists :

PARODIE DU *RÉVEIL DU PEUPLE*

OU LE PEUPLE FRANÇAIS AUX USURPATEURS DE SON RÉVEIL

RAMAS de brigands sans courage,
Qui profitant de mon sommeil
Allez dans votre aveugle rage
Chanter en tous lieux mon réveil !
Tremblez, insolents satellites
De mes superbes oppresseurs,
Vous touchez aux bornes prescrites
À votre audace, à vos fureurs.

Peuple doré[1], qui sans obstacles
Comptes tes jours par tes succès,
Quoique régnant dans les spectacles
Tu n'es pas le peuple français :
Celui-ci se bat aux frontières
Pour défendre l'égalité ;
On travaille dans ses chaumières
Pour habiller ta vanité.

Troupeau beuglant que l'imposture
Alimente de ses fureurs,
Qui n'appartiens à la nature
Que du côté de ses horreurs ;
Crois-tu donc me cacher tes crimes
Sous ton masque républicain ?
Non, non, il te faut des victimes
Pour t'enivrer de sang humain.
(...)

[1] Songbook's note : We speak here of those hornets who buzz incessantly, for no good or evil cause, of glittering caterpillars who attach themselves to the tree of Liberty to devour it, of those golden butterflies who suck the juice of flowers, and who are more destructive than useful to the land that has given them life and nourishment.

Among the Convention's later decisions, let us review the measures concerning music :

– On Thermidor 16 (August 3), the Institut National de Musique was transformed into the *Conservatoire de Musique.* Its first directors were recognized composers like Gossec, Méhul, Grétry, Lesueur and Cherubini.

– On October 25, new national holidays were declared in addition to the traditional ceremonies such as July 14, August 10, Louis Capet's death, the Republic's founding and Thermidor 9. The new holidays were the Festivals of Youth, Marriage, Thanksgiving, Agriculture and the Elders.

On August 22, after sixty days of debate, the Thermidoriens adopted a new Constitution. This version represented a step backward compared to 1793, and to the 1789 Declaration of Rights on certain points. The desire to avoid the pitfalls both of the right and of the left was clearly a priority.

In this Constitution of year III, the executive and legislative powers were separated to eliminate dictatorship by an assembly or by an individual :

– Legislative power was shared by two assemblies, a third of whose members were to be re-elected each year by the people. The two assemblies were the 250-member *Conseil des Anciens* and the 500-member *Conseil des Cinq-Cents,* the latter being the one empowered to propose new laws for approval by the Anciens.

– Executive power was exercised by a *Directoire* of five members selected by the Anciens from a list of fifty candidates proposed by the Cinq-Cents. Each year, one of the five directors came up for reelection. The Directoire was responsible for the nation's domestic and foreign security. It oversaw the armed forces but did not directly command them, appointed six ministers who reported to it, and ensured the execution of laws through departmental commissioners attached to the ministry of Interior.

The Thermidoriens faced an economic and social crisis. Despite all their precautions, they still feared the influence and maneuvers of the royalists during the elections. As a result, they decreed that two-thirds of the new deputies would be chosen from among active Convention members. This effectively eliminated both constitutional monarchists and former Montagnards.

After a referendum, the Constitution was ratified Vendémiaire 1 year IV (September 23, 1795). In October, the Convention still had time to approve the annexation of Belgium, thus adding nine new departments. Created by citizen Leriche of Bar-sur-Seine, this song celebrating both events appeared in *Le Journal du Bon Homme Richard (Good man Richard's journal).*

COUPLETS SUR LA PROMULGATION DE LA CONSTITUTION DE L'AN III DE LA RÉPUBLIQUE FRANÇAISE
ET SUR LA RÉUNION DE LA BELGIQUE ET DU PAYS DE LIÈGE À LA FRANCE

(Air : « On compterait les diamants », Caveau n° 423)

ENFIN de l'horrible chaos
D'une avilissante anarchie,
Rendue aux douceurs du repos,
Nous verrons sortir la patrie ;
Grâce au Sénat des Français,
En qui notre espoir se fonde,
Nous verrons nos lois à jamais
Éclairer le reste du monde. *(bis)*

De ces beaux jours tant désirés
Sous peu va paraître l'aurore,
Et nos ennemis atterrés
À regret les verront éclore.
François[1], que poursuit la valeur,
Fuyant sous son aigle à deux têtes,
Courbé sous le joug du vainqueur,
Nous abandonne nos conquêtes. *(bis)*
(...)

Ô vous, Belges et Liégeois,
Nation franche et généreuse
Délivrée à jamais des rois,
Enfin vous allez être heureuse ;
Vos climats furent trop longtemps
L'affreux théâtre de leurs crimes,
Et vos paisibles habitants
De ces vampires les victimes. *(bis)*
(...)

[1] The emperor of Austria.

The Vendémiaire Rebellion October 3-5

Before the elections of Vendémiaire 20 took place, the royalists incited an insurrection in Paris. Districts dominated by royalists rebelled on the 11th. The Convention set up a commission of five members under Barras' leadership and called the patriots to action. The opportunist Menou, now commander of the Paris armed forces, was not as resolute as he had been when he faced the Prairial rebels. As a result, by the night of the 12th, the royalists controlled most of Paris.

The Convention then dismissed Menou, replacing him with Barras, and called on several republican generals to lead the fight – among them Bonaparte who directed the counter-offensive and cornered the rebels. Royalist sympathizers took refuge in the church of Saint-Roch. But by the morning of the 13th, the rebellion had been crushed.

Du 13 vendémiaire, an 4e de la république.
Les Comités de salut public et de sûreté générale réunis arrêtent que le général Bonaparte sera employé dans l'armée de l'intérieur sous les ordres du représentant du peuple Barras, général en chef de cette armée.
Expédition du présent arrêté sera adressée à la 9e commission.
Merlin (D.D.)
P. Barras
Le Tourneur
Colombel
Daunou

The Comité de Salut public and the Comité de Sûreté générale assign Bonaparte the command of the army of the interior. The act was signed by Merlin (de Douai), Barras, Le Tourneur, Collombel and Daunou.

Long Live the Republic !

The danger had brought the middle class and the people closer together. The government had punished the rebels. This was the message in these two songs from the provinces, published by Bonhomme Richard shortly after the rebellion.

L'ANTI-RÉVEIL DU PEUPLE
par François-Marie Mercier, de Rochefort, Puy-de-Dôme

RÉPUBLICAINS, dont le courage
Vainquit la horde des brigands,
Vous souffririez que l'esclavage
Fût réservé pour vos vieux ans ?
Quand vous exposez votre vie
Pour la défense de vos droits,
Des royalistes en furie
Oseraient vous dicter des lois ! *(bis)*

Non, non, que ces tigres féroces
Tombent sous leurs propres fureurs,
Qu'ils voient leurs projets atroces
Anéantis par les vainqueurs.
Tendez une main protectrice
A vos frères, à vos amis ;
Venez terminer leur supplice,
Et que leurs bourreaux soient punis.
(...)

Dans Lyon des cohortes infâmes
De vils assassins, d'émigrés,
Portaient et le fer et la flamme
Chez les citoyens désarmés.
C'était au sein de leurs familles,
C'était dans les bras du sommeil
Que les patriotes tranquilles
Trouvaient le plus affreux réveil.
(...)

Tirons le rideau sur l'histoire
Des assassinats du Midi.
Français, n'aspirons qu'à la gloire
De terrasser notre ennemi.
Qu'accablé de son impuissance,
Le despotisme dévorant
Sous les débris de sa vengeance
Expire au milieu des tourments.(...)

Citoyens, guerriers magnanimes,
Réunissons-nous pour jamais !
Comblons ensemble les abîmes
Entr'ouverts par tant de forfaits !
La Convention nous appelle,
Oublions tout, même ses torts !
Sauvons la patrie avec elle !
C'est le dernier de nos efforts.

CHANT RÉPUBLICAIN
SUR
LA VICTOIRE OBTENUE SUR LE ROYALISME
DANS LA JOURNÉE DU 13 VENDÉMIAIRE AN IV
par Perraud, de Seurre, Côte-d'Or

(Air : « Le Chant du départ »)

DANS les airs consternés l'étendard tyrannique
A mes yeux n'a-t-il pas flotté ?
N'ai-je pas vu briller le pouvoir anarchiste
Dans les mains de la royauté ?
Que veulent ces brigands perfides,
Ces esclaves audacieux
Qui, dans leurs transports patricides,
Osent insulter jusqu'aux dieux !...
Le crime pâlit, il succombe ;
Victoire ! triomphe ô vertu !
Les scélérats creusaient ta tombe,
Qu'ils y descendent abattus !

Mais quels cris effrayants ! quelle farouche alliance !
Comme ils marchent pleins de courroux !
Affamés de carnage, altérés de vengeance,
Où se portent leurs premiers coups ?
Dieux ! c'est aux flancs de leur patrie
Qu'ils plongent le fer assassin !
Dans leur sacrilège furie
Vont-ils lui déchirer le sein ?
Le crime pâlit, etc...

(...)

DERNIER REFRAIN

Ah ! si le crime enfin succombe
Avec ses suppôts abattu,
Qu'il ne sorte plus de la tombe
Qu'il destinait à la vertu !

The memorable day of Vendémiaire 13 year IV : The last of the rebels in front of the Church of Saint-Roch. Print by Girardet.

Yet the opposition did make substantial gains in the elections. Only 379 incumbent Convention members were re-elected. Most of the new deputies opposed them. Tallien, who was not re-elected, warned republicans : « If we do not rid ourselves of royalists in the administration and justice ministries, the counter-revolution will come to pass constitutionally in less than three months ».

The moderates did not want to jeopardize the elections. By appointing new members, the re-elected Convention delegates reached the two-thirds majority provided in the Constitution.

Before adjourning, the Convention took these final measures : it granted a general amnesty for « deeds truly related to the Revolution » and named General Bonaparte, recognized for his republican spirit (« Général Vendémiaire »), as commander-in-chief of the interior army.

Thus on October 26, 1795, the Convention ceded power to the Directoire, to cries of « Long live the Republic ! »

Chapter 8

FROM THE DIRECTOIRE TO THE CONSULATE

BRUMAIRE 9 YEAR IV - BRUMAIRE 18 YEAR VIII
OCTOBER 31, 1795 - NOVEMBER 9, 1799

On Brumaire 9 year IV (October 31, 1795), as provided in the revised Constitution, the Conseil des Anciens appointed from among the fifty candidates selected the day before by the Cinq-Cents five members to the Directoire exécutif : Barras, La Révellière-Lépeaux, Reubell, Letourneur and Sieyès. When Sieyès declined the appointment, he was replaced by Carnot. All five were regicides and belonged to the Thermidor movement already in power for over a year. Most of the new deputies, however, were well known conservatives if not moderate royalists, or even inveterate reactionaries.

The First Directoire

The five directors did not always agree among themselves, but they were of one accord about defending what the Revolution had achieved. On November 5, the Directoire declared it intended « to wage an active war against royalism, rekindle patriotism, hold down the divisive factions, extinguish all partisan sentiment, suppress all desire for revenge, make harmony reign and bring peace ». The concern of the directors, as well as that of the ministers and commissioners appointed by the Directoire, would be to resist pressure exerted by the democrats, now considered « anarchists », and to face up to the royalist threat. For this reason their policy-making constantly changed, oscillating right and left, according to the needs of the moment. The directors, ministers and commissioners took their lead from the moderate republicans who rejected both terrorism and a return to monarchy.

Among the representatives of the people was the former Girondin J.-B. Louvet[1], Robespierre's lifelong enemy, who in his newspaper *La Sentinelle (The sentinel)*, subsidized by the Directoire, fought clandestine royalists bent on revenge.

In the January 25th issue he published « verses sung loudly today by the garrison of Lyon and its patriots » :

[1] On the eve of the Revolution, Jean-Baptiste Louvet de Couvray (1760-1797), well known for his licentious novel *Les amours du chevalier de Faublas,* became the Loiret deputy to the Convention. A warrant for his arrest was issued June 2, 1793 but he managed to hide in the Jura. Recalled after Thermidor, he became a member of the new Comité de Salut public and was elected to the Cinq-Cents.

LES HONNÊTES GENS

(Air : « Je suis né natif de Ferrare ». Caveau n° 280, noté p. 147)

JADIS, par des vertus civiques,
On voyait dans les Républiques
Des hommes probes et savants
Qui passaient pour honnêtes gens, *(bis)*
Mais aujourd'hui du fanatisme,
De l'orgueil et du despotisme,
Il faut se montrer partisans
Pour être des honnêtes gens. *(bis)*

Trahir lâchement sa patrie,
Vivre sans mœurs, sans industrie,
Plaider la cause des tyrans,
C'est le ton des honnêtes gens. *(bis)*
Parler des lois par ironie,
Disséminer la calomnie
Contre tous les représentants,
C'est le ton des honnêtes gens. *(bis)*

On se met deux cents contre un homme,
On vous terrasse, on vous assomme,
On vit de vos cris déchirants,
C'est le ton des honnêtes gens. *(bis)*
Animés d'une ardeur guerrière,
Ils vous traînent dans la rivière
Et s'en reviennent triomphants,
Ce sont là des honnêtes gens. *(bis)*

Un soir, le zèle les emporte :
Des prisons ils brisent la porte,
Disant : « Nous n'aimons pas le sang,
Nous sommes des honnêtes gens. *(bis)*
Amis des lois, de la justice,
Nous venons, d'une main propice,
Assassiner tous les brigands,
Nous sommes des honnêtes gens ». *(bis)*

Qui peut applaudir tant de crimes ?
Voir immoler tant de victimes ?
Se partager leurs vêtements ?
Ce sont des honnêtes gens : *(bis)*
Dans ton enceinte, ô ma patrie,
Quelle abominable furie
A vomi ces loups dévorants
Qui se disent honnêtes gens ? *(bis)*

Un patriote est sans vengeance,
Il veut le salut de la France,
En dépit des vils intrigants
Qui se disent honnêtes gens. *(bis)*
Exempt de haine personnelle,
Il n'a jamais d'autre querelle
Qu'avec les rois et leurs agents
Qui se disent honnêtes gens. *(bis)*

1. Charette's execution in Nantes. March 29, 1796.

2. Babeuf.

3. Buonarroti.

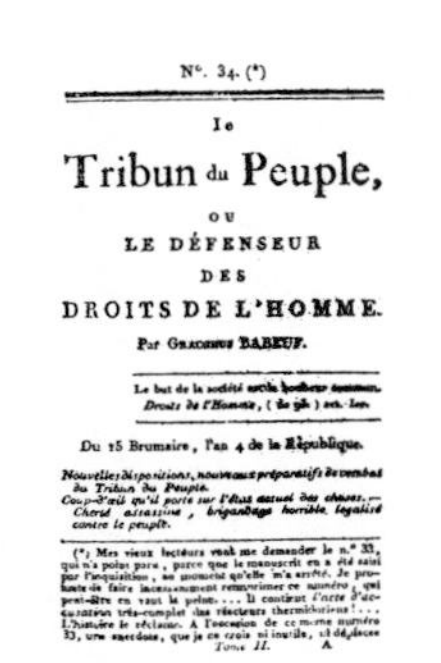

N°. 34. (*)

le

Tribun du Peuple,

OU

LE DÉFENSEUR

DES

DROITS DE L'HOMME.

Par Gracchus BABEUF.

Du 15 Brumaire, l'an 4 de la République.

Nouvelles dispositions, nouveaux préparatifs de combat du Tribun du Peuple.

Coup-d'œil qu'il porte sur l'état actuel des choses. — Chéri assassiné, brigandage horrible légalisé contre le peuple.

(*) Mes vieux lecteurs vont me demander le n.° 33, qui n'a point paru, parce que le manuscrit en a été saisi par l'inquisition, au moment qu'elle m'a arrêté. Je projette de faire incessamment réimprimer ce numéro, qui peut-être en vaut la peine. ... Il contient l'acte d'accusation très-complet des réacteurs thermidoriens ! ... L'histoire le réclame. A l'occasion de ce même numéro 33, une anecdote, que je ne crois ni inutile, ni déplacée

Tome II. A

End of the War in the Vendée

After their Vendémiaire defeat, the royalists continued to foment discord in the provinces, particularly in the Midi (the « Terreur blanche ») and in the West with support from the English. In late December, Hoche became commander of the army of the Côtes de l'Océan and methodically began a campaign to pacify and disarm the peasants. He soon disabled the rebel armies and captured their main leaders. Stofflet was executed on February 25 and Charette on March 29.

Some groups of Chouans were still at large, acting as « brigands ». But after Cadoudal's surrender in mid-June, the civil war was considered over and the Directoire could disband the army of the West.

The Reorganization of the Left

In September, Gracchus Babeuf and Charles Germain had been transferred from the Arras prison to the Parisian prison of Plessis where other members of the leftist opposition, including the Robespierrists Buonarroti, Debon and the Hébertist Bodson, were also detained. Strong ties were forged among these Revolutionaries who deplored the fall of the « Incorruptible » Robespierre and were influenced by Babeuf. These men would remain in contact after their release on Vendémiaire 13.

Freed on October 18, Babeuf resurrected *Le Tribun du Peuple (The People's Tribune)* on November 6, perhaps with financial help from his friends the Montagnard Amar, Félix Lepeletier, brother of the murdered regicide, and the Thermidorien Fouché, a close friend of Barras.

Meanwhile, other patriots, unhappy with the economic and political situation, renewed contact with each other in Paris and in the provinces. In Toulouse, Lyon, Sète, Montpellier, Nantes, Angers and Metz, they opened clubs where they could meet and talk. In Paris, meetings were held in the café des Bains chinois, on the boulevard across from the rue de La Michodière, at the café Chrétien near the Comédie Italienne, at the café Cauvin on the corner of the rue du Bac and the rue de l'Université, and even in the Church of the Quinze-Vingts in the faubourg Antoine. Officially called « Réunion des Amis de la République » (Meeting place of the friends of the Republic), the Panthéon club, still the most important of the clubs, held its meetings in a hall of the former convent of the Génovéfains. This national landmark would later become the Lycée Henri IV. All these clubs were meeting places for the Jacobins of long-standing and were closely watched by the Directoire police.

Babeuf's friends, already nicknamed « les Égaux » (the Equals), frequented these clubs and sometimes assumed a pivotal role. That was true of Buonarroti, Germain and Darthé of the Panthéon club which they strongly influenced. The only Conventional

Montagnard admitted to this Club, J.-B. Drouet, was already a legendary figure of the Revolution for having brought about the arrest of Louis XVI at Varennes. In November, the Austrians finally freed him after two years as their prisoner.

Babeuf continued to publish his newspaper, although he gave it a different political direction. In issue No. 35 dated November 30, he broke with Fouché and exposed his communist ideas about « equality » and « common weal ». In issue No. 36 (December 11), he attacked the « new potentates » who considered him an anarchist : « They should remember that they are what they are now because at one time they were also '*anarchists*' in the eyes of Kings before them. And that was not so long ago ».

The official circulation of *Tribun du Peuple* was only 2,000, including 600 subscribers. But each copy reached many people. *Tribun* became a sort of circulating tract, each issue being read and discussed by groups of propagandists, to the Directoire's growing concern. By January 26th a warrant was issued for Babeuf's arrest. He escaped and went into hiding. Issues of *Tribun* continued to appear. While in hiding, Babeuf wrote another newspaper under the pen name Sébastien Lalande, « soldier of the Nation » : *L'Éclaireur du Peuple ou le Défenseur de 24 millions d'opprimés (The people's scout or the defender of 24 million oppressed).* He published seven issues, from March 2 to April 27, 1796.

Babeuf's influence continued to be felt at the Panthéon club where on February 25, under Buonarroti's presidency, Darthé, reading pages from the *Tribun* No. 40 just off the press, won the applause of the 2,400 people present.

This time the Directoire decided to close the club – an action carried out on the 28th by the Jacobin general Buonaparte, commander in chief of the army of the interior.

The Directoire trusted Napoléon Buonaparte. On March 2, it appointed him general-in-chief of the army of the Italian front. On March 9, he married Joséphine de Beauharnais and on the 11th left Paris to take up his command. In Nice, he would meet again generals of great merit who had been his admirers and on whom he could depend for lasting support : Masséna, Augereau, Murat, Sérurier, et al.

But before discussing the Italian campaign which would do so much for Napoléon's popularity and for the Directoire, let us examine events in France of early 1796. Shortages, dramatic price increases and a monetary crisis[1] vindicated the Jacobins' recriminations against speculators and their government accomplices.

Babouvist Songs

Fear aroused by the linking of various leftist movements did not make the Centrist republicans forget the royalist threat.

These anonymous verses published on March 22 in *Le Journal du Bon Homme Richard* captured this sentiment :

LA NOUVELLE
CARMAGNOLE

VOICI le mois de Germinal
Qui fait germer le bien, le mal ;
Mais le mal n'est que trop poussé !
Le bien n'a pas trop avancé.
Déracinons le mal
Par ce cri général :
Vive la République !
Guerre aux Anglais !
Gloire aux Français !
Nous détruirons la clique
Des vils tyrans
Et des Chouans !

Depuis cinq ans qu'on a planté
L'arbre saint de la liberté,
Le peuple veut le voir fleurir,
Comme il veut voir ses fruits mûrir.
En dépit des mutins,
Nobles ou calotins,
Vive la République ! etc.

Le gros monsieur, loin de ces lieux,
Protège nos petits messieurs ;
Mais peut-il donc, en bonne foi,
Nous inspirer le moindre effroi ?
Il n'a d'un roi de cœur
Pas même la valeur ;
Vive la République ! etc.

(...)

Nous avons un gouvernement
Qu'il faut soutenir constamment,
Sans quoi tous les vautours royaux
Vont mettre la France en lambeaux :
Mais quoi, vils scélérats,
Nous n'y parviendrez pas !
Vive la République ! etc.

(...)

This drawing by Norblin shows how the singers popularized Babeuf's songs.

The song's faith in the Directoire government was hardly shared by the common people who disapproved of economic and social policies favoring the haves over the have-nots.

On March 30th, to coordinate their struggle, the « Égaux », now outlawed, formed a « Directoire secret exécutif de Salut public ». Babeuf, Antonelle, S. Maréchal and Félix Lepeletier made

[1] The assignats had completely devalued and were replaced on March 18 by the « mandats territoriaux » (territorial bills) which depreciated even faster. And as « bad money chases away good money », there was always a shortage of metal currency for trade.

[1] A police report dated April 11 stated : « At the faubourg Saint-Antoine a large group had gathered around a sign which read 'Analysis of Babeuf's Doctrine'. Nearby, a woman was reading it in handbill form ».

[2] E. Lairtullier, *Les femmes célèbres de 1789 à 1795*, Paris, 1840. Chapter « Sophie Lapierre », t. 2, pp. 329-353.

up this rebel committee. Soon Buonarroti, Darthé and Debon joined them. The organization relied on revolutionary agents, informers and men of action, operating in the twelve Parisian districts.

The Babouvist propaganda had an original aspect : the use of songs as well as newspapers, brochures, pamphlets and posters to promote discussion[1]. These propaganda songs were intended to appeal to the emotions of soldiers and civilians, echo their revindications, and acquaint them with the political program of these « conspirators of Equality ».

Here are the most typical of these songs. Many of them have been forgotten for nearly 200 years in police archives. They were sung in the street, in public gardens and in bistros patronized by civilians and soldiers (where it was easier to reach them than in the barracks), for example, at the café Chrétien and the café des Bains chinois.

There a pretty strawberry blonde actress, aged 24, Sophie Lapierre, a former schoolteacher, who later had been an embroiderer, received many ovations for her timely songs. A Parisian lawyer, frequent patron of the café, said : « There one talked about the last ten years over a stein of beer, or socialized around the punch bowl. A pretty singer, blonde hair, bright eyes, a coquettish manner, perhaps an initiate and a confidante of one of the leaders, I mean of course Sophie Lapierre, sang patriotic verses so fresh and daring they caught your attention. Droves of people came to hear the pretty singer, her piquant flourishes, and her expressions hinting at hidden meanings, through which she delivered to an eager audience the main tenets of faith of the Égaux and the Communists[2].

In his testimony at the trial of the « Égaux », Captain Grisel, having been coached by Carnot, spoke about the goings-on at the Bains chinois : « There I saw a mixed group of both sexes. The speeches, songs – among other horrors I heard a lament of Robespierre's death – the faces, everything recalled the Terreur's bitter style ».

The following lament said that Robespierre's execution ended a « golden age », and plunged the people into misery. It expressed exactly their feelings[3].

[3] « In Germinal and Prairial of year IV, the police reports show that the people very often demanded the maximum and longed for the time when Robespierre at least fed them ». (G. Lefebvre, *La France sous le Directoire*, p. 175).

View of the new Bains chinois (Chinese baths) whose café was the meeting place for the « Égaux ».

LE 10 THERMIDOR
OU
LA MORT DE ROBESPIERRE

(Air du « Pauvre Jacques ». Caveau n° 444, noté p. 114)

1er REFRAIN

AH ! pauvre peuple, adieu le siècle d'or,
N'attends plus que peine et misère :
Il est passé dès le dix Thermidor,
Jour qu'on immola Robespierre. *(bis)*

Quand il vivait, il allégeait nos maux,
Il avait toute notre estime :
Les décemvirs, pour perdre ce héros,
L'accusent de leur propre crime.
Ah ! pauvre peuple, etc.

(...)

Commune aussi, tu fus de leur complot,
Avec eux tu brisas le trône ;
Pour t'en punir, tu meurs sur l'échafaud,
Et c'est le Sénat qui l'ordonne.
Il nous ravit cet heureux siècle d'or,
Et nous plonge dans la misère,
En égorgeant, aux jours de Thermidor,
Nos magistrats et Robespierre. *(bis)*

Vous périssez, citoyens et soldats,
Animés d'un zèle civique ;
Mais votre mort peut entraîner... hélas !
La chute de la République.
Ô généreux martyrs de Thermidor,
Amis de la démocratie,
Nous n'aurions pas, si vous viviez encore,
De rois ni d'aristocratie ! *(bis)*

Républicains qui, dans ces jours d'horreur,
Sûtes échapper au carnage,
Rallions-nous et, d'une même ardeur,
Jurons de venger tant d'outrages.
Reconquérons notre heureux siècle d'or,
Exécrons celui de misère ;
Vengeons la France et du dix Thermidor
Et de la mort de Robespierre. *(bis)*

Sophie Lapierre also sang, to new music by Lays, Goujon's yet unpublished *Hymne.* One still remembers the moving final stanza sung by the Prairial martyrs.

Levez-vous, illustres victimes
Des oppresseurs du genre humain,
Recevez-nous dans votre sein,
Nous abhorrons aussi les crimes.
S'il faut trahir la Liberté,
Nous ne voulons plus de la vie.
Nous vivions pour l'Égalité,
Nous périrons pour la Patrie.

Triomphe, ô Liberté, frappe tous les tyrans,
Et de leurs noirs forfaits affranchis nos enfants

She also sang an already well known song (see p. 132) *La Nouvelle Carmagnole,* written August 10, 1793 by Claude Royer. Granted amnesty after Vendémiaire, Royer apparently had not conspired with the « Égaux ». Only one single line of *La Carmagnole* had been updated : « Fédéralistes imposteurs » (Federalists impostors) was replaced with « Oligarchistes imposteurs » (Oligarchist impostors). The subtitle read : « For the grand reunion of the country's defenders camped at Vincennes, at Grenelle, etc. with their brothers the Parisian Sans-Culottes ».

Another song (Caveau listing No. 302), a parody of « la Bonne aventure », written to the melody of Le Vieillard républicain, was directed to the soldiers :

DÉFENSEURS de la liberté
Arrivant des frontières,
Venez-vous en cette cité
Pour enchaîner vos frères ?
On nous assure que vos bras,
Armés pour nous défendre,
Si nous ne nous soumettons pas,
Nous réduiront en cendre.

On dit que nous voulons un roi,
C'est un mensonge indigne ;
Nous ne réclamons que nos droits,
Et voilà notre crime.
Nous demandons la liberté,
C'est notre vœu unique.
Bonheur commun, égalité,
C'est notre république.

On dit que nous ne voulons pas
De gouvernement stable,
Ah ! c'est bien vous seuls, magistrats,
Qui en êtes coupables :

Vous nous privez de tous nos droits,
De notre indépendance,
Vous avez vendu mille fois
Le salut de la France.

Prononcez donc, républicains,
Héros couverts de gloire !
Verra-t-on les armes en vos mains
Souiller tant de victoires ?
Frapperez-vous des mêmes coups
Et les fils et les pères ?
Vos neveux verront-ils en vous
L'assassin de leurs mères ?

Ce tableau est trop déchirant
Pour qu'il soit votre ouvrage.
Certes, un tigre altéré de sang
N'en fait pas davantage.
Du brave Saint-Just expirant
J'entends la voix qui crie :
Courageux soldats, il est temps
De sauver la patrie !

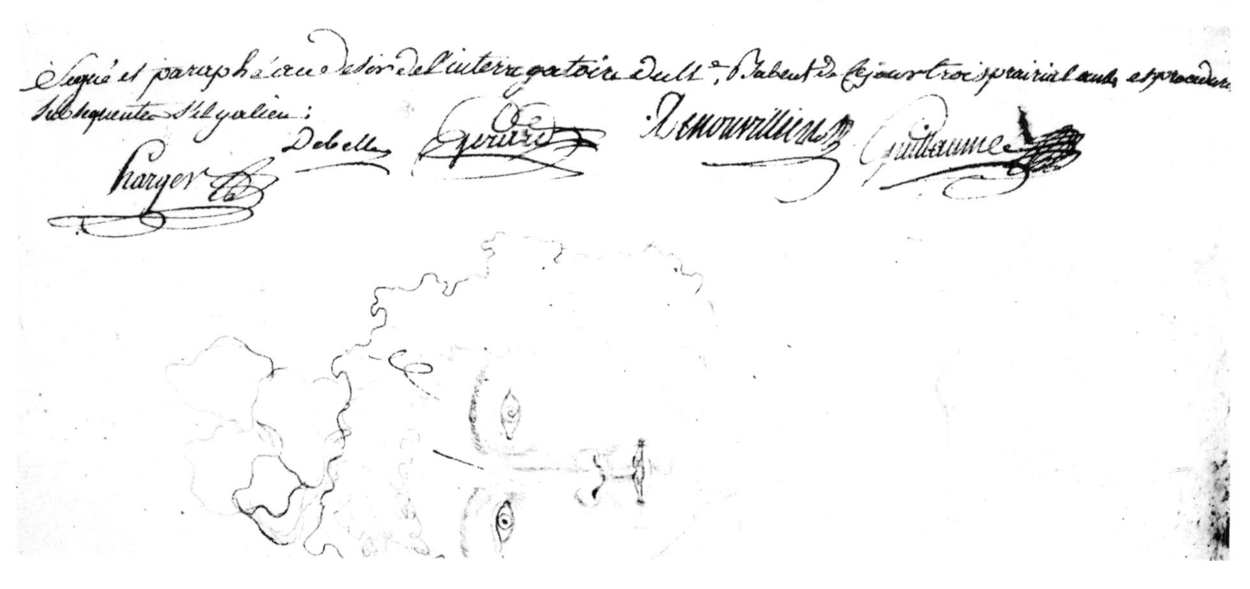

Manuscript of this outlawed song. During an interrogation, a police officer drew a portrait of Babeuf on the reverse side of the sheet.

A caustic song by Sylvain Maréchal[1] was very popular in the more modest neighborhoods and even in the provinces.

It was printed in issue No. 5 of *l'Éclaireur du peuple* (17 Germinal) with changes and comments by Lalande, alias Babeuf[2].

CHANSON NOUVELLE
À L'USAGE DES FAUBOURGS

(Air : « C'est ce qui me désole ».
Caveau n° 428)

MOURANT de faim, ruiné, tout nu,
Avili, vexé, que fais-tu ?
Peuple ! tu te désoles : *(bis)*
Cependant le riche effronté,
Qu'épargna jadis ta bonté,
T'insulte et se console. *(bis)*

Gorgés d'or, des hommes nouveaux,
Sans peines, ni soins, ni travaux,
S'emparent de la ruche : *(bis)*
Et toi, Peuple laborieux,
Mange et digère, si tu peux,
Du fer, comme l'autruche. *(bis)*

Évoque l'ombre des Gracchus,
Des Publicola, des Brutus ;
Qu'ils te servent d'enceinte ! *(bis)*
Tribun courageux, hâte-toi,
Nous t'attendons, trace la loi
De l'*Égalité* sainte. *(bis)*

Oui, Tribun, il faut en finir.
Que tes pinceaux fassent pâlir
Luxembourg et Vérone !
Le règne de l'*Égalité*
Ne veut, dans sa simplicité,
Ni panaches, ni trône ! *(bis)*

Certes, un million d'opulents
Retient depuis assez longtemps
Le Peuple à la glandée :
Nous ne voulons, dans le faubourg,
Ni les chouans du Luxembourg,
Ni ceux de la Vendée. *(bis)*

Ô vous, machines à décrets,
Jetez dans le feu, sans regrets,
Tous vos plans de finance : *(bis)*
Pauvres d'esprit, ah ! laissez-nous :
L'*Égalité* saura sans vous
Ramener l'abondance. *(bis)*

Le Directoire exécutif,
En vertu du droit plumitif,
Nous interdit d'écrire : *(bis)*
N'écrivons pas ; mais que chacun,
Tout bas, pour le *bonheur commun,*
En bon frère conspire. *(bis)*

Un double Conseil sans talents,
Cinq directeurs toujours tremblants
Au nom seul d'une pique : *(bis)*
Le soldat choyé, caressé,
Et le démocrate écrasé :
Voilà la République. *(bis)*

Hélas ! du bon Peuple aux abois,
Fiers compagnons, vainqueurs des rois,
Soldats couverts de gloire ! *(bis)*
Las ! on ne vous reconnaît plus.
Eh quoi ! seriez-vous devenus
Les gardes du Prétoire ? *(bis)*

Le Peuple et le Soldat unis
Ont bien su réduire en débris
Le Trône et la Bastille : *(bis)*
Tyrans nouveaux, hommes d'État,
Craignez le Peuple et le Soldat
Réunis en famille. *(bis)*

Je m'attends bien que la prison
Sera le prix de ma chanson ;
C'est ce qui me désole ;
Le Peuple la saura par cœur,
Peut-être il bénira l'auteur :
C'est ce qui me console. *(bis)*

réveillez-vous à notre voix
de cette nuit profonde
Peuples ! ressaisissez vos droits
Le soleil luit pour tout le mon[de]
2.
Tu nous créas pour être ég[aux]
nature, ô bienfaisante mère
Pourquoi, des biens & des travaux
L'inégalité meurtrière ?

Et vous Lycurgues des français !
Ô Marat ! St Just ! Robespierre !
déjà de vos sages projets
nous sentions l'effet salutaire.
déjà le riche & les autels
replongés dans la nuit profonde
faisaient répéter aux mortels :
le soleil luit pour tout le monde.
déjà vos sublimes travaux
nous ramenaient à la nature.
quel est leur prix ? les échafauds,

Among the confiscated manuscripts was another important song which appeared in two different forms. There was an original version, in Germain's handwriting, marked with an editor's revisions, and a fully corrected version

written by the same unidentified editor.

I have been able to find the arranged music, but not to identify its author. We note that this music does not feature the definitive text. The lyrics of Germain's second verse were the ones written under the melody line. It is of interest to reproduce the seized manuscript together with harmony kindly provided by the composer Robert Caby so that the reader may perform it. Nothing in the records suggests that the Babouvists sang it at their trial, as the melody doubtless never reached Germain or Sophie Lapierre.

Here is the definitive version of the song[3]. The French revolutionaries later entitled it *Chant des Égaux.*

[1] S. Maréchal is the author of the famous *Manifeste des Égaux* which he submitted to the Comité Insurrectionnel : « People of France ! For fifteen centuries you have lived as slaves, and as a result unhappily. For the last six years, you have been breathlessly awaiting independence, happiness and equality... The French Revolution is but a harbinger of another revolution, a much bigger one, a more solemn one, and the last one... We declare we are no longer able to tolerate that the great majority of men work and labor in the service and for the whims of an extreme minority. For long enough – for too long – less than one million individuals have had the use of what rightfully belongs to more than 20 million of their brethren, their equals... People of France ! Open your eyes and your hearts to the fullness of happiness : acknowledge and proclaim with us the Republic of the Equals ».

[2] He said he saw « the song pasted everywhere on the walls of the faubourgs. I was forced to push through the packed crowd to be able to read it in its entirety. I copied it as did many other amateurs. Today it has become very fashionable. It is hummed everywhere, and with reason since it summarizes the best part of the revolutionary truth ».

[3] Published in *Copie des pièces saisies dans le local que Babeuf occupait lors de son arrestation,* Paris, year V, the song was later included in Buonarroti's classic work : *Conspiration pour l'Égalité, dite de Babeuf,* Brussels, 1828.

UN code infâme a trop longtemps
Asservi les hommes aux hommes :
Tombe le règne des brigands !
Sachons enfin où nous en sommes.
REFRAIN GÉNÉRAL
Réveillez-vous à notre voix
Et sortez de la nuit profonde,
Peuples ! ressaisissez vos droits,
Le soleil luit pour tout le monde.

Tu nous créas pour être égaux,
Nature, ô bienfaisante mère !
Pourquoi des biens et des travaux
L'inégalité meurtrière ? – Réveillez...

Pourquoi mille esclaves rampants
Autour de quatre à cinq despotes ?
Pourquoi des petits et des grands ?
Levez-vous, braves sans-culottes.
– Réveillez...
Dans l'enfance du genre humain
On ne vit point d'or, point de guerre,
Point de rang, point de souverain,
Point de luxe, point de misère !
La sainte et douce égalité
Remplit la terre et la féconde :
Dans ces jours de félicité
Le soleil luit pour tout le monde.

Tous s'aimaient, tous vivaient heureux,
Goûtant une commune aisance ;
Les regrets, les débats honteux,
N'y troublaient point l'indépendance.
– Réveillez...
Hélas ! bientôt l'ambition,
En s'appuyant sur l'imposture,
Osa de l'usurpation
Méditer le plan et l'injure.
– Réveillez...
On vit des princes, des sujets,
Des opulents, des misérables ;
On vit des maîtres, des valets,
La veille tous étaient semblables.
– Réveillez...
Du nom de lois et d'instituts
On revêt l'affreux brigandage ;
On nomme crimes les vertus,
Et la nécessité pillage. – Réveillez...

Hélas ! vos généreux desseins,
Fils immortels de Cornélie,
Contre le fer des assassins
Ne peuvent sauver votre vie.
– Réveillez...
Et vous, Lycurgues des Français,
Ô Marat ! Saint-Just ! Robespierre !
Déjà de vos sages projets
Nous sentions l'effet salutaire ;
Déjà le riche et ses autels,
Replongés dans la nuit profonde,
Faisaient répéter aux mortels :
Le soleil luit pour tout le monde.

Déjà vos sublimes travaux
Nous ramenaient à la nature :
Quel est leur prix ? les échafauds,
Les assassinats, la torture. – Réveillez...

L'or de Pitt et la voix d'Anglas
Ont ouvert un nouvel abîme :
Rampez ou soyez scélérats,
Choisissez la mort ou le crime.
– Réveillez...
D'un trop léthargique sommeil,
Peuples, rompez l'antique charme :
Par le plus terrible réveil,
Au crime heureux portez l'alarme.
Prêtez l'oreille à notre voix,
Et sortez de la nuit profonde,
Peuples ! ressaisissez vos droits,
Le soleil luit pour tout le monde.

The Conspiracy's Failure

Evidently, although use of handbills, posters, and songs of propaganda may have mobilized the people against the Directoire, that was not enough to win in a real confrontation. The failure of Prairial and the repression that followed clearly demonstrated that it was necessary to rally the soldiers to the cause of the people, particularly in Paris.

The Comité insurrecteur did just that. It created a network of military agents. Their mission : to work in the billets and cafés frequented by the troops. To those already mentioned we should add l'Auberge du Soleil d'or on the rue de Vaugirard, facing the road that later became Rue de la Procession, near Grenelle's camp. The Babouvists also hoped to rally the Légion de la Police which was created in June 1795 and which many patriots joined after Vendémiaire 13. Apprehensive, the government decided to move two battalions of the Légion to the front, but the Légion refused. The government then ordered the disbanding and disarming of the Légion. Such drastic action can be explained because, in spite of the precautions taken by the « Égaux », the Directoire exécutif was aware of the group's organization and its activities. Though Barras preferred evasive action, Carnot, backed by Letourneur and La Revellière, took the counter-offensive. On April 3, he removed Merlin from his position as head of police at the ministry of Justice. Carnot named his protégé Cochon de Lapparent as minister of the Police générale. In addition to his usual police sources (the owner of the café des Bains chinois was one of his informers), Carnot received information from the military agent Grisel who had been disloyal to Babeuf since May 4th. This betrayal enabled Carnot[1] to provide the other directors with a list of 245 suspects.

[1] In his *Memoirs*, Barras wrote that Carnot had paid Grisel 10,000 livres and promised him another 50,000 livres.

The pace of events quickened. On May 7, the Montagnards finally sided with the « Égaux » view of the consequences of the rebellion. On the evening of the 8th, everyone met at Drouet's. However, they did not set the decisive date. They met again on May 10th (Floréal 21) in the home of one of Darthé's friends. There the inevitable happened : they were all arrested. Meanwhile, other police arrested Babeuf, whose hiding place Grisel had finally discovered. They also arrested Buonarroti who was at Babeuf's side. All the papers in the room were seized.

The leaders of the Babouvist movement were held in the prisons of Abbaye and Temple alongside other conspirators and republicans considered dangerous, although they had not taken part in the plot. Carnot was very thorough. He personally signed 245 arrest warrants for Paris and the provinces. Though the Babouvists enjoyed tremendous public support, as had the Jacobins before them, there was no reaction from the people.

After a preliminary investigation, the main prisoners were to appear before the high court. Except for Drouet who managed to escape on August 17 (perhaps with Barras's help), on the night of August 26 they left Paris en route to Vendôme. They travelled for three days locked in barred cages carried on uncomfortable carts. The commanding officer of their escort treated them brutally. But songwritter Germain reported that several of the militia asked the prisoners for copies of the revolutionary songs which they sang to help them endure their trip.

The Grenelle Affair

A last protest from the Babouvist sympathizers took place in Paris a few days after the accused arrived in Vendôme. An attempt — doubtless provoked — to incite a revolt at the Grenelle fort and free the patriotic prisoners failed dismally. When Carnot was informed of the plot, he responded with even more repression. Dragoons, waiting in ambush, charged the democrats, killing twenty and taking 132 prisoners, many of them injured. Three former Convention deputies were among the eighty-six prisoners. A military commission sentenced thirty-three prisoners to death. Thirty others, including the three Convention members, were immediately executed on the Grenelle plain, without consulting the Cour de Cassation. (Shortly after, this Court declared the sentences illegal). But Letourneur, who had supported Carnot, said : « One must get rid of the Jacobins. Killing them is the only way ».

Anti-Babouvist print inspired by the Directoire : drunken rebels invoke Drouet, colleague of Marat, and the « anarchist » Constitution of 1793.

Execution of twelve accused held in the Grenelle affair.

Shortly after this bloody episode, « republican patriots imprisoned for their opinions » managed to publish *Le Cri des Républicains (The republican's outcry)*, a parody of *Cri de la Patrie* against the « tyrans muscadins », including supporters of the Directoire and royalists.

LA Vendée et Landau, théâtre de leurs crimes
Et de Grenelle les bourreaux,
Te préparent encore d'innombrables victimes,
Des bastilles et des tombeaux ;
Entends les clameurs sanguinaires
De cette horde d'assassins
Bravant le parti populaire,
Menaçant les républicains.

Convention, pour la patrie,
Des cachots entends notre voix,
Dissipe cette ligue impie
De muscadins, amis des rois.

The Trial of Vendôme

On October 5, 1796, the High Court, presided over by Cochon, opened its first session in Vendôme, in the Trinity Abbey, also the site of the prison.

Before the trial began, the prisoners continued to meet, to discuss their defense and to sing. On January 21, the fourth anniversary of Louis Capet's execution, an official national holiday, the guards tried to silence the singing of timely verses written to the melody « Mon père était pot », Cav. No. 633.

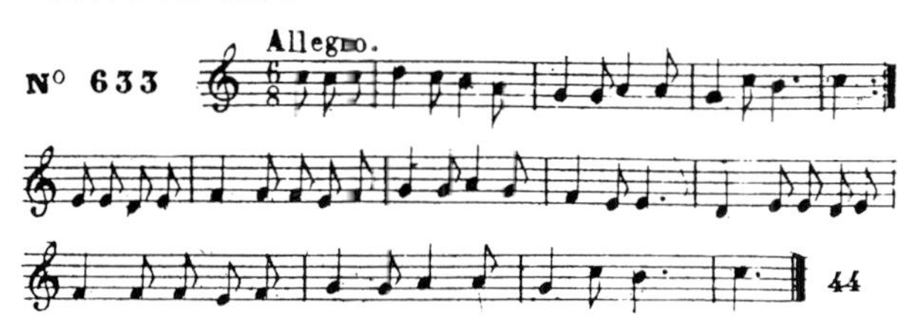

LAISSONS aux partisans des rois
Les soupirs et les plaintes,
Laissons leurs lamentables voix
Débiter des complaintes ;
Nous, de la gaieté,
De l'Égalité
Savourons les délices ;
Trêve à nos tourments,
Bravons les tyrans
Et leurs lâches complices.

Au Vingt-un Janvier, salut !
Salut à sa mémoire !
C'est ce jour-là que Capet but
A longs traits l'onde noire ;
La mort n'était rien
Pour un tel vaurien...

Other patriots, « victims of tyranny » still detained at the Temple, also celebrated the King's death just as those at Vendôme did. Just before their common « civic meal », they performed a sort of musical revue made up of a dozen songs created for the occasion. They also managed to have the work printed. The text and music were compiled in a small eight-page booklet.

LE CANON DU DIRECTOIRE,

OU

LE CRI UNIVERSEL DES PRISONNIERS DU TEMPLE.

A l'instant où le canon du directoire se fit entendre dans les airs, la tour du Temple en retentit, à l'instant dis-je, les prisonniers éveillés par les feux de la liberté sortent du lit, et tandis que le sybarite ami des rois, fatigué de ses débauches nocturnes, se livroit à un sommeil oppressé par la lassitude; ils entonnèrent l'hymne chérie des français, l'écho des tours retentit, les hommes et les femmes du voisinage, unissent leurs voix libres à celles des prisonniers, qui, libres, quoique dans les fers juroient haine à la royauté et aux tyrans. Ces chants se continuèrent jusqu'à l'ouverture des portes de leurs cachots; neuf heures sonnent, les portes s'ouvrent, alors tous les prisonniers se réunissent et recommencent ensemble les chants de gloire à la république. Le chauffoir, lieu où dans cette saison rigoureuse, ils ont accoutumé de se rendre pour se chauffer *et sécher leurs habits*, est le lieu du rendez-vous ordinaire. Une colonne est au milieu, on y trace à la hâte un faisceau de piques, symbole du courage des français, à midi, tous les prisonniers s'y rendent encore, et au bruit du canon, ils font le serment de *haine à la royauté*. Une députation est envoyée au concierge pour obtenir de lui la liberté de rester un peu plus tard, le soir, et pour manger ensemble l'ordinaire de la maison, il consentit à leur demande, et à cinq heures du soir tous se réunissent, apportant dans leurs *gamelles de bois* ce qui devoient servir à leurs repas. Quelques bouteilles de vin, du pain, des haricots composoient ce repas civique, ou la gaité, la fraternité, cet accord charmant qui devroit réunir tous les hommes, présidoient; les chants que renferme cette petite pièce servirent d'introduction au repas; ces chants, ces farandoles, ces élans du cœur qui sont les délices de l'homme vertueux et amant de la liberté et de l'égalité, rendoient cette fête plus intéressante pour des cœurs sensibles, que ces repas somptueux des charmans du jour. La fête dura depuis cinq heures, jusqu'à huit du soir, où chacun libre dans son ame, satisfait de la journée, se retira en chantant l'hymne du chant du départ, qui est le signal ordinaire de la fermeture des sortoirs. On trouvera dans cette pièce toutes les chansons qui ont été consacrées à la liberté dans ses beaux jours; et celles que les prisonniers avoient faites pour cette fête, que tout français libre et ami de sa patrie à dû célébrer avec enthousiasme.

The revue began with the melody of *la Marseillaise* :

CÉLÉBRONS avec allégresse
L'anniversaire de ce jour
Qui punit la scélératesse
Du chef d'une odieuse cour. *(bis)*
Que le royalisme murmure,
Et que le fanatisme en pleurs
Fatigue l'air de leurs clameurs,
Chantons, nous, d'une voix plus sûre :

Périssent les tyrans, haine à la royauté,
Jurons, jurons,
De soutenir l'auguste liberté... *(bis)*

The prisoners drank many toasts. The first was to the Republic :

BUVONS à la République,
A ses braves fondateurs,
Que cette fête civique
Ranime tous les cœurs.
Que l'infâme royalisme
Gémisse et verse des pleurs ;
Buvons au patriotisme,
En riant de leurs douleurs.

The second toast :

AUX DÉTENUS DE VENDÔME

(Air : « Aussitôt que la lumière », noté p. 116)

INTÉRESSANTES victimes
Des plus noires trahisons,
Pour qui l'on créa des crimes,
Prenez part à nos chansons.
L'ennemi de la patrie
Voudrait vous faire périr ;
Pour cette mère chérie,
L'homme sage sait mourir.

Then, either in a political move or perhaps out of naïveté, they addressed the government which had imprisoned them. The melody was « Ne m'entendez-vous pas ? » (Haven't you heard ?), Caveau No. 912.

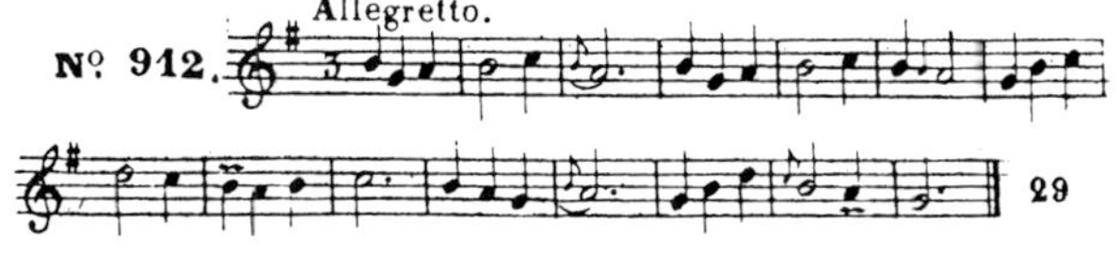

QUOI ! ne savez-vous pas Que depuis vendémiaire, Accablé de misère, Le peuple est à bas. Quoi ! ne savez-vous pas ?	Il ne peut plus remuer, Il n'a plus la parole, On l'envoie à la geôle Quand il ose parler. Peut-il se remuer ?

Ses cruels ennemis
Entourent la puissance
Qui peut sauver la France ;
Mais les postes sont pris
Par tous ses ennemis...

The prisoners proclaimed their faith in the Republic and its government in a *Ronde finale,* sung to the melody of « la Carmagnole », which « they danced to the sound of the Directoire's cannon » :

RÉJOUISSONS-NOUS, mes amis, *(bis)*
Du jour qui nous a réunis. *(bis)*
C'est la mort du tyran,
Il faut que tous gaîment
Dansions la farandole
Au bruit du son, au bruit du son,
Dansions la farandole
Au bruit du son du canon.

Les royalistes, les cagots, *(bis)*
Gens bien perfides et bien sots, *(bis)*
S'en vont aller pleurer
Sur Capet le dernier,
Dansons la farandole, etc.

Qu'ils nous menacent, c'est en vain, *(bis)*
Rien n'émeut un républicain, *(bis)*
Pour lui la mort n'est rien,
Vivre libre est son bien.
Dansons, etc.

Unis par un si doux lien, *(bis)*
L'avenir est notre soutien, *(bis)*
Pour la fraternité,
La sainte égalité,
Dansons, etc.
(...)
Croyons, amis, sincèrement, *(bis)*
Que bientôt le gouvernement, *(bis)*
Sur nos mœurs éclairé,
Nous met en liberté,
Dansons, etc.

Allons, buvons à sa santé, *(bis)*
Et répétons avec gaîté : *(bis)*
Plus de prêtres, de rois,
Ennemis de nos droits.
Dansons la farandole, etc.

Tous les prisonniers : *Vive la République !*

The Vendôme trial lasted from Ventôse 2 year V (February 20, 1797), to Prairial 7 (May 26). Of the sixty-five defendants, eighteen were condemned by default. Buonarroti said that only twenty-five had actually taken part in the conspiracy, but that half of the accused were Sans-Culottes.

Both the official *Débats du procès (Trial debates)* and *Journal de la Haute-Cour de Justice (Journal of the high court of justice)* edited by Pierre-Nicolas Hésine, an ardent democrat of the Loir-et-Cher area, and close colleague of Babeuf, related that the accused often sang during and at the end of sessions. Sometimes their voices rose in a verse of *la Marseillaise* or of *Salut de l'Empire* – to which the court could not object – but on more than a dozen different occasions, the prisoners sang part of the lament of the Prairial martyrs. Babeuf praised the Prairial patriots until the court president forced him to be silent[1]. On Germinal 11, an exasperated national prosecutor ordered the prisoners to stop singing.

The next day, Germinal 12, the president charged Germain with writing a song and hiding it in the cuffs of his hussar's uniform. The melody was « Je m'en fous » (I don't care) :

AU terme d'une vie honteuse... La mort,
Je le conçois, elle est affreuse... La mort ;
Mais qu'est-ce, quand on a vécu
Pour la Patrie et la Vertu, La mort ?

Lorsque des tyrans l'on médite La mort,
Qu'espérer de l'irréussite ? La mort.
Vaincu, j'aurai fait mon devoir,
Vaincu, je saurai recevoir La mort.

Amis, voyons avec courage La mort ;
Chantons, plutôt que l'esclavage, La mort.
Le peuple, un jour, sur nos bourreaux
Vengera de ses vrais héros La mort.

The manuscript which had been written at Vendôme by Germain[2] contained the beginning of Faro and Haussmann's *Hymne à l'Indépendance (Hymn to independence)* (see p. 155). Their codefendants so embraced the hymn that they sang it on Ventôse 13, 16 and 17. In the No. 37 issue of his *Journal*, Hésine stated : « At the end of the session of the 13th, the accused amazed us by singing the verses, *Reste avec nous, chère espérance... (Stay beside us, dear hope...)* from *l'Hymne à l'Indépendance.* The emotion they put into their singing moved everyone ».

RESTE avec nous, chère Espérance,
Abandonne nos ennemis,
Jette un doux regard sur la France,
N'y vois que des mortels unis ;
Dieu des combats, soutiens notre vaillance,
Livre en nos mains jusqu'au dernier tyran ;
Législateurs, guidez notre vengeance,
Républicains, voici l'instant,
Vaincre ou mourir pour notre Indépendance,
Tel est notre dernier serment.

Chantons, chantons avec courage :
Vive, vive l'Égalité !
Chassons, chassons partout l'esclavage,
Vive, vive la Liberté !
La nature, infiniment sage,
Nous anima des mêmes feux,
Bonheur, Justice, Amour, Ouvrage,
Tout devait rendre l'homme heureux.

« To make men happy », the dream of the Égaux, was beyond all doubt premature. They paid dearly for their efforts to make it come true. Babeuf and Darthé — who had stabbed themselves to escape this fate — were, after all, dragged to the gallows. The court condemned Buonarroti, Germain, Moroy, Cazin and Blondeau to deportation, and had them driven to Cherbourg caged like beasts. The others, including brave Sophie Lapierre, were acquitted.

So ended what Jean Jaurès later called « a sublime convulsion, the supreme spasm of the Revolutionary crisis ».

But the Jacobin spirit had not died. The Directoire's image had not been improved by the Vendôme trial. An anonymous manuscript song reviled the régime[3]. Ironically, the song was written to the melody of « Triste raison, j'abjure ton empire » (Sad reason, I abandon your empire), Caveau No. 573, mentioned on p. 85.

LE DIRECTOIRE

NOTRE Montagne enfante un Directoire,
Applaudissons à son dernier succès !
Car sous ce nom, inconnu dans l'histoire,
Cinq rois nouveaux gouvernent les Français.

Talents, vertus, l'honneur du diadème,
Restez proscrits dans ce siècle d'airain,
On peut sans vous monter au rang suprême,
En mitraillant le peuple souverain.

Peuple trompé ! pour toi, la République
Doit être encor le mot de ralliement,
Mais tes cinq rois, par une route oblique,
La conduiront bientôt au monument.

En adoptant un luxe ridicule,
Ils font gémir la sainte « égalité »,
A leur aspect la liberté recule,
Et dans leur cœur, plus de fraternité.

Bien trop petits pour produire un Cromwell,
Sur ce chapitre on doit les épargner,
Ressuscitant chez nous Machiavel,
Leur système est : « Diviser pour régner ».

Vendôme voit succomber les victimes
Qu'au nom des lois égorge leur fureur :
Champ de Grenelle, en attestant leurs crimes,
Pour ces tyrans augmente notre horreur.

La majesté du peuple est avilie
Malgré l'éclat de leurs riches manteaux ;
Et dans les camps, l'amour de la patrie
Se réfugie à l'ombre des drapeaux.

[1] Goujon's Hymn had become very familiar to the residents who called it *l'Hymne des détenus.* According to a local historian, a Vendôme victim sang it until her death. The public would sometimes repeat a refrain the prisoners had sung at the beginning of the sessions or when they returned to their cells.

[2] Germain made only one revision in the song's refrain replacing *plaisir* with *bonheur.*

[3] C. Pierre dates this song from late 1796. However, the before the last couplet could not have been written until after the end of the trial, no earlier than late May 1797.

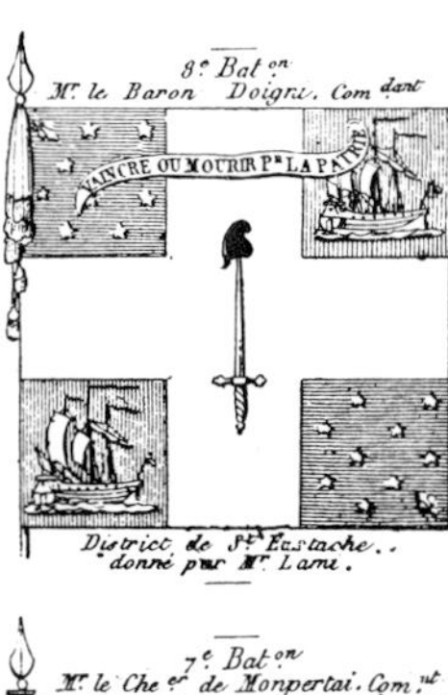

1

2

1. Session of the Directoire (print by Berthault).

2. Victory celebration at the Champ-de-Mars, May 29, 1796 (print by Girardet).

The Campaigns in Italy and Germany : 1796-1797

We left Bonaparte when he had just taken command of the armée d'Italie. He began to fight in April and won a series of battles : Montenotte, Mondovi and Lodi which culminated in the conquest of the Piedmont, a triumphant entry into Milan on May 15 and a peace treaty signed by the King of Sardignia who relinquished the Savoie and Nice. The Directoire celebrated these victories on May 29. In the French provinces, the army's rapid success was also celebrated. In Troyes, *Couplets civiques pour la Fête des victoires (10 prairial an IV) (Civic verses for the victory celebration, Prairial 10 year IV)* were sung to the melody of « Veillons au salut de l'Empire ».

FIER Républicain, ta conquête
À jamais affermit nos droits ;
Le triomphe élève ta tête
Au-dessus des têtes des rois.
Liberté, Liberté toi seule conduis à la gloire,
Elle est, Français, elle est le fruit de vos exploits.

On doit enchaîner la Victoire
Lorsqu'elle combat pour les lois. *(bis)*

On May 31, Austria broke the armistice. First, Jourdan, then Moreau, crossed the Rhine, pushing back the forces of Archduke Charles.

The armée d'Italie continued its conquests. Augereau entered Bologna on June 19 and Ferrara on the 20th. Bonaparte seized Livorno on the 27th and obtained an audience with the Grand Duke of Tuscany on July 1. Threatened by the Austrian Wurmser's army in late July, Bonaparte led another victorious campaign over the next ten days : Brescia, Castiglione and Verona. At the end of August, at Bassano he crushed his Austrian opponent, who had again taken the offensive.

In Germany, the French armies were also successful. Kléber took Frankfurt on July 16. Gouvion entered Stuttgart on the 18th ; Desaix, Ludwigsburg on the 2nd and Jourdan, Würzburg on the 25th ; Kléber, Bamberg on August 4th ; Jourdan, Nuremberg on the 11th. These victories persuaded the Duke of Wurtemberg to sign a peace treaty on August 16th and the Margrave of Baden to sign a similar agreement on the 25th.

Elsewhere, the Directoire had signed on August 19 a treaty with Spain – a development that troubled England.

However, because Jourdan's armies (Sambre-et-Meuse) and Moreau's (Rhin-et-Moselle) had not been able to join forces, the Archduke Charles could attack them separately and compel their retreat. Jourdan had to cross back over the Rhine at the end of September. Moreau did the same in October. In covering Jourdan's retreat, Marceau was fatally shot on September 19 at Altenkirchen. Archduke Charles buried the young Republican hero with military honors.

Celebration of the founding of the Républic Vendémiaire 1 year V (Print by Girardet).

Even though the situation in the east evolved unfavorably, the Republic's fourth anniversary was celebrated with festivities on the Champ-de-Mars.

In early November, the armée d'Italie also had to retreat in the face of a numerically superior Austrian force. Their new commander, Alvinczy, reached Verona. Bonaparte, who had been driven back to Bassano, regrouped the Masséna and Augereau divisions and counterattacked at Argola where a difficult victory was won (November 15 to 17).

Wurmser, blockaded in Mantua, tried to break out but was defeated by Sérurier.

Even so, Alvinczy, reinforced by Provera, resumed the campaign in early 1797 with new energy. Joubert resisted an attack on January 12, allowing Bonaparte, reinforced by Masséna, to reach Rivoli and win a stunning victory on the 14th. Next he reached Mantua, and the city surrendered on February 2. The road to Vienna was open for Bonaparte, and the stage was set for the last act of his Italian campaign.

As soon as he had forced Pope Pius VI to sign on February 19 the peace treaty of Tolentino, Bonaparte, strongly supported by Masséna, Joubert and Bernadotte, began on October 9 an offensive against Archduke Charles. After a series of defeats, Charles sent his representatives to meet on April 13 with Bonaparte who received them in Leoben. There the preliminary peace agreements were signed on the 18th. Meanwhile, the Austrian Empire felt threatened on another front. As commander of Sambre-et-Meuse, Hoche launched a new campaign on his own, without waiting for Moreau, who was still indecisive. Hoche won victory after victory before the Directoire ratified the Leoben agreements on April 30. Bonaparte's triumphant Italian campaign was what forced the Directoire's hand.

On May 5, Bonaparte, acting as proconsul, declared war on Venice and moved to the Mombello Castle, near Milan. He held veritable court there, but that did not interfere with his declaring Lombardy a « Cisalpine Republic », nor did it keep him from levying heavy taxes and seizing large numbers of art treasures.

The Comte d'Antraigues, one of the main royalist agents, had been arrested in Trieste and transferred to the prison in Milan. From him, Bonaparte obtained proof of Pichegru's guilt and secret meetings with the comte de Lille and his entourage. Bonaparte sent Barras this information which would soon prove valuable in the latter's struggle against the conspirators.

The Elections of Germinal Year V and the Reversal of the Directoire's Majority

The relationship between the Directoire exécutif and the Conseils was severely shaken after the elections of Germinal year V (April 1797). The new elections of one third of the members gave strong support to the right. Of the 216 Convention members, only 11 were re-elected. The other seats were filled by well known royalists. Elected from the Jura, general Pichegru was chosen to be the Cinq-Cents' president. The Cinq-Cents replaced Letourneur, a former director, with Barthélémy, an inveterate monarchist, and took other reactionary measures. The public quickly realized that the deputies in the Club de Clichy were endeavoring to reinstate the monarchy.

Republican generals, such as Hoche and Bonaparte, aware of the danger, declared their support for the Directoire.

On July 14, Bonaparte publicized his position in a speech to his soldiers : « Mountains separate us from France. If need be, you shall cross them with the speed of an eagle to defend the Constitution, to defend Freedom, to protect the Government and the Republicans ». The next day he wrote to the Directoire : « Are there no more Republicans left in France ? If you need help, send for the armies ».

On Messidor 28 (July 16), in an effort to please the right, Carnot asked for a change of ministers. Barras, Reubell and La Révellière opposed him. They decided to keep Merlin at the ministry of Justice and Ramel at the ministry of Finance. They appointed Hoche to the ministry of Defense and Talleyrand to the ministry of Foreign Relations. Moreover, they eliminated two Carnot allies, Bénézech and Cochon and replaced them with republicans François de Neufchâteau at the ministry of the Interior and Lenoir-Laroche at the

This is a re-interpretation of a 1783 Debucourt print celebrating the Versailles treaty with England. The text has been rewritten. The original portraits of Louis XVI and of Marie-Antoinette hanging on the wall were replaced with likenesses of Bonaparte and a symbolic portrait of the Republic.

ministry of Police. Ten days later, Sotin, an ally of Barras and the Jacobins, replaced Lenoir-Laroche.

These radical changes, particularly the dismissal of Cochon, were well received by democrats as this engraving and song demonstrate :

The medley composed by Nicholas Henriet, a « volunteer in the armée d'Italie », offer reinforces the message of the lithograph.

LE DEPART DES MINISTRES DESTITUÉS;

Cause de la destitution des ministres, les regrets que remporte celui de la police, ses adieux au peuple, et la camplainte de ses amis.

Air : *Des pendus.*

L'HONORABLE corps des mouchards entre chez le ministre, ils ont chacun un mouchoir à la main., et s'expriment en ces termes :

De vos plus zélés serviteurs,
Monsieur Cochon, voyez les pleurs,
Nous partageons votre disgrace,
Comme vous, nous voilà sans place ;
Mais nous reprendrons après tout,
Notre ancien métier de filoux.

Une députation des filles de joie du Palais-Royal est introduite dans l'appartement du ministre, et lui exprime ainsi ses condoléances:

Pour prix de vos soins généreux,
Reçevez nos tendres adieux,
Mais rendez-nous notre finance,
Nous vous avions payé d'avance,
Pour exercer dans le quartier,
En paix notre joli métier.

Une compagnie de Jésus, gens à colet verd, en habit carré, soulier pointu, en un mot, vêtu en bœuf à la mode, arrivant de Lyon, tout essoufflé, dépose leurs armes, et témoignent leur regret et leur reconnoissance au ministre Cochon.

Les doux compagnons de Jésus,
Par vous armés, par vous vêtus,
Sur le trône versant des larmes,

Print by J.-S. Lemonnier, Jacobin, friend of the painters Topino-Lebrun and Hennequin. All three were close to Babeuf. A pig is beaten with sticks and spades while patriots uproot a Liberty tree. The ribbons read « Seditious messages », « Patriots murdered », « Correspondence with Louis XVIII », « Bribes ». In the tradition of the père Duchesne, the title was inspired by an anti-royalist couplet sung by the Jacobins in the Parisian theaters :
« Aristocrates,
Vous voilà confondus !
Le démocrate
Vous fout la pelle au cul.
Aristocrates,
Vous serez tous pendus ! »

The ex-prefect is then visited by others who regretted his ouster – bankers, journalists, priests, and émigrés. To the melody « Du fendeur de bois » he says to Bénézech, his colleague from the ministry of the Interior :

ME chasser, je n'ai rien fait,
Non, rien qui ne soit à faire :
Preuve que je suis parfait,
Écoutez, écoutez tous ces gens braire ;
Et comme un homme public
De trahison convaincu,
Au nom de la République
Je reçois la pelle au cul.
(...)
Vous verrez les colporteurs,
Les échos de ces clubistes,
Crier avec les chanteurs
Adieu donc, adieu donc royalistes...

The Coup d'État of Fructidor 18 Year V

The Conseils, unhappy with the cabinet reshuffle and alarmed by the approaching Sambre-et-Meuse army, dismissed Hoche. They counted on Carnot and Pichegru to accuse the Triumvirate and stage another successful Vendémiaire. But Carnot, informed of Pichegru's treason, refused to provoke a restoration of the monarchy.

So the government took the initiative. Under several pretexts, it sent military detachments to Paris. Augereau, dispatched by Bonaparte, was appointed commander of the Paris division. To avoid a people's rebellion of the Jacobin type, the triumvirate sought military support to carry out their anti-royalist coup d'État, as was evident in the last verse of the Babouvist song, *Le Directoire :*

« ... In the army camps, love of country takes refuge under flags ».

On the morning of Fructidor 18 (September 4), Augereau's soldiers arrested Pichegru, Barthélémy and a dozen other deputies. Implicated, Carnot managed to flee. A decree ordered the immediate execution of anyone calling for the reestablishment of the monarchy or of the 1793 Constitution. This threat was unnecessary, since no real resistance existed. The next day, the Conseils voted the exceptional measures proposed by the Directoire. In elections, 177 rightist deputy seats were eliminated and not replaced ; other deputies resigned and 42 newspapers were closed, thereby effectively shattering the Anglo-Austrio-Royalist conspiracy.

Fructidor 18 year V : « No, we will not leave ». General Verdière, dispatched by Augereau, arrests Pichegru, Boissy d'Anglas and other pro-royalists.

The « Second Directoire »

The executive branch did not rest. On September 8, the fired directors were replaced by Merlin de Douai and François de Neufchâteau. The replacement candidates also included Augereau and Masséna.

According to a student of the École de Santé, this is how Fructidor 18 should be remembered :

LE TRIOMPHE DE LA RÉPUBLIQUE

(L'air n'est pas indiqué)

INFATIGABLE Directoire,
Tu sauvas notre liberté ;
Oui, tu mets le comble à ta gloire
Et cours à l'immortalité : *(bis)*
La République enfin respire,
Tu sus la parer du couteau ;
Le pâle royalisme expire,
Tes mains ont creusé son tombeau. (...)

Augereau, l'honneur de la France,
Fameux déjà par tant d'exploits,
Tu fis trembler, par ta présence,
Les lâches partisans des rois ; *(bis)*
Sous toi, l'armée en Italie
Sut à chaque instant conquérir,
Et nous, sous toi, pour la patrie,
Nous saurons tous vaincre ou mourir.

Leveau, also known as Beauchant, saw this event as the logical result of the Messidor 23 dismissals. He wrote to the popular melody of Favart's *Soirées des Boulevards (Boulevard evenings) :*

LA TRAHISON DÉCOUVERTE

(Air : « R'li, r'lan, r'lantanplan ». Caveau n° 516)

VENEZ voir la triste figure
De nos messieurs à collet noir,
Ils sont dans la déconfiture,
En ayant perdu leur espoir ;
Voyant qu'on les suit à la piste,
Ils n'ont pas le cœur trop content,
R'li r'lan on vous mène les royalistes,
Et rantanplan, tambour battant. (...)

Ils maudissent le Directoire
Qui ne veut pas de royauté ;
Les favoris de la victoire
Ne veulent que la liberté,
Mais nous qui sommes patriotes
Soutenons le gouvernement ;
R'li r'lan et que le royaliste trotte
Et rantanplan, tambour battant.

Voyez la trahison infâme
De ce général Pichegru,
Ah ! quelle grande noirceur d'âme :
Dans son projet il résolut
De remettre un tyran en France,
Révoquer le gouvernement ;
R'li r'lan il reçoit pour sa récompense
La pelle au cul, tambour battant. (...)

Chassons cette infernale clique,
Sans oublier monsieur Cochon,
Nous voulons tous la République,
Jurons que nous la soutiendrons ;
Républicains, courons aux armes,
Soutenons le gouvernement ;
R'li r'lan rien ne peut nous donner d'alarmes,
Nous marcherons tambour battant.

Even though the triumvirate had not called upon the Jacobins for help, the persistence of a royalist threat revived patriotic fervor. Another songwriter, Perrin, « Captain of the '89 Patriots', sang of his republican faith on Vendémiaire 1 year VI to the melody of « La Marseillaise » :

HYMNE DE LA FÊTE DE LA FONDATION DE LA RÉPUBLIQUE FRANÇAISE

Citoyens, dans ce jour si beau,
Chantons du Peuple la puissance.
Debout, Républicains, pour défendre nos droits,
Jurons, jurons d'exterminer jusqu'au dernier des rois.

Tous les crimes du fanatisme
Enfin ont dessillé nos yeux,
La raison sur le despotisme
Reprend son éclat radieux ;
Plus de prêtres, plus de noblesse,
Nous adorons l'égalité,
Nous chérissons la liberté,
En tout nous suivons la sagesse.
Debout, Républicains, etc.

One of the two commanders-in-chief, on whom the triumvirate had depended, the legendary Lazare Hoche died in the Rhineland on September 19. He had long been ill with tuberculosis, but many people attributed his sudden death to poison. The Directoire organized a funeral ceremony at the Champ-de-Mars on Vendémiaire 30 (October 21). They sang this hymn to the melody of « Mourir pour la patrie » (To die for the nation) or « Roland à Roncevaux», a battle song composed by Rouget de Lisle in May 1792 :

HYMNE A LA MÉMOIRE DU GÉNÉRAL HOCHE

LES tristes chants de la douleur
Ont retenti de la frontière,
Un héros, tant de fois vainqueur,
Jeune, déjà comblé d'honneurs,
Hoche a vu son heure dernière
Du sort, en bravant la rigueur.
C'était pour sa patrie,
Qu'il affrontait la mort,
Qu'il a perdu la vie.

Quand le fanatisme et l'erreur
Déchiraient la France éplorée,
Quiberon proclame un vengeur
Mais, une fois votre vainqueur,
Peuples de la triste Vendée,
Il fut votre consolateur.
Faire la guerre au crime, *(bis)*
Compatir au malheur,
C'est être magnanime. (...)

Peuple, suspendant ta douleur,
Offre-lui la double couronne
De guerrier pacificateur :
Ce sont les deux titres d'honneur
Que l'immortalité lui donne.
Jurons, comme lui pleins d'ardeur,
Haine à la tyrannie, *(bis)*
Obéissance aux lois,
Amour de la patrie.

Bonaparte no longer had any real rival for the people's admiration or for the Directoire's favor. On September 23, Moreau, compromised by his indecisiveness, was disgraced by the new Directoire, who also removed Augereau from the scene by making him commander of the army of the German front. However, he was relieved of that command in January.

The Treaty of Campo-Formio

After five years of fighting and killing, the people now desired peace.

At the negotiations of Udine, Bonaparte, at an advantage over the Austrian representative Cobenzl, became imperious and imposed severe conditions. For example, he demanded that France's natural border be extended to Lombardy, though the Directoire was satisfied with a frontier on the Rhine's left bank.

The Austrians finally relented and signed the Campo-Formio treaty on October 18 at the Passariano Castle, Bonaparte's headquarters. The treaty eliminated the need for a winter campaign but was no more than a truce since England was still at war. Even if this treaty was not what it had expected — the Directoire could hardly have rejected the treaty without opposing Bonaparte — the people were relieved to return to peace. The street singer Beauchant expressed these feelings.

LA JOIE DES JEUNES CITOYENNES DE REVOIR LEURS AMANTS

(Air : « Adieu, ma chère Sophie, ton zéphir... »)

AH ! voilà la paix faite,
Nous verrons nos amants,
Notre joie est parfaite,
Que nos cœurs sont contents,
Quittons notre retraite
Pour des amusements. (...)

Le fils verra son père,
La mère son enfant
Qui viendra de la guerre
Le cœur tout triomphant ;
La sœur verra son frère,
Que c'est attendrissant !

L'amant à sa maîtresse
Prouvera son amour,
Exprimant sa tendresse
En étant de retour ;
Il n'est plus de tristesse,
La paix est un beau jour.

The Campo-Formio council met November 16 at Rastatt. The Republic appointed Bonaparte its plenipotentiary minister to negotiate the annexation of the Rhine's left bank with the representatives of the German Diet. He stayed there only a few days, preferring to return to Paris after an absence of more than 20 months.

In Paris, Bonaparte met privately with Barras, Talleyrand and Reubell. Then on December 10, the Directoire received him triumphantly in a public session. After Barras' speech, Bonaparte responded loftily, as if he were preparing his agenda : « The day the happiness of the French people is based on the most natural precepts, then all of Europe will be free ». During this solemn ceremony at the Directoire, *Le Chant du retour (The song of return)*, a joyful hymn to peace by Chénier and Méhul, was first heard.

Bonaparte and Cobenzl argue at Udine, October 11, 1797.

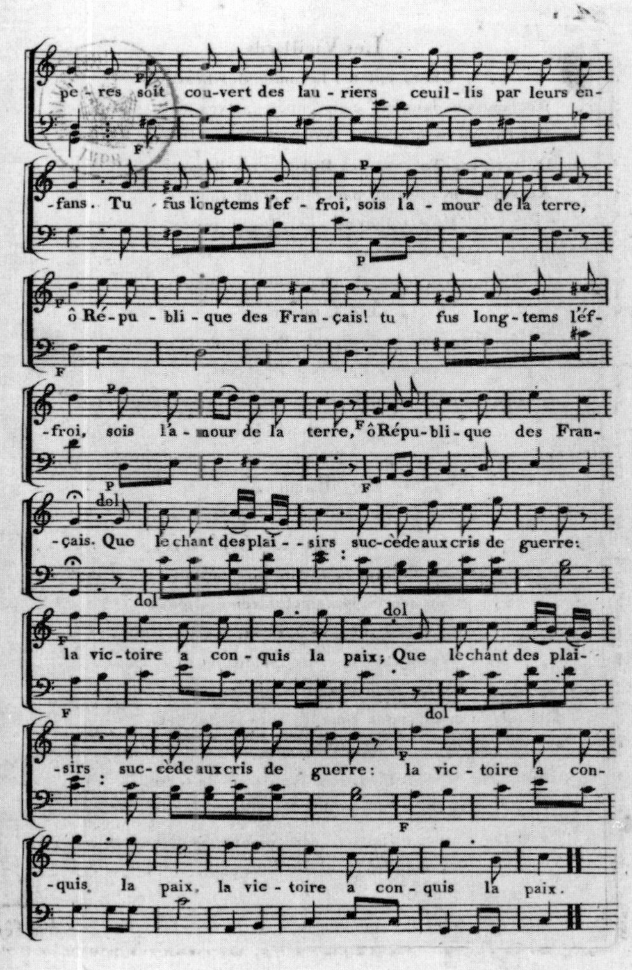

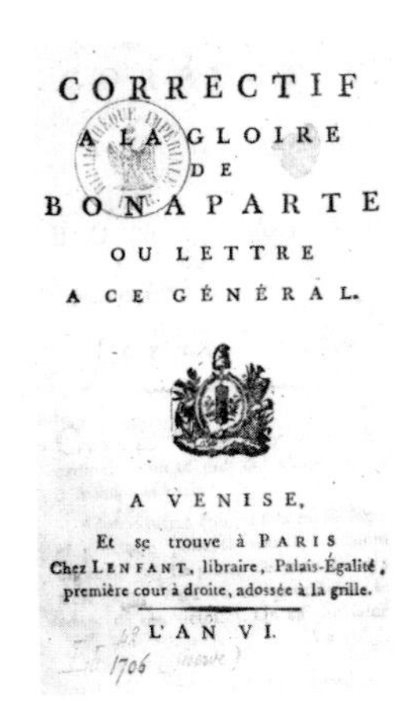

CORRECTIF
A LA GLOIRE
DE
BONAPARTE
OU LETTRE
A CE GÉNÉRAL.

A VENISE,
Et se trouve à PARIS
Chez LENFANT, libraire, Palais-Égalité, première cour à droite, adossée à la grille.
L'AN VI.

The day before, on Frimaire 19 year VI, *Le Journal de Paris*[1], published *Le Chant républicain en réjouissance de la Paix (Republican song in joyful celebration of Peace)* by Citizen Hottegindre, surgeon at the French hospital at Breda. Written to the melody of « Le Chant du départ », the song was a tribute to his general-in-chief :

> BONAPARTE a fermé les portes de la guerre,
> Déjà le drapeau tricolore
> A flotté, glorieux, aux deux bouts de la terre,
> Déjà, par un heureux accord,
> Entre l'Allemagne et la France
> Règnent la Paix et l'Amitié ;
> Que le noir esprit de vengeance
> Soit dans tous les cœurs oublié.
>
> Présent des dieux, ô Paix sacrée,
> Tu seras notre seul trésor,
> Et tu verras, nouvelle Astrée, *(bis)*
> Naître parmi nous l'âge d'or.
> (...)
> Albion, c'est en vain que tu frémis de rage,
> Bientôt, dépouillant ta fierté,
> Tu baisseras les yeux, orgueilleuse Carthage,
> Au seul nom de la Liberté ;
> Le fidèle burin de l'histoire
> Peindra ta honte à tes enfants ;
> Et tu pouvais, sauvant ta gloire,
> Unir ta voix à nos accents.
> Présent des dieux, etc.

What infatuation, what carefully orchestrated promotion of the « Invincible General »[2] !

The government then asked Bonaparte to prepare the invasion of England. He judged this undertaking at least premature, and on February 23 he made a counter-proposal : strike at England by the conquest of Egypt. The Directoire was perhaps slightly wary of Bonaparte's popularity. It knew he was courting a position in its council. The Directoire saw the Egypt expedition not only as a military diversion, but also as an opportunity to distance an overly ambitious general at a time when the outcome of the upcoming elections was uncertain.

Floréal Year VI

The royalist threat appeared averted for a time. On January 21, 1798 the nation celebrated Louis XVI's execution. Bonaparte, expecting better things to come, had managed to be elected to the Institut. He attended the festival as a member of this learned society. At Rouen the *Couplets patriotiques* were sung « on the anniversary of the tyrant's death ».

(Air : « Jeunes amants, cueillez des fleurs ».
Caveau n° 287)

> DE la liberté, fiers enfants,
> Français, ce jour est notre fête ;
> Du dernier de nos vils tyrans
> Ce jour a vu tomber la tête :
> Il donne l'immortalité
> Au triomphe des patriotes.
> Ton piédestal, ô Liberté !
> Est sur la tombe des despotes. *(bis)*
>
> Le despotisme trop longtemps
> Par ses crimes souilla la terre ;
> A ses pieds les peuples tremblants
> Craignaient moins les feux du tonnerre...
> Aux rois renvoyons la terreur.
> Capet, que ta tête sanglante
> Assure aux peuples le bonheur
> En frappant les rois d'épouvante. *(bis)*
>
> Pour que désormais sous tes lois
> Nous vivions, Liberté chérie,
> Ah ! joignons la haine des rois
> Au saint amour de la patrie.
> Que nos enfants puissent sucer
> Cette haine au sein de leurs mères,
> Et pour premiers mots prononcer :
> Mort aux tyrans, paix aux chaumières ! *(bis)*

But the Directoire, after striking a blow against the left in Fructidor year V, feared a revival of Jacobinism during the council elections of year VI. In these elections, 473 deputies would end their term of service.

Medal by David d'Angers.

[1] Under the direction of the former Girondin Roederer.

[2] No one but Sylvain Maréchal could have cleverly introduced a hint of discord in a long open letter entitled *Correctif à la gloire de Bonaparte (Adjusted view of Bonaparte's glory)*. He signed it P.S.M. l'H.S.D., which stood for Pierre Sylvain Maréchal Man Without God. The letter was dated Frimaire year VI and fictitiously addressed from Venice. This publication was seized in Paris as soon as it went on sale. How many reproaches and warnings ! « Of course, you are no ordinary man ; we owe you praise but also the truth... » « As you headed for Rastatt, in what condition did you leave Italy ? Your goodbyes seem more like threats... » « Bonaparte, either you should never have taken on the challenge of recreating Italy politically or you should have completed your work... » « Genius and victory do not give you the right to act and speak as lord and master... » « We want to acknowledge what you have done and thank the one whose victories have brought us peace. But be aware that we will consider we have paid too dearly for the victories and the peace if we must submit to the yoke of your pride... ».

On one hand, while the nation prepared for the elections of the primary assembly, the neo-Jacobins continued to warn the people against the aristocrats and their supporters.

Hence this song written to the melody of « Malbrou » *(sic)* :

LE PÈRE DUCHESNE RESSUSCITÉ

Peuple ! n'y vois-tu goutte ?
Tu gémis, tu te meurs sans doute :
Le petit Maître, écoute,
Lui seul t'en dit assez
Par ses ch'veux retroussés
Avec peignes courbés ;
Vois-tu pas l'insolence
De ceux qu'on dit Bourgeois, en France ?
Tandis qu'ils font bombance
Ne vas-tu pas nus pieds ?

Nation valeureuse,
Cesse un peu d'être généreuse :
Apprends que l'on t'engueuse
En te laissant dormir !
Allons, plus de loisir
Tant qu'on t'fera souffrir !
D'un mâle caractère
Relève l'Assemblée primaire ;
Sache braver la misère,
Vivre libre ou mourir.

On the other hand, the Directoire accused the « anarchists » of helping the royalists. Merlin, responsible for the election preparations, increased divisive pressure and his manipulations multiplied. On Floréal 18, after Chénier denounced « the royalist faction and the anarchist faction », most of the Cinq-Cents supported the members elected by the dissident assemblies. It also proposed that those candidates to whom the Directoire objected should be excluded, despite General Jourdan's protests.

On Floréal 22 (May 11), a decree made impossible to invalidate the results of some elections and fail to recognize 106 deputies. This gave the Directoire party a majority in the councils. This blow against the right did not enhance the executive's prestige, but it did give it the power to face the Conseils whose chances of opposition it had actually limited.

The Directoire was able to implement a policy of economic and financial reorganization in which two excellent administrators distinguished themselves : Ramel, Finance minister since Pluviôse year IV, and above all, François de Neufchâteau, who had returned to the ministry of the Interior in Prairial 29 year VI (June 17).

A Minister of the Interior Patron of Songs

François de Neufchâteau became the main promoter of the Directoire's economic programs which encouraged agricultural and industrial development. In 1798 he founded the Conseil Supérieur de l'Instruction publique and organized the first Exposition nationale des fabricants (September 17 to 21).

While minister of the Interior for two terms, between July 1797 to June 1799, he did not forget his love of poetry and music (see p. 150 for his *Hymne à la Liberté* from year II). It was he who had pressed Sarrette to print the « Recueil du Magasin de Musique à l'usage des fêtes nationales ».

On February 11, 1798, as a member of the Directoire exécutif, he sent Sarrette a « copy of the very pretty *Salpêtre* song... Don't leave it out of the collection of patriotic songs... Shouldn't the collection include happy songs ? They would break the monotony... Health and brotherhood ».

Thus the song *Le Salpêtre républicain (The republican saltpeter),* written in February 1794 (reprinted p. 160) was published four years later, to original music by Cherubini.

Neufchâteau also commissioned Parny and Cherubini to write *L'Hymne pour la fête de la Jeunesse (Hymn for the youth festival)* of Germinal 10 (March 30, 1799)[1]. The result was the only composition of this type by the charming author of the *Poésies érotiques* of 1778.

[1] It can be found in the *Recueil des époques* and was reprinted in C. Pierre's *Musique des fêtes et cérémonies,* No. 44.

HYMNE POUR LA FÊTE DE L'AGRICULTURE

10 messidor

Paroles de
FRANÇOIS, DE NEUFCHATEAU

Musique de
LESUEUR

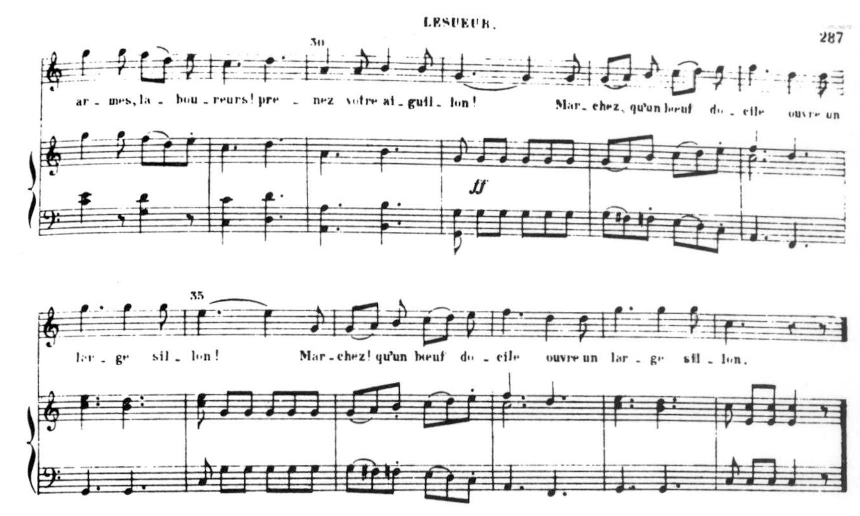

On a moins de peine à l'ouvrage,
Quand on s'y porte avec gaîté.
Pour le prix de votre courage,
Le ciel vous donne la santé;
Pour vous guider, pour vous instruire,
Dieu fit les astres des saisons.
Ce que demandent vos moissons,
C'est dans le ciel qu'il faut le lire.
Aux armes, laboureurs! *etc.*

En cultivant votre héritage,
Songez à nos fiers défenseurs
A qui vous devez l'avantage
D'en être libres possesseurs!
Leur sang coula pour la patrie;
Pour elle versez vos sueurs!
Heureuse par leurs bras vengeurs,
Par les vôtres elle est nourrie.
Aux armes, laboureurs! *etc.*

Sans faste et sans vaine opulence
Vous avez les seuls vrais trésors,
Vous faites germer l'abondance,
Par vos soins et par vos efforts,
Travaillez d'une ardeur extrême;
Que vos guérets soient toujours pleins.
Ah! le meilleur de tous les pains
Est celui qu'on sème soi-même
Aux armes, laboureurs! *etc.*

Vous n'allez plus à la corvée
Vous épuiser pour un seigneur;
La gerbe n'est plus enlevée
Sous vos yeux par un exacteur;
La charrue aux yeux de la France,
Aujourd'hui remise en honneur,
Vous assure avec le bonheur,
La véritable indépendance.
Aux armes, laboureurs! *etc.*

Honneur, salut à la Patrie
Où le soc a repris ses droits!
Honneur, salut à l'industrie
Du laboureur, ami des lois!
Chez vous, français! les arts utiles
Des préjugés sont triomphants.
Faites chérir à vos enfants
Celui qui rend les champs fertiles.
Aux armes, laboureurs

Jean-François Lesueur (1760-1837)

François de Neufchâteau tried his own hand at songwriting. Among the hymns for the many revolutionary festivals, the « Recueil dit des Époques » included a *Hymne pour la Fête de l'Agriculture*, lyrics by Neufchâteau, music by Lesueur. A propaganda song, perhaps, but a pleasant one nonetheless. Although this hymn was performed in its latest version on Messidor 10 year VI (June 28), the lyrics had been previously written to the melody of « La Marseillaise ». This explained the unexpected chorus : « Aux armes, laboureurs, prenez votre aiguillon ».

Among the official festivities let us take note of « the triumphant arrival of scientific instruments

The Fête de l'Agriculture, 10 messidor year VI (Gouache by P.E. Le Sueur).

and works of art collected in Italy », the subject of a dithyramb song commissioned from Lebrun and Lesueur and sung on July 23 by the musicians of the Conservatoire.

On July 31, Joseph Lavallée also wrote a song about the Italian objects rendered « spontaneously » by the artists living at the Louvre[1].

COUPLETS CHANTÉS AU REPAS DE LA SOCIÉTÉ
DES AMIS DES ARTS
LE JOUR DE L'ARRIVÉE DE TOUS LES MONUMENTS
ET DES CHEFS-D'ŒUVRE CONQUIS SUR L'ITALIE
AU MUSÉUM CENTRAL DES ARTS,
LE 13 THERMIDOR AN VI

(Air : « du Pas redoublé ». Caveau n° 556)

SALUT aux guerriers généreux,
Vainqueurs de l'Italie,
Dont le bras enrichit ces lieux
Des trésors du génie.
Bronzes, marbres, tableaux, talents,
Tout parle de leur gloire :
Et chacun de ces monuments
Raconte une victoire. (...)

Bonne et consolante Cérès !
Le pauvre te salue ;
Vous, Minerve ! chez le Français
Soyez la bienvenue.
Bientôt si sa légèreté
Un tant soit peu vous blesse,
Vous apprendrez que la gaîté
Est l'art de la sagesse.

Quant à la mère des Amours,
Elle vient toute nue ;
Et de cette absence d'atours
La raison est connue :
Pouvait-elle au souffle des vents
Dérober sa parure ?
Nos dames depuis si longtemps
Ont volé sa ceinture.

Je ne vois point parmi ces dieux
Mars, le dieu de la guerre ;
De l'égalité l'orgueilleux
A redouté la terre.
Je devine de cet ingrat
Les jalouses alarmes :
Ce dieu ne serait qu'un soldat
Parmi nos frères d'armes. (...)

Honneur au buste de Brutus !
Et gloire à ce grand homme !
Je lui réponds que nos vertus
Valent celles de Rome.
Jamais traître sur nos remparts
N'a versé l'infâmie
On vit toujours le sang des arts
Fidèle à la patrie.

[1] As of August 15, 1796, a petition against the looting of works of art was signed by French artists such as David, Girodet, Hubert Robert, Pajou, Soufflot, Percier, etc. But it was counteracted by other great artists who were completely enthralled by the victories and the booty...

While Bonaparte was having his first difficulties in Egypt as we will see later on, the Directoire passed the Jourdan decree on September 5. This law instituted compulsory military service for men aged 20 to 25. On September 24, it called for a contingent of 200,000 men. Only 74,000 presented themselves to the draft. Enthusiasm had flagged. Absenteeism and desertions increased.

Nevertheless, the government proceeded with a celebration of the Republic's sixth anniversary. *Le chant du 1er Vendémiaire,* words by Chénier, was set to music by Martini[1], and first performed September 22, 1798 by four voices and a brass band.

The Republic Faces the Second Coalition

While Bonaparte and his army of the Orient were in Egypt, England attempted to form a second coalition against the Republic. Its goals were to push France back to its former borders and to restore the monarchy. England easily drew in Turkey and Russia, both disquieted by the Egyptian campaign, then rallied the Austrian Emperor and the Italian monarchs. Rich England once again financed a military coalition. The continental powers provided men, and England furnished its « Saint George's Cavalry » – its gold.

The creation of a Roman republic reignited the fighting in Italy. Neapolitan troops, encouraged by the English, seized Rome November 26, 1798. Championnet counterattacked, liberated Rome and seized Naples – declaring it a republic on January 26, 1799. The Russians wanted to intervene in Italy. Austria allowed them to march through Austrian territory. The Directoire then retaliated by declaring war on Austria, annexing the Piedmont and occupying Tuscany.

On April 28, at Rastatt, the break became definitive. As the French representatives left the meeting, Austrian hussars sabred them. The result was outrage in France and a renewed patriotic attitude toward the war.

The three French armies, the Danube under Jourdan, the Italian front under Schérer and later Moreau, and the Swiss front under Masséna, hoped to march together on Vienna. But the spring campaign in Germany, Switzerland and Italy started badly. Moreau was defeated in Italy by Souvorov and had to abandon Milan. Then, on May 26, the coalition took Turin. On May 5, Masséna had to surrender Zurich to Archduke Charles.

At the moment when the Republic was threatened once again, the Conseils which had been subject to the rigors of Floréal the year before, took their revenge on the executive branch on Prairial 30 year VII (June 18, 1799). They completely reorganized the government administration, directors as well as ministers, along republican lines.

The entire country also saw a neo-Jacobin movement. Popular clubs resumed their activities. In Paris the Club du Manège reopened under the leadership of Drouet, who, shortly before, had been implicated by the conspiracy of the Égaux. On August 1, freedom of the press was reinstated.

The Thermidor middle class and the Directoire became concerned. An anti-Jacobin reaction soon followed. On August 13, the new Police minister, Fouché, closed the Club du Manège.

The government had to face counter-revolutionary uprisings in the Toulouse region and in the West.

The Campaign of Summer 1799

The Republic suffered new defeats in Italy. Joubert, supported by the new director Sieyès, took command in Italy, but only briefly. On August 15, Souvorov's troops defeated Joubert's army and Joubert was killed at Novi. The Russian victories began to upset their Austrian allies, especially on August 27, when England landed 25,000 Russians in Holland where they joined the forces of the Duke of York.

Jourdan proposed that the Cinq-Cents declare the nation in danger. The Assemblée, fearing the return of the 1793 régime, vetoed the proposal.

Luckily, the bickering between the Austrians and Russians made the French counter-offensive easier.

Vienna ordered Archduke Charles to proceed to Mayence. As a result, Souvorov had to go from Italy to Switzerland to join Korsakov's forces in his attempt to push back the French armies and march on Paris. Masséna, seconded by Lecourbe, Mortier and Molitor, prevented the meeting and defeated the Russians separately. Korsakov was surrounded in Zurich and forced after three days of battle, September 25 to 27, to cross back over the Rhine. Souvorov also had to retreat. On the 19th, Brune defeated the Duke of York's Anglo-Russian troops. Angered by the Austrians, Tsar Pavel I broke his alliance with them and recalled his troops to Russia on October 23.

[1] The author of the famous ballad *Plaisir d'amour* was at the time one of the inspectors of the Conservatoire of Paris. *Le Chant du 1er Vendémiaire* was performed again November 9, 1801 for the anniversary of Brumaire 18 (!). It regained its original purpose November 19, 1899 when it was performed at the inauguration of Dalou's group sculpture *« Le Triomphe de la République »*, which still graces the place de la Nation in Paris.

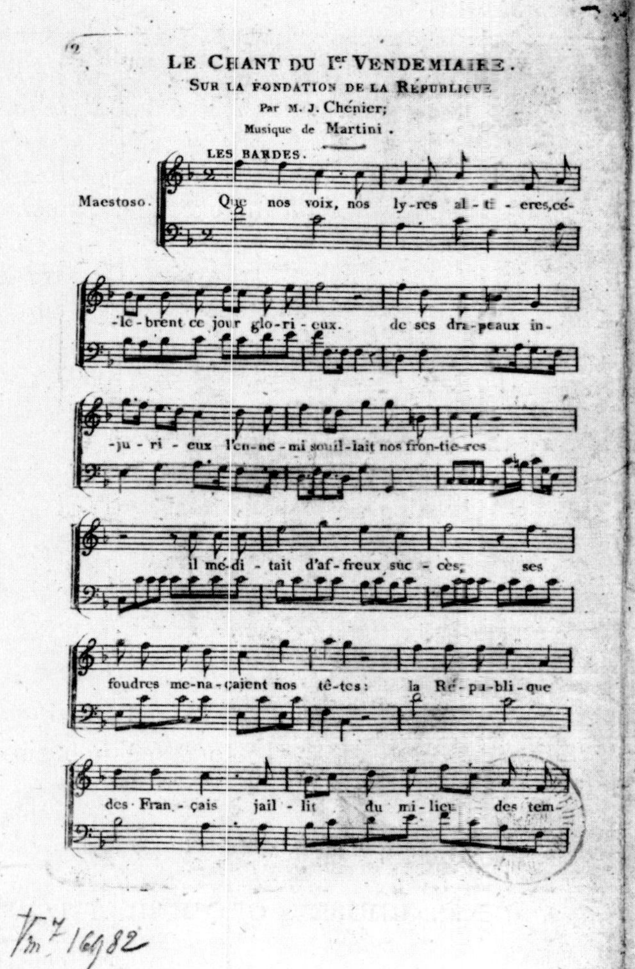

LES GUERRIERS.

Dans la France encor monarchique,
Des rois ligués tonnait l'airain:
Sénat, au nom du souverain,
Tu proclamas la République.
Les rois fléchirent les genoux;
Leur honte appartient à l'histoire:
Le même jour fonda pour nous
La République et la Victoire.

LE CHŒUR.

Debout, vrai Souverain; lève un front respecté;
Les humains ne sont grands que par l'égalité.

LES BARDES.

Guerriers, libérateurs rapides
Du Rhin, du Tibre et du Texel,
Sans doute un pouvoir immortel
Dirigeait vos mains intrépides.
Quel Dieu vous guidait à Fleurus,
Et sur le pont sanglant d'Arcole?
Avec vous, pour venger Brennus,
Quel Dieu montait au Capitole?

LE CHŒUR.

Debout, vrai Souverain; lève un front respecté:
Les humains ne sont grands que par l'égalité.

LES GUERRIERS.

La Patrie a fait ces miracles;
C'est son nom qui nous rend vainqueurs;
Sa voix sainte enflamme nos cœurs,
Et ses décrets sont nos oracles.
Qui sait tout lui sacrifier
Aux revers est inaccessible:
On peut vaincre un peuple guerrier;
Un Peuple libre est invincible.

LE CHŒUR.

Debout, vrai Souverain; lève un front respecté:
Les humains ne sont grands que par l'égalité.

LES VIEILLARDS ET LES MÈRES DE FAMILLE.

Enfans qu'élève la Patrie,
Ce jour a vengé vos ayeux:
Gardés le dépot précieux
De notre Liberté chérie.
Les tyrans et les imposteurs
Vainement sont armés contr'elle:
Cimentés les lois par les mœurs,
Et vous la rendrés immortelle.

LE CHŒUR

Debout, vrai Souverain; lève un front respecté:
Les humains ne sont grands que par l'égalité.

LES ÉLÈVES DES ÉCOLES PUBLIQUES.

A notre cœur sensible et brave
Rien ne peut inspirer l'éffroi:
Ce qu'il hait le plus, c'est un roi;
Après un roi, c'est un esclave.
Si nos ayeux furent longtems
Sujets des rois, jouêts des prêtres,
Nous vivrons, nous et nos enfans,
Et sans préjugés et sans maitres.

LE CHŒUR.

Debout, vrai Souverain; lève un front respecté:
Les humains ne sont grands que par l'égalité.

CHŒUR GÉNÉRAL.

O Raison, puissance éternelle,
Pour les humains tu fis la loi:
Ils étaient égaux devant toi,
Avant d'être égaux devant elle.
L'Œil des cieux, décrivant son cours,
Nourrit la nature embellie:
Comme lui, répands tous les jours
Les feux, la lumiere et la vie.

Debout, vrai Souverain; lève un front respecté:
Les humains ne sont grands que par l'égalité.

Au Magasin de Musique à l'usage des Fêtes Nationales,
Faubourg Poissonniere, au coin de la rue Bergere, No. 152

Meanwhile, what had become of Bonaparte and his army of the Orient whose absence had not kept the Directoire from smashing the second Coalition ?

The Egypt Campaign

On May 19, 1798, Bonaparte and his « barons », Berthier, Kléber, Desaix, Lannes, Murat, and others set sail for Egypt from Toulon with 16,000 sailors, 38,000 soldiers and officers, and a group of 187 scholars and artists, including Monge, Berthollet, Geoffroy-Saint-Hilaire, Vivant-Denon. On June 6, this enormous expedition arrived at the island of Malta, which surrendered after a half-hearted resistance.

The event inspired two songs published in a peddlar's booklet by the Parisian printer-songwriter Daniel.

ENTRÉE TRIOMPHALE
DU GÉNÉRAL BUONAPARTE
DANS L'ISLE DE MALTE

(Air : « Quand partirons-nous de Dunkerque »)

PEUPLE anglais, cesse ton audace,
A l'avenir crains les Français,
Qui de Malte ont surpris la place
Par leur vaillance et leurs succès ;
Celle qui prenait ton parti
Est soumise au grand Buonaparte ;
Malgré tous ses retranchements,
Les Français sont rentrés dedans. *(bis)*

(...)

Sitôt que l'on sait la nouvelle,
De joie tous les cœurs sont saisis.
Quand par la lettre officielle
L'on annonce que Malte est pris ;
Les Français crient : Vive à jamais
Buonaparte et la république !
Nous ne craignons plus de malheurs,
Vive nos sages directeurs.

Curiously, there are no other contemporary songs about any of the other events of the Egypt campaign : the taking of Alexandria on July 2, of Cairo on the 23rd after the Pyramid Victory[1]. There is only one incomplete song, written August 2 by Lombard of Langres, to the melody « On compterait les diamants » (We shall count the diamonds) :

COUPLET À BONAPARTE

PARTOUT il se fait des chalands,
La victoire lui sert d'enseigne ;
On est retapé pour longtemps
Quand il vous donne un coup de peigne ;
S'il va toujours par-ci par-là,
Rasant ce qu'il trouve à la ronde,
Vous verrez que ce garçon-là
Fera la barbe à tout le monde.

In fact, all communications to France had been cut after the August 1 disaster at Aboukir, where the English had destroyed almost all the French ships.

Bonaparte and the Directoire had expected a short victorious campaign. Instead the French army found itself cornered in Egypt, with no hope of reinforcement. On October 21, a rebellion in Cairo had to be harshly suppressed. In February 1799, the French faced the Turks, who aided by English troops, were preparing an offensive in Egypt. Bonaparte had the upper hand in Syria but, held in check outside Saint-Jean-d'Acre, he had to retreat on May 20. He destroyed another Turkish army which the English fleet had landed at Aboukir. Still there seemed no clear escape, at least for the moment.

Bonaparte suddenly realized he was wasting precious time. In France he might be able to realize his destiny sooner. On August 23, abandoning his army[2], he and his most loyal followers Berthier, Lannes, Murat, Marmont, Monge and Berthollet, shipped out on a simple frigate. They were able to avoid the English navy and landed on the Var coast on October 9, 1799 at the time that the other Republican generals were pushing back the Coalition's assaults.

Bonaparte's Return

News of Bonaparte's return quickly spread to Paris — where in complete ignorance of what had happened or what was still happening in Egypt — it caused great joy. On October 16, Bonaparte arrived in Paris and was welcomed by the Directoire. Meanwhile, he carefully studied the reactions of key men, the politicians and the military.

Here are some songs that show the public's

[1] We do find some texts relating Bonaparte's exploits in Egypt, but they all date from after his return.

[2] Kléber, the hero of Sambre-et-Meuse, assumed command of the army. He was assassinated in Cairo June 14, 1800, the day Bonaparte won the victory of Marengo. Desaix, who had just returned from Egypt, was killed at Marengo. By late June 1801, the army of the Orient will be forced by the English to capitulate and to evacuate.

interest in Bonaparte and their ignorance concerning Egypt.

One of them, an anonymous song, survived only in handwritten form, and was sung on October 16 :

COUPLETS RÉPUBLICAINS CHANTÉS À UN REPAS
DE PATRIOTES, LE JOUR DE L'ARRIVÉE
DU GÉNÉRAL BUONAPARTE DE L'ÉGYPTE

(Air : « Lampons, camarades, lampons ». Caveau n° 322)

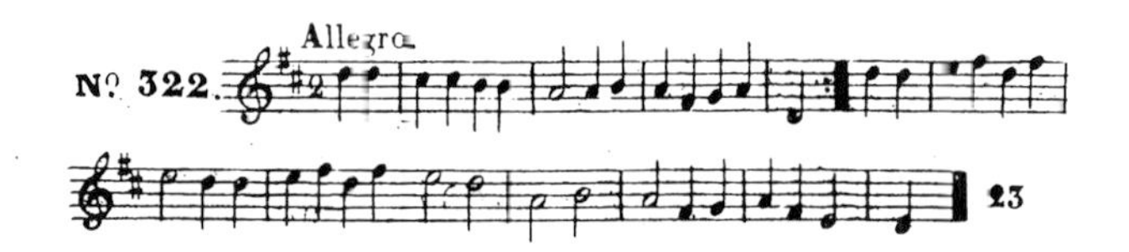

COMME bons Républicains, *(bis)*
Buvons aux heureux destins *(bis)*
De toute la République ;
Et faisons aux rois la nique,
Lampons, lampons,
Camarades, lampons.

Nous n'étions tous autrefois *(bis)*
Que les esclaves des rois *(bis)*
Mais présentement nous sommes
Véritablement des hommes,
Lampons, etc.

Salut, honneur et santé *(bis)*
Au grand Buonaparte *(bis)*
Ce vainqueur de l'Italie
A dompté la tyrannie,
Lampons, etc.

Jeune encor il est fameux *(bis)*
Par cent combats glorieux *(bis)*
Et par plus d'une victoire
Qu'à peine croira l'histoire,
Lampons, etc.

Au milieu de ses succès *(bis)*
Son cœur ami de la paix *(bis)*
Pour le bonheur de la terre
L'olive aux lauriers préfère.
Lampons, etc.

Ce héros, par son air franc, *(bis)*
Mais toujours ferme, imposant, *(bis)*
Autant que par ses conquêtes,
A soumis l'aigle à deux têtes.
Lampons, etc.

Vainqueur encor du Croissant, *(bis)*
Il revient tout triomphant, *(bis)*
Comme son dieu tutélaire
Que la France le vénère !
Lampons, etc.

Qu'ils tremblent ces fiers Anglais, *(bis)*
De leurs perfides forfaits *(bis)*
Il ira tirer vengeance,
Châtier leur arrogance.
Lampons, etc.

D'un héros toujours vainqueur *(bis)*
Crains la trop juste fureur, *(bis)*
Ses invincibles cohortes
Bientôt seront à tes portes.
Lampons, etc.

Ce qui donne un prix de plus *(bis)*
À ses brillantes vertus, *(bis)*
C'est sa noble modestie,
Le propre du vrai génie.
Lampons, etc.

Oui, son nom sera porté *(bis)*
Jusqu'à l'immortalité ; *(bis)*
Il surpassera la gloire
De ceux vantés dans l'histoire.
Lampons, etc.

A banquet for 750 guests given on November 6 by the Conseils was the subject of songs published by the Imprimeur du Corps législatif. The first of these songs was written by Courtois, member of the Conseil des Anciens, former Convention member, regicide and ally of Danton. He infuriated Bonaparte but, nevertheless, was on the best of terms with Moreau.

Banquet held in honor of Bonaparte and Moreau, November 6, 1799 at the Saint-Sulpice Church, renamed the Temple of victory.

COUPLETS

POUR LA FÊTE DONNÉE AUX GÉNÉRAUX BONAPARTE
ET MOREAU, DANS LE TEMPLE DE LA VICTOIRE,
LE 15 BRUMAIRE AN VIII

(Air : « La victoire en chantant, etc. »)

Amis, de l'ivresse publique
Interprètes dans ce beau jour,
Buvons au *vainqueur italique ;*
Buvons à son heureux retour.

De Vienne, à ce retour, les veuves alarmées,
Son prince, tremblant dans ses murs,
Pour braver les carreaux de ce dieu des armées
N'ont pas de remparts assez sûrs.
Ils n'ont pas oublié sa foudre
Grondant autour de leurs foyers,
Qui naguère a réduit en poudre
Et leur orgueil et leurs guerriers...
Amis...

Sous ce bras foudroyant, sous ce bras indomptable
Dans ses rivaux multiplié,
Tu verras, Albion, sur ta rive coupable
Ton *léopard* humilié ;
Ou ton île, en crimes fertile,
Cessant d'acheter nos revers,
De ton or, une fois utile,
Paiera la paix de l'univers.
Amis...

Voyez comme à sa voix, si féconde en prodiges,
Tout un peuple deshérité [l'Égypte]
Rentre enfin dans ses droits, ranime les vestiges
De son antique liberté !
Berceau des savantes lumières,
Reprends enfin, sous ses regards,
Le feu de tes clartés premières,
Et brille encore par les beaux arts.
Amis...

Toi, jeune *Fabius,* qu'a deviné Voltaire
Dans l'un de ses plus beaux portraits,
Quand du sage *Mornay* peignant le caractère,
Il nous peint Moreau traits pour traits :
Avare du sang de tes frères,
Que ton amour sait conserver,
Rejoins nos colonnes guerrières,
Pour les conduire ou les sauver ;
Mais que l'allégresse publique
Te précède au camp des Français :
Elle est le prix de l'*Italique,*
Elle est le prix de tes succès.

To the tune of « Pas de Charge », another guest, Félix Faucon, a deputy from Vienne, recalled the recent retreat of the « great, immortal Souvorov ».
He compared Bonaparte to other great commanders. Note that Jourdan and d'Augereau were not mentioned since they were not present at the celebration.

PENDANT que ce Russe fameux
En Suisse perd la carte,
Chez nous les flots respectueux
Ramènent *Bonaparte ;*
En vain d'innombrables vaisseaux
S'opposaient au passage.
Les Dieux, amis de ce Héros,
L'ont conduit au rivage.

O *Bonaparte* et toi, *Moreau,*
Noms chers à la Victoire !
Quel est le sublime pinceau
Qui peindra tant de gloire ?
Championnet ! Brune ! Masséna !
Que d'éloges à faire !
Ma foi, mettons *et coetera*
Puis cherchons un Homère.

Preparing the Coup d'Etat

The danger of invasion and of the restoration of the monarchy had been eliminated. The conservative middle class decided to consolidate its power and put an end to the uncertainties of the Directoire's régime which had disillusioned a people who loved the republic, and wanted peace. This weariness was expressed in a medley circulated in handwritten form in Paris during the summer of 1799. The piece consisted only of passages from popular melodies. It was entitled in keeping with the proverbial saying, « Tout finit par des chansons » (Everything ends in song).

POT-POURRI NATIONAL
D'APRÈS UN MANUSCRIT TROUVÉ DANS LA COUR
DU MANÈGE

ALLONS, enfants de la patrie,
Le jour de gloire est arrivé.

Va-t'en voir s'ils viennent, Jean,
Jean, va voir s'ils viennent.

Aux armes ! citoyens ;
Formez vos bataillons.

Ne dérangez pas le monde,
Laissez chacun comme il est
Mourir pour sa patrie *(bis)*

La belle aventure, au gué,
La belle aventure.

Dansons la carmagnole,
Vive le son, vive le son ;
Dansons la carmagnole,
Vive le son du canon.

Je n'saurai danser,
Ma pantoufle est trop étroite ;
Je n'saurai danser,
J'ai un trop grand mal au pied.

La victoire en chantant
Nous ouvre la barrière ;
La liberté guide nos pas,
Et du Nord au Midi
La trompette guerrière
A sonné l'heure des combats ;
Tremblez, ennemis de la France !

Et ne vendez la peau de l'ours,
Qu'après l'avoir couché par terre.

La république nous appelle,
Sachons vaincre ou sachons périr.

Triste raison, j'abjure ton empire.

Nous ne reconnaissons,
En détestant les rois,
Que l'amour des vertus
Et l'empire des lois.

Ça ne durera pas toujours. *(ter)*

Peuple français, peuple de frères,
Peux-tu voir sans frémir d'horreur
Le crime arborer la bannière
Du carnage et de la terreur.
Tu souffres qu'une horde atroce
Et d'assassins et de brigands...

On va leur percer le flanc
En plein, plan, rantanplan
Tire lire en plan.

On va leur percer le flanc,
Oh ! que nous allons rire !

Eh mais, oui-da,
Oh ! qui pourrait trouver du mal à ça ?

Représentants d'un peuple juste,
Et vous, légalisteurs humains,

Sautez par la croisée. *(bis)*

Ah ! ça ira, ça ira, ça ira.

A l'eau, à l'eau.

Sieyès and the Notables wanted a revised Constitution but would the Conseils consent to that ? The legal procedure would undoubtedly be long and complicated. In fact, ever since Sieyès had become a director, he had favored a coup d'état although he realized that the army's support was needed to force the council majority's hand. A general popular enough with the army and the people would have to back the move. Sieyès had wanted Joubert, but Joubert had been killed in combat on August 15. Masséna, « beloved son of victory », was knwon for his Jacobinism. Moreau, already compromised along with Pichegru and the royalists, was not dependable. Jourdan and Bernadotte, who were close to the Jacobins, were reluctant. Augereau had already played this role on Fructidor 18 against pro-royalist elements and following instructions from Bonaparte.

Bonaparte had returned to Paris at the opportune time.

He was hailed as the « invincible general », the « Campo-Formio peacemaker ». He enjoyed both military prestige and republican fame.

His sycophants spared nothing to make him into a hero in the press, in songs and engravings. He was now the right general, in every sense. Sieyès, Talleyrand, Cambacérès and others believed Bonaparte to be the best candidate. Most of the other generals, even Moreau, agreed he was the right choice.

« Behold, the Man of the Hour » is essentially the message of verses sung by the famous Opéra singer, Pierre Garat, at a celebration at Cambacérès' home.

SUR cet air et ce maintien calmes,
Voyez ce guerrier fier et doux,
Qui revient du pays des palmes
Planter l'olive parmi vous.
Tranquille au fort de la tempête,
Et modéré dans le bonheur,
Si la victoire est dans sa tête,
Il porte la paix dans son cœur.

Mais la paix que le monde implore,
C'est en vain qu'on l'offre aux vaincus.
Bonaparte, il faut vaincre encore,
Il faut un prodige de plus :
Jusqu'en son nid à l'aigle altière
Porte tes coups et tes bienfaits ;
Déclare la guerre à la guerre,
Et triomphe au nom de la paix.

O paix, ton règne va renaître ;
Ah ! puisse-t-il être éternel !
Un second Mars est ton grand prêtre
Et sacrifie à ton autel.
Toi seule tu peux à la gloire
Ajouter un lustre en tout lieu ;
Un héros donne la victoire,
La paix est le présent d'un Dieu.

Now, the next thing to do was put Bonaparte at the head of all Parisian troops, while bypassing the Directoire since Sieyès and Roger-Ducos were in the minority there.

Brumaire 18 and 19 Year VIII November 9 and 10, 1799

Bonaparte's partisans spread rumors of a terrorist plot. On Brumaire 18, a crafty plan allowed the Anciens to vote the transfer of Conseil members to Saint-Cloud. At the same time, a decree placed the troops of Paris, including the Directoire's guards under Bonaparte's orders. As a result, the Directoire found itself illegally stripped of all power.

Barras resigned and left Paris quietly. Moreau guarded Moulin and Gohier until they also resigned.

The next day, on Brumaire 19, the second act began. Bonaparte concentrated several thousand troops around the Château de Saint-Cloud. Early in the afternoon the council members held a meeting there. The Anciens doubted the existence of a Jacobin plot and invoked the Constitution. To which Bonaparte blurted out : « You violated it – it doesn't exist any more ! »

At the meeting of the Cinq-Cents, presided over by his brother Lucien, Bonaparte appeared with an escort of grenadiers. He was taken to task for this, and forced to exit to shouts of « Outlaw ! ». At first the troops hesitated. Lucien harangued them and led them to believe that the rebel deputies wanted to stab their general. The guards of the Corps Législatif gave in and a column led by Murat and Leclerc evacuated the Orangerie.

In the evening, a group of deputies, some of whom had become resigned to the turn of events, and others who had been instrumental in bringing it about, named a Commission Consulaire to replace the Directoire and draft a new Constitution. The three provisional consuls were Bonaparte, Sieyès and Roger-Ducos.

On Frimaire 21 (December 12), Bonaparte managed to get adopted the Constitution drafted by Danou and get three Consuls appointed : First Consul, Bonaparte ; Second, Cambacérès the regicide and Convention member ; and Third, Lebrun, the former royalist and member of the Assemblée constituante. This mixed political trio satisfied both the right and the left, but it also added to the confusion. Many perceived the coup d'état as an agreement between a republican general and a republican middle class. Even the Notables promoting him misread Napoleon's true character and ambitions[1].

[1] But who could have prophesized in late 1799 the final outcome. In his *Grand Dictionnaire,* published under Napoléon-le-Petit, Pierre Larousse began his article on Bonaparte as follows : « general of the French Republic, born in Ajaccio (Corsica) on August 15, 1769, died at the Château of Saint-Cloud, near Paris, Brumaire 18, year VIII of the French Republic, one and indivisible, November 9, 1799 ».

TABLEAU HISTORIQUE

DES CAUSES QUI ONT AMENÉ LA RÉVOLUTION DU DIX-HUIT BRUMAIRE.

Mauvaise conduite du Directoire. — Motion incendiaire de la faction dominante au Conseil des 500. — Poignards tirés sur Buonaparte, parés par un grenadier. — Courage de ce Général pour disperser les factieux, et empêcher les soldats de les passer à la bayonnette. — Nomination de deux Commissions pour reviser la constitution — Entrevue des Consuls de la République française et d'un Parlementaire anglois. — Ouverture et communications qui ont été faites dans cette conférence. — Détermination prise par ces mêmes Consuls à la suite de cette entrevue. — Déclaration du roi de Prusse de faire marcher 70 mille hommes contre les puissances qui refuseraient de faire la paix. — Annonce d'une suspension d'armes. — Convocation d'une séance extraordinaire pour la ratification de la paix générale. — Prochaine rentrée des réquisitionnaires et des conscrits dans leurs foyers.

LA révolution du 18 Brumaire, entraine les derniers soupirs des tirans désorganisateurs, elle nous fait espérer le ravivement du commerce, la restauration des finances, et déja plusieurs millions versés dans les caisses nationa-

COUPLETS

SUR LA RÉVOLUTION DU DIX-HUIT BRUMAIRE

AIR : *De la fanfare de St.-Cloud.*

AMIS, Français, plus d'alarmes !
Ce jour fait notre bonheur ;
La raison, plus que les armes,
Rendra le peuple vainqueur.
Nous reverrons l'abondance,
Nous aurons la paix sur-tout.
Les broullions sont en vacance,
Près des filets de Saint-Cloud.

Grand tartuffes politiques,
Factieux sots charlatans,
Posez masques comiques,
Disparaissez, il est tems.
Nous avons horreur du traître,
Nous avons pitié du fou.
On lui dit : « pour te remettre,
« Va prendre l'air à Saind-Cloud » !

Quand ils parlaient de justice,
De droits et de liberté,
Leurs rigueurs, leur avarice,
Détruisaient l'égalité.
Leur puissance colossale,
Sous qui nous gémissions tous,
Vers Saint-Cloud enfin détale,
Et ne tient pas à cinq clous.

Pauvres rentiers ! plus de craintes,
Vos amis veillent pour vous ;
Ceux qui méprisaient vos plaintes,
De vous sont presque jaloux.
Ils font tous la culbute :
Détestés, bernés par-tout,
Ils imitent dans leur chute
La cascade de Saint-Cloud.

Vrais enfans de la patrie,
Rassemblez-vous à sa voix !
Point de rois, point d'anarchie ;
Nous n'obéissons qu'aux loix,
De la puissance arbitraire
Les défenseurs sont à bout ;
Et la gaieté populaire
Les honnit jusqu'à Saint-Cloud.

Air : *Femmes voulez-vous éprouver.*

FRANÇAIS célébrons le retour
D'un guerrier fils de la victoire,
France, tu connais son amour
Pour ton bonheur et pour ta gloire.
Il revient nous donner la paix,
Tremblez ennemis de la France,
Tremblez, tirans et désormais
N'abusez pas de sa clémence. bis

Russe, Autrichien et vil Anglais,
Coalition sanguinaire,
Tremblez.... le sauveur des Français
Veut encor vous faire la guerre,
Mars lui prepare des lauriers,
Nous sommes surs de la victoire;
Il va commander nos guerriers,
En immortalisant sa gloire.

Chacun t'appellait à grand cris,
Au secours de notre patrie,
Pour en chasser les ennemis,
Et pour délivrer l'Italie ;
Enfin te voilà revenu,
Tu nous rends aumoins l'espérance...
Buonaparte avec ses vertus,
Donnera la paix à la France.

Ami immortel des Français,
Poursuis ta brillante carrière ;
Répands sur nous tous tes bienfaits,
Ressemble au dieu de la lumière,
Rallie sous nos étendarts
Les fiers enfans de l'Italie,
N'es-tu pas le fils du Dieu Mars,
Puisqu'il te prête son génie.

Chantez, chantez, braves guerriers,
Le favori de la victoire
Revient nous couvrir de lauriers,
En éternissant sa mémoire,
Célébrons déja nos succès,
Car ils sont assurés d'avance,
Ses vertus sont pour les Français,
Ce que lui-même est à la France.

Se trouve chez GAUTHIER, Arcade Jean, n°. 5, près la Grève.

(Caveau n° 680) *(Caveau n° 195)*

This lack of insight was evident in an impromptu piece Gévaudan sang during intermission at the Opéra Comique on the evening of the coup d'état.

COUPLETS SUR LA JOURNÉE
DU DIX-HUIT BRUMAIRE AN HUIT

(Air : « Avec les jeux dans le village ». Caveau n° 53, noté p. 23)

PLUS de tyrans et plus d'esclaves,
Les jours de gloire sont venus ;
Les jours de gloire pour les braves
Ne sont que les jours de vertus :
Trop longtemps ma noble patrie
Ploya sous un joug détesté,
Et le courage et le génie
Ont reconquis la liberté. *(bis)*

La liberté produit la gloire,
La gloire produit les héros.
Ils ressaisiront la victoire
Et sur la terre et sur les flots.
Éternisons cette journée
Par des vertus, par des bienfaits,
Et que, pour l'Europe étonnée,
La victoire enfante la paix. *(bis)*

A popular illustrated pamphlet written to justify the coup d'état also featured two propaganda songs. The first reassured the landowners and the other announced that the « savior of the French », « son of the God Mars », planned to complete his victory against the coalition and « bring peace to France ».

Bonaparte, bringer of peace and bestower of freedom on Europe, the Napoleonic legend had already begun.

CAFÉ
TURC

DECLINE AND SURVIVAL OF THE GREAT SONGS OF THE REVOLUTION

At the end of 1799, the Republic had in some sense established itself but by Brumaire, democratic and revolutionary fervor had waned. So, after a decade rich in them, songs and festivals became rarer and rarer and then vanished altogether. The Constitution of year VIII had just been proclaimed when the First Consul Bonaparte decided to celebrate only two revolutionary holidays : July 14, renamed, oddly enough, the Fête de la Concorde, and Vendémiaire 1, known as the Fête de la République. The First Consul took part in the first two festivals and on July 14, 1800, at an evening banquet, he proposed a toast to « the French people, the sovereign of us all ».

No longer was there any reason to commission poets and composers to write revolutionary hymns and the songwriters seemed to have lost their inspiration. Street singers and peddlers had to change their repertoire. How could they continue to create revolutionary pieces when songs, as well as newspapers and plays, were being censored and when, after September 4, 1800, the Prefect of Police had ordered his subordinates to keep songwriters under surveillance ?

Of course, the old songs remained, sometimes used in circumstances very different from those at the time of their creation. La Marseillaise *and even* Le Chant du départ *were soon banned.* Veillons au salut de l'Empire *was altered to glorify Napoleon*

A page in history had turned. The creative wave receded. Instead of the seven hundred political songs written in 1794, there were less than one hundred in 1799 and only twenty-five in 1800. Most of them were dedicated to Napoleon's military exploits and to his relentless rise to power.

To witness a rebirth of the revolutionary song, it would be necessary to wait until after the Trois Glorieuses of 1830 (The July Revolution of 1830), which marked the end of the Bourbon Restoration. This social and cultural phenomenon would reappear in 1848 and again in 1870-1871.

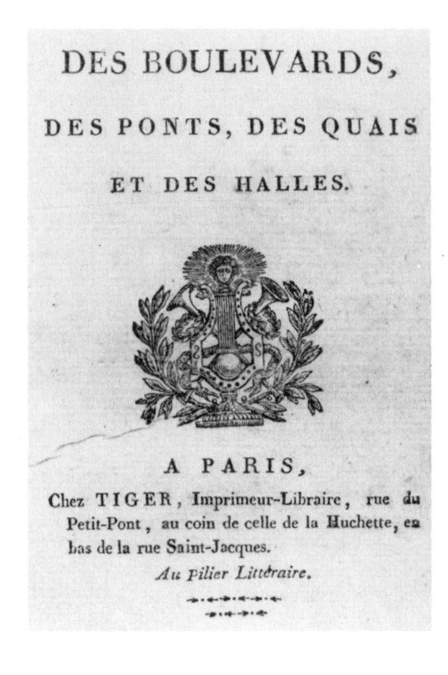
DES BOULEVARDS,
DES PONTS, DES QUAIS
ET DES HALLES.

A PARIS,
Chez TIGER, Imprimeur-Libraire, rue du Petit-Pont, au coin de celle de la Huchette, en bas de la rue Saint-Jacques.
Au Pilier Littéraire.

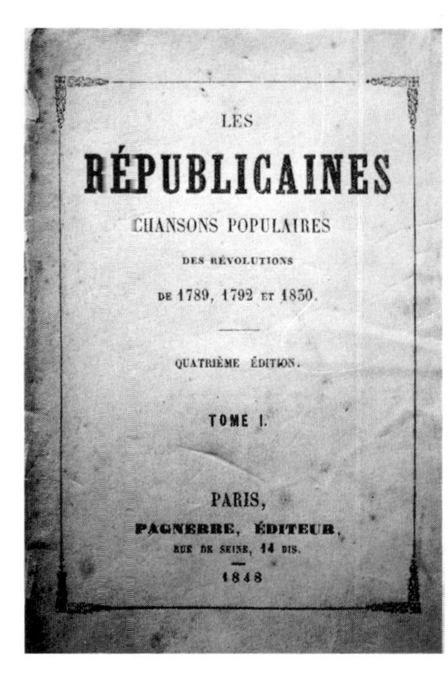
LES
RÉPUBLICAINES
CHANSONS POPULAIRES
DES RÉVOLUTIONS
DE 1789, 1792 ET 1830.

QUATRIÈME ÉDITION.

TOME I.

PARIS,
PAGNERRE, ÉDITEUR,
RUE DE SEINE, 14 BIS.
1848

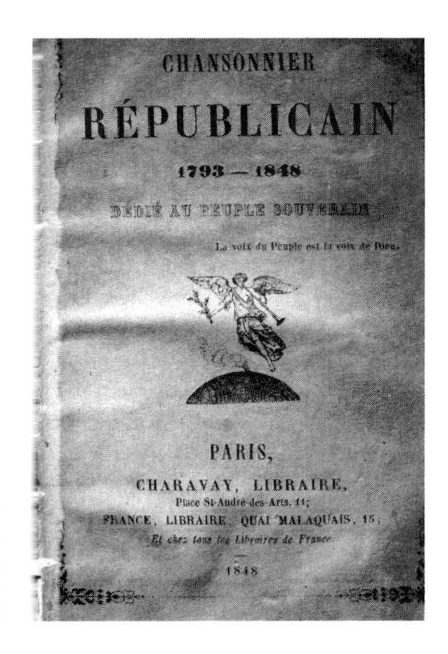
CHANSONNIER
RÉPUBLICAIN
1793 — 1848
DÉDIÉ AU PEUPLE SOUVERAIN
La voix du Peuple est la voix de Dieu.

PARIS,
CHARAVAY, LIBRAIRE,
Place St-André-des-Arts, 11;
FRANCE, LIBRAIRE, QUAI MALAQUAIS, 15;
Et chez tous les Libraires de France.
1848

Let us take note of Le Chœur des Girondins, *set to music by Pierre Varney, first heard at the Théâtre Historique in 1847 at the premiere of the play* Le Chevalier de Maison-Rouge *by Dumas père and Maquet. The song was so successful that it became the rallying cry of February 1848.*

CHANT DES GIRONDINS

À la voix du canon d'alarme,
La France appelle ses enfants.
« Allons, dit le soldat, aux armes !
C'est ma mère, je la défends ».

Refrain

Mourir pour la patrie, *(bis)*
C'est le sort le plus beau,
Le plus digne d'envie.

These collections include not only the « traditional » songs of the French Revolution, such as *la Marseillaise, la Carmagnole, les Versaillais, Hymne à l'Être suprême,* but also songs written by the Republican « goguettiers » and Socialists. One of the most famous of these, Charles Gille, celebrated the events of the Revolution, immortalizing them in the memory of the people *(Départ de la Garde nationale en 1792, le Bataillon de la Moselle,* and *le Vengeur).*

Later the Communard Jean-Baptiste Clément recalled the exploits of the *Volontaires* of year II :

MAL équipés, en gros sabots,
Ils coururent, le sac au dos,
A nos frontières,
Avec *La Marseillaise* au cœur
Et du courage à faire peur,
Les volontaires.

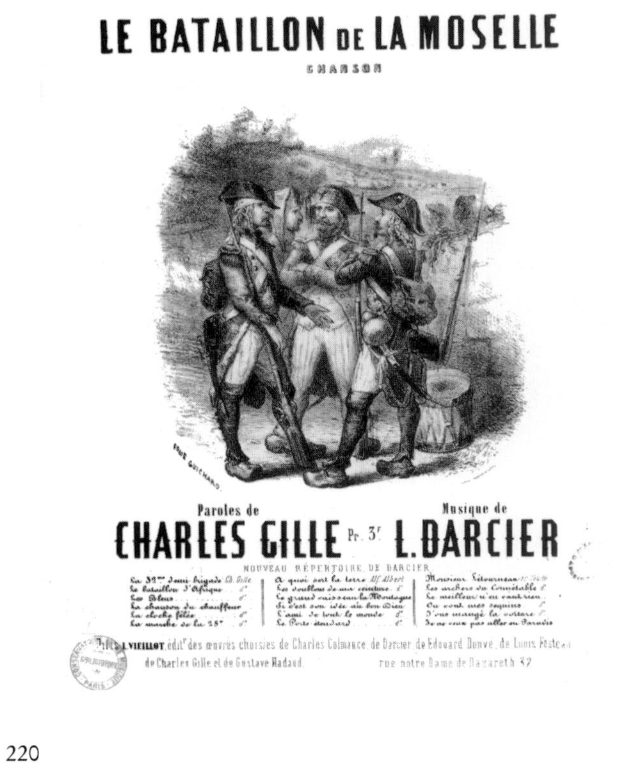

G. Randon, lith.

LE VENGEUR.

Le 1er juin 1794, à la suite d'un combat acharné entre la Flotte française, commandée par Villaret-Joyeuse, et la Flotte anglaise, LE VENGEUR refuse d'amener, cloue son pavillon, décharge la batterie basse, déjà à fleur d'eau, et s'enfonce aux cris de

VIVE LA RÉPUBLIQUE ET LA LIBERTÉ!!!

L'amiral Villaret-Joyeuse
Avait quitté le port de Brest;
L'escadre cinglait au sud-est;
La mer était un peu houleuse.
Pour chercher un convoi sauveur
Amenant des blés d'Amérique,
Des marins de la République
Etaient montés sur *le Vengeur*. } *bis.*

Le onze, un gabier de vigie,
S'écria: Voile sous le vent!
L'escadre se trouvait devant
La flotte anglaise réunie.
D'un brouillard la sombre épaisseur
Couvrait l'Océan Atlantique:
Des marins de la République
Etaient montés sur *le Vengeur*. } *bis.*

Le lendemain, sur ces parages
Brillait un soleil radieux,
Et nos matelots tout joyeux
Se groupaient sur les bastingages.
Sur l'avant les nôtres en chœur
Ont répété le chant magique (*);
Des marins de la République
Etaient montés sur *le Vengeur*. } *bis.*

Aussitôt le combat commence:
Le destin apprête un succès;
Mais, pour l'obtenir, les Anglais
Jettent de l'or dans la balance.
Le Français au fer ravageur
Oppose un courage héroïque:
Des marins de la République
Etaient montés sur *le Vengeur*. } *bis.*

(*) *La Marseillaise.*

Sur les vagues cent boulets glissent
Et les mâts retombent brisés,
Et de mourants et de blessés
La cale et l'entrepont s'emplissent.
Plus l'assaillant y met d'ardeur,
Plus la défense est énergique:
Des marins de la République
Etaient montés sur *le Vengeur*. } *bis.*

«Pour que nul ne puisse le prendre
»Clouons, dirent-ils, ce haillon
»Du noble et brillant pavillon
»Que nous jurâmes de défendre;
»Sauvons ce mât du déshonneur
»De voir l'étendard britannique.»
Des marins de la République
Etaient montés sur *le Vengeur*. } *bis.*

«Que notre main sous nos pieds ouvre
»Une tombe, enfants! mais morbleu!
»Feu bâbord! tribord! partout feu!!!
»Avant que la mer nous recouvre.
»Oui, saluons notre vainqueur;
«Serrons-nous; c'est l'instant critique.»
Au cri: *Vive la République!*
Sombra le vaisseau *le Vengeur*. } *bis.*

Au Panthéon, sublime ouvrage,
Un jour le peuple souverain
En or gravera sur l'airain
Tous les noms de son équipage.
Son modèle, moindre en grandeur,
Sera placé sous le portique.
Car ces fils de la République
S'embrassaient tous sur *le Vengeur*.

(Déposé.)

Se vend à Lyon, rue de la République (ex-rue Bourbon), 33.

Typographie Boursy,
LITH. de GOMET, à LYON.

Although La Marseillaise, *again banned during the Second Empire, was reinstated as France's national anthem only in 1879, it was always in the hearts and on the lips of the people from the time of the rebellion of 1870-1871.* La Marseillaise *was sung in schools during the Third Republic. It became a patriotic battle song from 1914 to 1918 and again during Hitler's occupation of France from 1940 to 1945.*

150me Anniversaire de Valmy

Français, Françaises, manifestez le 20 Sept., à 18 h. 30

Pour commémorer le 150me Anniversaire de la victoire remportée par les soldats de la République Française sur les hordes du Duc de Brunswick, le 20 Septembre 1792.

Rassemblez-vous à Paris, Place de la République

et devant les mairies de nos villes et de nos villages.

Faites retentir les chants de **La Marseillaise et Le Chant du Départ**

LA MARSEILLAISE

1er Couplet

Allons, enfants de la Patrie
Le jour de gloire est arrivé !
Contre nous de la tyranie
L'étandard sanglant est levé (bis)
Entendez-vous dans les campagnes
Mugir ces féroces soldats ?
Ils viennent jusque dans nos bras
Egorger nos fils, nos compagnes !

Refrain

Aux armes, citoyens!
Formez vos bataillons.
Marchons ! Marchons !
Qu'un sang impur
Abreuve nos sillons.

II

Que veut cette horde d'esclaves,
De traîtres, de rois conjurés,
Pour qui ces ignobles entraves,
Ces fers de longtemps préparés ? (bis)
Français, pour nous, ah ! quel outrage,
Quels transports il doit exciter !
C'est nous qu'on ose méditer
De rendre à l'ancien esclavage !

III

Quoi ! Ces cohortes étrangères
Feraient la loi dans nos foyers
Quoi ! Ces phalanges mercenaires
Terrasseraient nos fiers guerriers (bis)
Grand Dieu par des mains enchaînées
Nos fronts sous le joug se ploieraient
De vils despotes deviendraient
Les maîtres de nos destinées !

IV

Tremblez, tyrans et vous perfides,
L'opprobre de tous les partis
Tremblez ! Vos projets parricides
Vont enfin recevoir leur prix (bis)
Tout est soldat pour vous combattre
S'ils tombent, nos jeunes héros,
La France en produit de nouveaux,
Contre vous tout prêts à se battre !

V

Français, en guerriers magnanimes,
Portez ou retenez vos coups !
Epargnez ces tristes victimes,
A regret s'armant contre vous (bis)
Mais ces despotes sanguinaires,
Mais ces complices de Bouillé,
Tous ces tigres qui sans pitié
Déchirent le sein de leur mère !

VI

Amour sacré de la Patrie,
Conduit, soutient, nos bras vengeurs.
Liberté, liberté chérie
Combats avec tes défenseurs (bis)
Sous nos drapeaux que la Victoire
Accoure à tes mâles accents,
Que tes ennemis expirants
Voient ton triomphe et notre gloire !

VII

Nous entrerons dans la carrière
Quand nos aînés n'y seront plus,
Nous y trouverons leurs poussières
Et la trace de leur vertu (bis)
Bien moins jaloux de leur survivre
Que de partager leur cercueil
Nous aurons le sublime orgueil
De les venger ou de les suivre

150me Anniversaire de Valmy

Manifestez le Dimanche 20 Septembre 1942, à 18 h. 30
à Paris, Place de la République et devant les mairies
de vos villes et de vos villages, aux cris de:

Du PAIN et des ARMES ! PAS UN OUVRIER FRANÇAIS pour l'Allemagne !
LAVAL AU POTEAU ! PAS DE RECOLTES françaises pour les boches !
HORS de FRANCE les BOCHES ! IL FAUT CHATIER les TRAITRES !

ENROLEZ-VOUS dans les DÉTACHEMENTS de FRANCS-TIREURS et PARTISANS
Luttez pour un Gouvernement de LIBÉRATION NATIONALE !

VIVE LA FRANCE LIBRE ET INDEPENDANTE !

Le CHANT du DÉPART

1er Couplet

La victoire en chantant, nous ouvre la barrière,
La Liberté guide nos pas;
Et du Nord au Midi, la trompette guerrière
A sonné l'heure des combats !
Tremblez ennemis de la France,
Rois ivres de sang et d'orgueil
Le peuple souverain s'avance.
Tyrans, descendez au cercueil.

Refrain

La République nous appelle
Sachons vaincre ou sachons périr !
Un Français doit vivre pour elle
Pour elle un Français doit mourir (bis)

II

De nos yeux maternels ne craignez pas les larmes !
Loin de nous de lâches douleurs
Nous devons triompher quand vous prenez les armes!
C'est aux rois à verser des pleurs !
Nous vous avons donné la vie,
Guerriers ! elle n'est plus à vous;
Tous vos jours sont à la Patrie,
Elle est votre mère avant nous !

III

De Bara à Viala, le sort nous fait envie,
Ils sont morts, mais ils sont vaincus.
Le lâche accablé d'ans n'a point connu la vie !
Qui meurt pour le Peuple a vécu !
Vous êtes vaillants, nous le sommes;
Guidez-nous contre les tyrans
Républicains sont des hommes
Les esclaves sont des enfants.

IV

Partez vaillants époux, les combats sont vos fêtes;
Partez, modèles des guerriers,
Nous cueillerons des fleurs pour enceindre vos têtes,
Nos mains tresserons vos lauriers
Et si le temple de mémoire
S'ouvrait à vos maux vainqueurs,
Nos voix chanteront votre gloire,
Nos flancs porteront vos vengeurs.

In September 1942, the Francs-Tireurs and the Partisans distributed this tract to celebrate the 150th anniversary of Valmy.

Throughout the nineteenth and twentieth centuries, the tunes of the Revolution's most famous songs, such as La Marseillaise, La Carmagnole *and* Le Chant du départ, *were used over and over with new verses written for new circumstances.*

Even with their words changed, the songs continued to embody the revolutionary spirit of Liberté, Égalité, Fraternité and of the Declaration of the Rights of Man and Citizen.

Popular edition dating to 1914.
Note that the infantry men still wore red army pants.

BIBLIOGRAPHY

(French Language References)

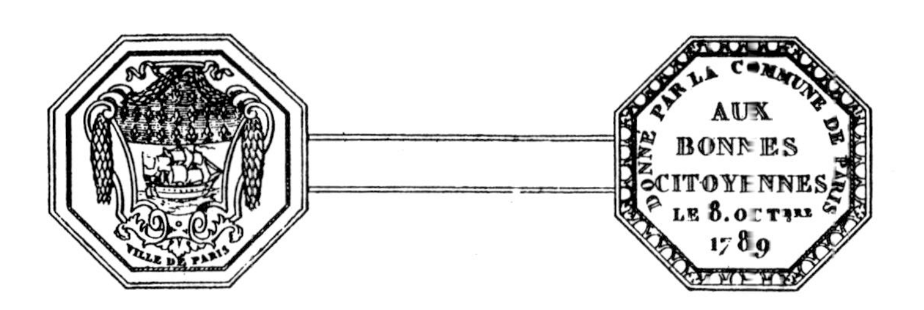

General Reference

F. Mignet, *Histoire de la Révolution française,* 2 vol. Paris, 1827.

Ét. Cabet, *Histoire populaire de la Révolution française de 1789 à 1830,* 4 vol. Paris, 1839-1840.

J. Michelet, *Histoire de la Révolution française.* Paris, 1847-1853 (several editions).

A. de Tocqueville, *L'Ancien Régime et la Révolution,* 2 vol. Paris, 1856 (new edition by J.P. Mayer, introduction by G. Lefebvre, 1952).

A. Aulard, *Histoire politique de la Révolution française.* Paris, 1901 (several editions).

J. Jaurès, *Histoire socialiste de la Révolution française.* Paris, 1901-1904 (Third edition revised and updated by A. Soboul, preface by E. Labrousse, 6 vol. + index, 1968).

G. Deville, *Thermidor et Directoire,* volume 5 of *Histoire socialiste* de Jaurès). Paris, 1905.

P. Kropotkine, *La Grande Révolution,* 1789-1793. Paris. 1909.

A. Mathiez, *La Révolution française,* 3 vol. Paris, 1922-1927 (sev. ed.).

G. Lefebvre, *La Révolution française.* Paris, 1930, (revised and updated by A. Soboul in 1963).

G. Lefebvre, *Napoléon.* Paris, 1936 (revised and updated by A. Soboul in 1965).

G. Lefebvre, *La France sous le Directoire (1795-1799).* Complete edition, preface by J.R. Suratteau. Paris, 1977.

D. Guérin, *La lutte des classes sous la Première République. Bourgeois et bras nus.* Paris, 1946 (new ed. 1968).

J. Godechot, *La Grande Nation. L'expansion révolutionnaire de la France dans le monde (1789-1799).* Paris, 1956 (new ed. 1983).

A. Soboul, *Précis d'histoire de la Révolution française.* Paris, 1962. Nouvelle édition augmentée : *La Révolution française,* 1982.

F. Furet et D. Richet, *La Révolution,* 2 vol. Paris, 1965-1966 (new single volume ed. 1973).

L. Bergeron, *Les révolutions européennes et le partage du monde* (2e partie : « La France et l'Europe, de la chute de l'Ancien Régime au congrès de Vienne »), in *Le Monde et son Histoire,* v. VII. Paris, 1972.

M. Vovelle, *La chute de la monarchie, 1787-1792* – M. Bouloiseau, *La République jacobine.* – D. Woronoff, *La République bourgeoise de Thermidor à Brumaire, 1794-1799* (vol. 1, 2 et 3 Nouvelle Histoire de la France contemporaine). Paris, 1972.

F. Hincker et Cl. Mazauric, Tome I de l'*Histoire de la France contemporaine.* Paris, 1977.

J. Godechot, *Regards sur l'époque révolutionnaire.* Toulouse, 1980.

J. Godechot, *La Révolution française. Chronologie commentée, 1787-1799.* Paris, 1988.

Dictionnaire historique de la Révolution française, J.R. Suratteau editor. Paris, 1988.

Dictionnaire critique de la Révolution française, edited by F. Furet et Mona Ozouf. Paris, 1988.

G. Soria. *Grande Histoire de la Révolution française,* 3 vol. Paris, 1988. (850 documents, 500 of which are color).

L'état de la France pendant la Révolution, 1789-1799, edited by de M. Vovelle. Paris, 1988.

Monographs, Analyses, Historical Events

A. Young, *Voyages en France en 1787, 1788 et 1789.* 1793 French translation, revised by Henri Sée, 3 vol. Paris, 1931.

K. Kautsky, *La lutte des classes en France en 1789* (1889). French translation : Paris, 1901.

D. Mornet, *Les origines intellectuelles de la Révolution française, 1715-1787.* Paris, 1933.

G. Lefebvre, *les paysans du Nord sous la Révolution française.* Paris 1924 (revised 1959).

G. Lefebvre, *La Grande Peur de 1789. Paris, 1932 (expanded and revised, 1988).*

A. Mathiez, *La vie chère et le mouvement social sous la Terreur.* Paris, 1927.

A. Mathiez, *Girondins et Montagnards.* Paris, 1930.

E. Labrousse, *Esquisse du mouvement des prix et des revenus en France au XVIIIe siècle,* 2 vol. Paris, 1933 (revised 1984).

E. Labrousse, *La crise de l'économie française à la fin de l'Ancien Régime et au début de la Révolution.* Paris, 1943.

J. Égret, *La Révolution des Notables. Mounier et les monarchiens.* Paris, 1950.

A. Soboul, *Les Sans-culottes parisiens en l'an II.* Paris, 1958.

K.D. Tönnesson, *La défaite des Sans-culottes : mouvement populaire et réaction bourgeoise en l'an III.* Paris, 1959.

E. Tarlé, *Germinal et Prairial.* Moscou, 1959.

G. Rudé, *La foule dans la rue* (1959). Édition française préfacée par G. Lefebvre, Paris, 1982.

R. Cobb, *Les armées révolutionnaires, instrument de la Terreur dans les départements.* Paris, 1961.

J. Godechot, *La prise de la Bastille.* Paris, 1965 (revised 1972).

P. Kessel, *La nuit du 4 août 1789.* Paris, 1969.

M. Reinhard, *10 août 1792. La chute de la royauté.* Paris, 1969.

Actes du colloque « Girondins et Montagnards » (Sorbonne, 1975). Paris, 1980.

Contribution à l'histoire paysanne de la Révolution française, edited by A. Soboul. Paris, 1977.

The Counterrevolution and the War in the Vendée

E. Vingtrinier, *Histoire de la Contre-Révolution, 1789-1791,* 2 vol. Paris, 1924-1925.

J. Godechot, *Contre-Révolution. Doctrine et action (1789-1804).* Paris, 1961 (revised 1984).

Ph. Bois, *Paysans de l'Ouest.* Paris, 1960 (ed. rev, 1971).

Ch. Tilly, *La Vendée. Révolution et contre-Révolution* (1964). French translation, Paris, 1970.

Cl. Petitfrère, *La Vendée et les Vendéens.* Paris, 1981.

J.Cl. Martin, *La Vendée et la France.* Paris, 1987.

The People

Cl. Manceron, *Le sang de la Bastille* (5th vol. *Hommes de la Liberté*). Paris, 1987.

P. Bastid, *Sieyès et sa pensée.* Paris, 1939 (rev. 1970).

Ch. Tillon, *Le laboureur de la République (Michel Gérard, député paysan sous la Révolution française).* Paris, 1983.

J.J. Chevalier, *Barnave ou les deux faces de la Révolution.* Grenoble, 1979.

É. Lintilhac, *Vergniaud.* Paris, 1920.

Suzanne d'Huart, *Brissot. La Gironde au pouvoir.* Paris, 1986.

E. et R. Badinter, *Condorcet.* Paris, 1988.

Édith Bernardin, *Jean-Marie Roland et le ministère de l'Intérieur, 1792-1793.* Paris, 1964.

Jacqueline Chaumié, *Les Girondins,* in Actes du colloque « Girondins et Montagnards », Paris 1980.

A. Bougeart, *Marat, l'Ami du peuple,* 2 vol. Paris, 1865.

J. Massin, *Marat.* Paris, 1960.

G. Walter, *Hébert et le Père Duchesne.* Paris, 1946.

M. Dommanget, *Jacques Roux, le curé rouge.* Paris, 1948.

G. Avenel, *Anacharsis Cloots.* Paris, 1865 (rééd. 1976).

L. Madelin, *Danton.* Paris, 1914.

Camille Desmoulins. Le Vieux Cordelier, published by A. Mathiez - H. Calvet. Paris, 1936.

É. Hamel, *Histoire de Robespierre,* 3 vol. Paris, 1865 (2-volume rev. edition 1987).

A. Mathiez, *Études sur Robespierre,* preface by G. Lefebvre. Paris, 1958.

Saint-Just, Discours et rapports, introd. A. Soboul. Paris, 1957.

M. Dommanget, *Saint-Just.* Paris, 1971.

M. Reinhard, *Le grand Carnot,* 2 vol. Paris, 1950 et 1952.

A. Galante-Garrone, *Gilbert Romme* (1959), French translation Paris, 1971.

F. Thénard et R. Guyot, *Le Conventionnel Goujon.* Paris, 1908.

J. Lhomer, *Un homme politique lorrain, François de Neufchâteau.* Paris-Nancy, 1913.

Babeuf and the « Égaux »

Ph. Buonarroti, *Conspiration pour l'Égalité, dite de Babeuf.* Bruxelles, 1828. Revised by R. Brécy et A. Soboul, preface by G. Lefebvre, bibliography by J. Dautry, 2 vol. Paris, 1957.

M. Dommanget, *Pages choisies de Babeuf,* Paris, 1935.

M. Dommanget, *Sylvain Maréchal, « l'Homme sans Dieu ».* Paris, 1950.

M. Dommanget, *Sur Babeuf et la Conjuration des Égaux.* Paris, 1974.

Cl. Mazauric, *Babeuf et la Conspiration pour l'Égalité.* Paris, 1962.

V. Daline, *Gracchus Babeuf à la veille et pendant la Grande Révolution française (1785-1794).* Moscou, 1976.

J. Bruhat, *Gracchus Babeuf et les Égaux.* Paris, 1978.

R. Legrand, *Babeuf et ses compagnons de route.* Paris, 1981.

Société des Études Robespierristes, *Babeuf, Buonarroti. Pour le deuxième centenaire de leur naissance.* Nancy, 1961.

Babeuf et les problèmes du babouvisme. International colloquium, Stockholm (1960). Paris, 1963.

Ideology and Civilization

M. Agulhon, *Pénitents et Francs-maçons de l'ancienne Provence.* Paris, 1968.

M. Agulhon, *La vie sociale en Provence intérieure au lendemain de la Révolution.* Paris, 1970.

M. Vovelle, *Idéologies et mentalités.* Paris, 1982.

Franc-maçonnerie et Lumières au seuil de la Révolution française, Colloquium Institut d'études et de recherches maçonniques, Paris, 1984.

A. Soboul, *La Civilisation et la Révolution française :* I. *La crise de l'Ancien Régime,* Paris, 1970. – II. *La Révolution française,* Paris, 1982. – III. *La France napoléonienne,* Paris, 1983.

M. David, *Fraternité et Révolution française.* Paris, 1987.

Illustrations

Ph. Sagnac et J. Robiquet, *La Révolution de 1789 (des origines au 26 octobre 1795),* 2 vol. Paris, 1934.

Jean Massin, *Almanach de la Révolution française (20 août 1786 - 28 juillet 1794).* Paris, 1963.

Jean Massin, *Almanach du Ier Empire (du 9 Thermidor à Waterloo).* Paris, 1965.

(Richly illustrated, these two chronologies with extensive commentary will be revised and reissued for the Bicentennial of the French Revolution).

M. Vovelle, *La Révolution française. Images et récit,* 5 vol. Paris, 1986-1987.

Les images de la Révolution (Colloque Sorbonne 1985). Paris, 1988.

Exhibit catalogues :

- *La Révolution française dans l'histoire, dans la littérature, dans l'art,* preface by Jean Zay. Musée Carnavalet, 1939.
- *Musée de l'Histoire de France. Salle de la Révolution française.* Catalogue J.P. Babelon, foreword by A. Chamson. Archives nationales, 1965.
- *L'art de l'estampe et la Révolution française.* Introduction P. de la Vaissière. Musée Carnavalet, 1977.
- *La Révolution française.* Catalogue Martine Garrigues, préface J. Favier. Archives nationales ; 1982.
- *La Révolution française, le Premier Empire. Dessins du Musée Carnavalet.* Foreword by B. de Montgolfier, 1983.

Songs, Theatre and Festivals of the Revolution

H. Welschinger, *Le Théâtre de la Révolution, 1789-1799.* Paris, 1880.

L. Damade, *Histoire chantée de la Première République, 1789 à 1799.* Paris, 1892.

C. Pierre, *Musiques des fêtes et cérémonies de la Révolution française.* Paris, 1899.

C. Pierre, *Les hymnes et chansons de la Révolution.* Paris, 1904.

J. Tiersot, *Les fêtes et les chants de la Révolution française.* Paris, 1908.

P. Barbier et F. Vernillat, *La Révolution* (vol. 4 *Histoire de France par les chansons*). Paris, 1957.

Les Fêtes de la Révolution. Colloquium Clermont-Ferrand, 1974. Paris, 1977.

M. Ozouf, *La Fête révolutionnaire, 1789-1799.* Paris, 1976.

M. Vovelle, *Théodore Desorgues ou la désorganisation.* Paris, 1985.

M. Vovelle, *Note complémentaire sur le poète Th. Desorgues,* in Annales historiques de la Révolution française, 1986.

« La Marseillaise »

J. Tiersot, *Rouget de Lisle. Son œuvre, sa vie.* Paris, 1892.

L. Fiaux, *La Marseillaise. Son histoire dans l'histoire des Français depuis 1792.* Paris, 1918.

F. Robert, *Lettres à propos de « la Marseillaise ».* Paris, 1980.

Other Sources

This book having gone to press in Spring of 1988, we were not able to consult many other works scheduled to be published between the summer of 1988 and the Bicentennial of the French Revolution. We would, however, like to list some of those titles which will contribute additional information for the interested reader :

- *1789, la prise de la Bastille,* G. Chaussinand-Nogaret.
- *1793, la déchristianisation de l'an II,* by M. Vovelle.
- *1794, la chute de Robespierre,* Françoise Brunel.
- *1799, Bonaparte prend le pouvoir,* J.P. Bertaud.
- *La mentalité révolutionnaire. Société et mentalité sous la Révolution française,* M. Vovelle.
- *L'Art et la Révolution française, 1789-1804,* J.J. Levêque.
- *Jean-Louis David,* A. Brookner.
- *La Marseillaise,* F. Robert.

INDEX OF SONGS AND HYMNS

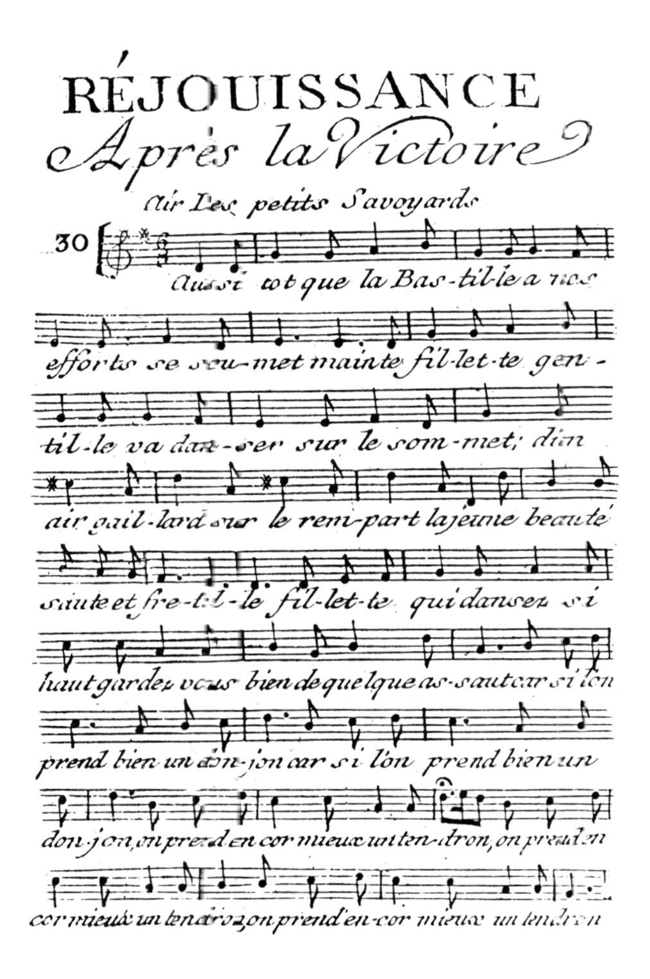
RÉJOUISSANCE
Après la Victoire
Air Les petits Savoyards
30
Aussi tot que la Bas-til-le a nos
efforts se sou-met mainte fil-let-te gen-
til-le va dan-ser sur le som-met; d'un
air gail-lard sur le rem-part la jeune beauté
saute et fre-ti-le fil-let-te qui danse si
haut gardez vous bien de quelque as-saut car si l'on
prend bien un don-jon car si l'on prend bien un
don-jon, on prend en cor mieux un ten-dron, on prend en
cor mieux un tendron, on prend en-cor mieux un tendron

Introduction

Chapter 1 (1787-1789)

Chapter 2 (1790)

Chapter 3 (1791)

Chapter 4 (1791-1792)

Chapter 5 (1792-1793)

Chapter 6 (1793-1794)

Chapter 7 (1794-1795)

Chapter 8 (1795-1799)

One Last Word

INDEX OF SINGERS, SONGWRITERS AND COMPOSERS

CONTENTS

PHOTOGRAPHIC CREDITS

Bibliothèque Nationale, 10 - 13 - 14 - 17 - 20 - 27 - 28 - 30 - 31 - 32 - 33 - 34 - 35 - 36 - 37 - 38 - 39 - 40 - 41 - 42 - 43 - 44 - 45 - 49 - 51 - 52 - 53 - 54 - 55 - 57 - 58 - 60 - 62 - 63 - 64 - 66 - 67 - 68 - 69 - 70 - 71 - 74 - 75 - 76 - 77 - 78 - 79 - 80 - 82 - 84 - 87 - 89 - 90 - 91 - 92 - 93 - 95 - 97 - 98 - 99 - 100 - 101 - 103 - 104 - 109 - 111 - 112 - 113 - 114 - 115 - 118 - 119 - 126 - 128 - 133 - 136 - 137 - 138 - 140 - 141 - 142 - 143 - 145 - 147 - 148 - 149 - 150 - 151 - 152 - 153 - 154 - 155 - 156 - 157 - 158 - 159 - 160 - 161 - 162 - 163 - 164 - 165 - 167 - 168 - 170 - 172 - 173 - 175 - 177 - 178 - 179 - 182 - 183 - 185 - 188 - 190 - 194 - 195 - 196 - 199 - 200 - 201 - 202 - 203 - 204 - 205 - 206 - 207 - 211 - 217. Lauros-Giraudon, 13 - 18 - 29 - 46 - 48 - 49 - 86 - 88 - 89 - 95 - 99 - 100 - 101 - 102 - 103 - 108 - 109 - 110 - 117 - 124 - 129 - 139 - 144 - 149 - 156 - 157 - 181 - 186 - 189 - 199 - 206 - 208 - 209 - 214 - 216. Edimédia, 59 - 61 - 105 - 107 - 117 - 123 - 127 - 131 - 146. Collection auteur, 16 - 17 - 25 - 72 - 121 - 180 - 188 - 193 - 208 - 218 - 219 - 220 - 221 - 222 - 223. Photographie Bulloz Bibliothèque Nationale, 134. Musée de la Révolution Française, Vizille, 26. Clichés : Musées de la ville de Paris © Spadem 1988, 15 - 50 - 73. Clichés des Musées Nationaux, Paris, 83. Service Photographique des Archives Nationales, 184 - 191 - 192. Cenam Bibliothèque, 116 - 120. Bibliothèque Historique de la ville de Paris, 12 - 96. Droits réservés, 15 - 17 - 25 - 30 - 36 - 47 - 72 - 78 - 85 - 94 - 116 - 120 - 121 - 126 - 129 - 130 - 132 - 135 - 193 - 198 - 224 - 225 - 226 - 227 - 230. Les mélodies sont extraites de « La clé du caveau » fourni par Animabus et de l'ouvrage de France Vermillat (Gallimard) « Histoire de France par les chansons ».

HYMNE

Des prisonniers du chateau du Taureau.

par GOUJON, l'un d'eux (1)

Se trouve à Paris Chez les Marchands de Nouveautés Et

Chez Vatar, Imprimeur, Rue de l'Université Nº. 139 ou 926.